Sofia Lundberg

Das rote Adressbuch

GOLDMANN
Lesen erleben

Sofia Lundberg

Das rote Adressbuch

Roman

Aus dem Schwedisch
von Kerstin Schöps

GOLDMANN

Die schwedische Originalausgabe erschien 2017 unter dem Titel
»Den röda adressboken« bei Forum, Stockholm.

Dieses Buch ist auch als E-Book erhältlich.

Verlagsgruppe Random House FSC® N001967

8. Auflage
Taschenbuchausgabe Dezember 2019
Copyright © der Originalausgabe 2017 by Sofia Lundberg
Copyright © der deutschsprachigen Ausgabe 2018
by Wilhelm Goldmann Verlag, München,
in der Verlagsgruppe Random House GmbH,
Neumarkter Str. 28, 81673 München
Published by agreement with Salomonsson Agency.
Umschlaggestaltung: buxdesign GbR
Umschlagmotiv: Trevillion Images/Lesley Aggar
AG · Herstellung: kw
Satz: Uhl + Massopust, Aalen
Druck und Bindung: GGP Media GmbH, Pößneck
Printed in Germany
ISBN: 978-3-442-48981-7
www.goldmann-verlag.de

Besuchen Sie den Goldmann Verlag im Netz

Für Doris, den wunderbarsten Engel
auf dieser Erde. Du hast mir Luft zum Atmen
und Flügel zum Fliegen gegeben.

Und für Oskar,
meinen allerliebsten Schatz.

~ 1 ~

Der Salzstreuer. Die Pillendose. Die Schale mit den Hals-
pastillen. Das Blutdruckmessgerät in seiner ovalen Plastiktasche. Die Lupe mit dem roten, geklöppelten Band von
einer alten Weihnachtsgardine, das mit drei Knoten befestigt
ist. Das Telefon mit den extragroßen Zifferntasten. Das rote
Adressbuch, dessen Leder abgegriffen ist und sich an den
Ecken hochbiegt, sodass man die gelben Seiten sehen kann.
Sie arrangiert die Sachen sorgfältig in der Mitte des Küchen-
tisches. Gerade und ordentlich sollen sie liegen. Dürfen keine
Falten auf der hellblauen, gebügelten Tischdecke bilden.

Danach verbringt sie eine Weile in tiefer Stille und sieht
aus dem Fenster auf die Straße, die im regnerischen Grau
versinkt. Sie sieht die Menschen vorbeihetzen, mit und ohne
Regenschirm. Die kahlen Bäume. Den Matsch auf dem
Asphalt und das Wasser, das sich seinen Weg sucht.

Ein Eichhörnchen springt auf einen der Äste, und ein
Lächeln huscht über ihr Gesicht. Sie lehnt sich vor und
folgt den Bewegungen des kleinen Geschöpfs. Der buschige
Schwanz wippt von einer Seite zur anderen, wenn das Tier
von Ast zu Ast springt. Dann klettert es den Baum hinunter,
springt auf die Straße und verschwindet. Auf zu neuen Abenteuern.

Es ist bestimmt bald Zeit für das Mittagessen, denkt
sie und streicht sich über den Bauch. Mit zitternder Hand
nimmt sie die Lupe und hält sie über ihre goldene Armband-

uhr. Aber die Ziffern sind trotzdem viel zu klein, und sie gibt es gleich wieder auf. Sie faltet ihre Hände im Schoß und schließt die Augen. Wartet auf das so wohlbekannte Geräusch an der Eingangstür.

»Doris, schlafen Sie etwa?«

Eine viel zu laute Stimme reißt sie aus dem Schlaf. Sie spürt eine Hand auf ihrer Schulter und lächelt die junge Pflegerin schlaftrunken an, die sich über sie beugt.

»Ich muss eingenickt sein.« Die Worte bleiben im Hals stecken, und sie räuspert sich.

»Hier, trinken Sie mal einen Schluck.« Die Pflegerin reicht ihr ein Glas Wasser, und Doris nimmt ein paar Schlucke.

»Vielen Dank ... Verzeihen Sie, aber wie heißen Sie noch mal? Ich habe es vergessen.« Schon wieder eine Neue. Die vorherige hatte aufgehört, weil sie weiterstudieren wollte.

»Aber Doris, ich bin es doch, Ulrika. Wie geht es Ihnen denn heute?«, fragt sie. Bleibt aber nicht bei ihr stehen, um auf eine Antwort zu warten.

Es kommt auch keine.

Doris beobachtet Ulrika, die in der Küche herumwirbelt. Sieht, wie sie die Pfeffermühle herausholt und den Salzstreuer zurück in die Speisekammer stellt. Danach ist das Tischtuch voller Wellen und Falten.

»Kein Salz, habe ich Ihnen doch gesagt.« Ulrika steht mit der Essensbox vor ihr und sieht sie streng an. Doris nickt und seufzt, während Ulrika den Plastikdeckel von der Box reißt und den Inhalt auf einen braunen Teller kippt. Soße, Kartoffeln, Fisch und Erbsen. Alles auf einem Haufen. Sie stellt den Teller in die Mikrowelle und die Uhr auf zwei Minuten. Die Maschine beginnt ihre Arbeit mit einem dumpfen Brummen, und in der Wohnung breitet sich der Geruch von gekochtem

Fisch aus. In der Zwischenzeit räumt Ulrika auf: Sie stapelt die Zeitungen und die Post zu einem unordentlichen Haufen, leert die Spülmaschine.

»Ist es kalt draußen?« Doris sieht aus dem Fenster. Düster und feucht ist es dahinter. Sie kann sich nicht erinnern, wann sie das letzte Mal vor der Tür gewesen ist. Im Sommer war es. Oder im Frühling?

»Oh ja, der Winter kommt. Die Regentropfen fühlen sich an wie kleine Eiswürfel. Ich bin froh, dass ich mit dem Auto unterwegs bin und nicht laufen muss. Ich habe sogar einen Parkplatz direkt vor der Tür gefunden. Was die Parkplätze angeht, ist es bei uns in den Vororten wirklich einfacher. Hier in der Stadt ist es doch aussichtslos, aber manchmal hat man auch Glück.« Die Worte purzeln ohne Pause aus ihr heraus.

Dann fängt Ulrika an zu summen. Einen Popsong. Doris hat ihn schon einmal im Radio gehört. Ulrika wirbelt weiter durch die Zimmer. Staubsaugt im Schlafzimmer. Doris hört sie poltern und hofft, dass sie nicht die Vase umwirft. Die handbemalte, die ihr so viel bedeutet.

Als Ulrika zurück in die Küche kommt, hat sie ein Kleid über dem Arm. Es ist das bordeauxrote aus Wolle, das mit den ausgestellten Ärmeln und einem Faden, der vom Saum herunterhängt. Doris hat versucht, ihn abzureißen, als sie das Kleid das letzte Mal anhatte, aber die Schmerzen im Rücken hatten es ihr unmöglich gemacht, sich so weit vorzubeugen. Sie streckt ihre Hand aus, um den Faden zu packen, aber die bleibt unverrichteter Dinge in der Luft hängen, weil sich Ulrika abrupt umdreht und das Kleid über eine Stuhllehne legt. Dann löst sie den Knoten von Doris' Morgenmantel und beginnt, ihn ihr vorsichtig auszuziehen. Doris wimmert, die Rückenschmerzen strahlen bis in die Arme. Der Schmerz ist immer da, tagsüber und nachts. Er erinnert sie an ihren vergänglichen und verfallenden Körper.

»So, jetzt stehen wir mal auf. Ich hebe Sie auf drei, okay?« Ulrika hält sie mit einem Arm fest, zieht sie hoch und streift ihr den Morgenmantel von den Schultern. Doris bleibt stehen. Im kalten Tageslicht der Küche und nur in Unterwäsche. Die muss auch gewechselt werden. Doris bedeckt sich, als ihr BH geöffnet wird und seine Aufgabe verliert. Ihre Brüste senken sich Richtung Bauch.

»Oh, Sie Arme, Sie frieren ja. Kommen Sie, wir gehen schnell ins Badezimmer.«

Ulrika nimmt Doris an der Hand, und sie folgt ihr mit unsicheren Schritten. Sie spürt, wie ihre Brüste gegen den Körper wippen, hält sie mit der freien Hand fest. Im Badezimmer ist es viel wärmer, unter den Fliesen winden sich die Schlingen der Fußbodenheizung. Sie schüttelt sich die Hausschuhe von den Füßen und genießt die Wärme.

»So, jetzt ziehen wir uns mal an. Hoch mit den Armen.«

Doris gehorcht, aber sie bekommt die Arme nur bis zur Brust. Ulrika kämpft mit dem Kleidungsstück und zieht es ihr schließlich über den Kopf. Sie lächelt, als Doris wieder zum Vorschein kommt.

»So eine tolle Farbe. Die steht Ihnen so gut. Wollen Sie heute ein bisschen Lippenstift dazu tragen? Und vielleicht ein bisschen Rouge auf den Wangen?«

Die Schminksachen stehen auf einem kleinen Tisch neben dem Wachbecken. Ulrika hat den Lippenstift schon aufgedreht, aber Doris schüttelt den Kopf.

»Ist das Essen schon fertig?«, fragt sie.

»Das Essen! Oh je! Was bin ich bloß für ein Dummerchen. Das habe ich ja ganz vergessen. Ich muss es noch mal aufwärmen.«

Ulrika springt zur Mikrowelle, öffnet die Tür, drückt sie wieder zu und stellt eine Minute ein. Dann gießt sie etwas Preiselbeersaft in ein Glas und stellt den Teller auf den Tisch. Doris rümpft die Nase, als sie den Essensbrei sieht, aber sie hat Hunger.

Ulrika setzt sich mit einem Becher Kaffee in der Hand zu ihr. Es ist der handbemalte, mit den rosa Rosen. Den Doris nie benutzt, aus Angst, dass er kaputtgehen könnte.

»Ach, Kaffee ist das schwarze Gold, stimmt doch, oder?« Ulrika lacht.

Doris nickt, lässt den Becher aber nicht aus den Augen.

Bitte nicht fallen lassen.

»Sind Sie satt?«, fragt Ulrika, nachdem sie eine Weile schweigend beisammengesessen haben. Doris nickt, und Ulrika räumt den Teller ab. Sie kommt mit einem zweiten Becher Kaffee zurück. Dem dunkelblauen aus Höganäs.

»Bitte schön. Jetzt verschnaufen wir ein bisschen, ja?«

Ulrika lächelt und setzt sich wieder. »Was für ein Wetter. Regen, Regen und noch mal Regen. Das hört wohl nie auf.«

Doris will etwas erwidern, als Ulrika unbekümmert fortfährt: »Ich überlege gerade, ob ich dem Jungen ein Paar Ersatzstrümpfe für den Kindergarten eingepackt habe. Die werden heute doch total durchweicht sein, die Kleinen. Na ja, wahrscheinlich haben die da auch Ersatzsocken. Sonst muss ich halt ein barfüßiges, schlecht gelauntes Kind mit nach Hause nehmen. Immer macht man sich Sorgen um die Kleinen. Ich nehme an, Sie wissen, wie das ist. Wie viele Kinder haben Sie?«

Doris schüttelt den Kopf.

»Oh Gott, keine Kinder? Sie Arme, dann bekommen Sie ja nie Besuch? Waren Sie denn nie verheiratet?«

Die Gedankenlosigkeit der Pflegerin überrascht sie. Normalerweise stellten die nicht solche Fragen, nicht so direkte zumindest.

»Aber Freunde haben Sie doch? Die Sie ab und zu besuchen kommen? Das sieht doch ziemlich dick aus!«, sie zeigt auf das Adressbuch, das auf dem Tisch liegt.

Doris antwortet nicht. Sie wirft einen heimlichen Blick in die Richtung des Fotos von Jenny, das draußen im Flur hängt. Ulrika ist es bisher noch gar nicht aufgefallen. Jenny, die so weit weg ist und doch immer ganz nah, in ihren Gedanken.

»Oh je, wie die Zeit vergeht«, plappert Ulrika weiter. »Ich muss los. Wir unterhalten uns das nächste Mal darüber, einverstanden?«

Ulrika räumt die Kaffeebecher in die Spülmaschine, auch den handbemalten. Dann wischt sie ein paarmal mit dem Lappen über den Tisch und die Arbeitsfläche, schaltet die Spülmaschine ein, und ehe sichs Doris versieht, ist sie verschwunden. Durchs Fenster sieht Doris, wie Ulrika den Jackenkragen hochschlägt und in ein kleines rotes Auto steigt, das auf der Seite das Logo der Kommune aufgeklebt hat. Ganz langsam steht Doris auf, geht mit winzig kleinen Schritten zur Spülmaschine und unterbricht das Programm. Sie nimmt den handbemalten Becher aus der Maschine, spült ihn sorgfältig mit der Hand ab und versteckt ihn dann ganz hinten im Schrank, hinter den tiefen Dessertschalen. Sie überprüft es aus mehreren Blickwinkeln. Der Becher ist von vorne nicht mehr zu sehen. Zufrieden setzt sie sich wieder an den Küchentisch und streicht die Tischdecke glatt. Arrangiert die Dinge darauf neu. Das Medikamentendöschen, die Halstabletten, die Plastiktasche, die Lupe und das Telefon werden wieder an ihren richtigen Platz gesetzt. Als Letztes will sie das Adressbuch zurücklegen. Sie lässt ihre

Hand einen Moment darauf liegen. Es wurde schon lange nicht mehr aufgeschlagen. Sie klappt den Deckel auf und sieht die Namen auf der ersten Seite. Sie sind alle durchgestrichen. In großen Buchstaben hat sie ein Wort danebengeschrieben. Immer nur ein Wort. TOT.

Das rote Adressbuch

A. ALM, ERIC

So viele Namen, die einem im Laufe eines Lebens begegnen. Hast du dir darüber schon einmal Gedanken gemacht, Jenny? Die vielen Namen, die kommen und gehen. Die dir das Herz zerreißen und dich zu Tränen rühren. Die zu Geliebten oder zu Feinden werden. Manchmal blättere ich in meinem Adressbuch. Es ist die Landkarte meines Lebens. Ich werde dir ein bisschen davon erzählen. Denn du bist die Einzige, die sich an mich erinnern wird, wenn ich gehe. Und darum bist du auch die Einzige, die sich an mein Leben erinnern wird. Das ist eine Art Testament. Ich vermache dir meine Erinnerungen. Das ist das Wertvollste, was ich besitze.

Es war 1928. An meinem zehnten Geburtstag. Als mir das Geschenk überreicht wurde, wusste ich schon, dass sich in der Verpackung etwas ganz Besonderes befand. Das konnte ich an dem Funkeln im Blick meines Vaters sehen. In seinen dunklen Augen, die sonst immer verrieten, dass er mit den Gedanken woanders war. Sie warteten auf meine Reaktion. Das Geschenk war in feines, dünnes Seidenpapier gewickelt. Ich strich mit der Fingerspitze darüber. Die zarte Oberfläche, die aus einem Wirrwarr aus Mustern bestand. Und dann das Band, ein dickes rotes Seidenband. Es war das schönste Päckchen, das ich jemals bekommen hatte.

»Aufmachen, aufmachen!« Meine kleine Schwester Agnes hatte sich weit über den Esstisch gelehnt und die Ellenbogen aufgestellt, woraufhin sie sofort von meiner Mutter ermahnt wurde.

»Ja, komm, mach es auf!« Auch mein Vater klang ungeduldig.

Ich strich mit dem Daumen über das rote Seidenband, bevor ich vorsichtig an beiden Enden zog und die Schleife löste. Das Geschenk war ein Adressbuch, das in rotes Glattleder gebunden war und beißend nach Färbemittel roch.

»Darin kannst du alle deine Freunde eintragen«, sagte mein Vater und lächelte. »Alle Menschen, denen du im Laufe deines Lebens begegnest. Aus all den spannenden Städten und Ländern, die du bereisen wirst. Damit du sie nicht vergisst.«

Er nahm mir das Adressbuch aus der Hand und schlug die erste Seite auf. Unter A hatte er seinen Namen eingetragen. *Eric Alm*. Und darunter die Adresse und Telefonnummer seiner Werkstatt. Die Nummer war ganz neu, worauf er besonders stolz war. Denn zu Hause hatten wir noch kein Telefon.

Er war ein großer Mann, mein Vater. Nicht physisch. Das gar nicht. Aber seine Gedanken waren groß, zu groß für das Leben, das er führte. Sie waren in der großen weiten Welt unterwegs, auf dem Weg zu unbekannten Orten. Ich hatte oft den Eindruck, dass er eigentlich gar nicht bei uns zu Hause sein wollte. Er fühlte sich nicht wohl in diesem beengten Leben, ihn störte der Alltag. Er hatte einen unstillbaren Wissensdurst, und er füllte unser Haus mit Büchern. In meiner Erinnerung hat er nie viel geredet. Auch mit meiner Mutter nicht. Er vergrub sich meistens hinter seinen Büchern. Manchmal kletterte ich auf seinen Schoß, wenn er in seinem Lesesessel saß. Er ließ mich immer gewähren, schob mich aber beiseite, wenn ich ihm den Blick auf das Buch und die Bilder versperrte, mit denen er sich gerade beschäftigte. Ihn umhüllte immer der süßliche Geruch von Holz, sein Haar war oft bedeckt mit einer feinen Schicht von Sägemehl, was es ganz grau aussehen ließ. Seine Hände waren grob und voller Risse. Jeden Abend cremte er sie mit Vaseline ein und schlief mit dünnen Baumwollhandschuhen.

Meine Hände. Die lagen in einer vorsichtigen Umarmung um seinen Nacken. So saßen wir in unserer eigenen Welt. Ich begleitete ihn auf seinen Reisen, die er in Gedanken machte, mit jeder neuen Seite, die er umblätterte. Er studierte fremde Länder und Kulturen, steckte kleine Nadeln in eine große Weltkarte, die er an die Wand gehängt hatte. Als hätte er diese Orte tatsächlich bereist. Eines Tages, sagte er immer, eines Tages würde er in die weite Welt fahren. Und dann klebte er Ziffern an die Nadeln. Einser, Zweier, Dreier. Nach Vorliebe gestaffelt. Vielleicht wäre er als Forschungsreisender besser durchs Leben gekommen?

Wenn da nicht die Werkstatt meines Großvaters gewesen wäre. Das Erbe, das er angetreten hatte und verwalten musste. Eine Pflicht, die es zu erfüllen galt. Auch nachdem sein Vater gestorben war, ging er jeden Morgen, zuverlässig und treu, in die dunkle Werkstatt und arbeitete Seite an Seite mit seinem Lehrling. Bis unter die Decke waren die Holzbretter an den Wänden gestapelt, und immer lag der beißende Geruch von Terpentin und Waschbenzin in der Luft. Wir Kinder durften meist nur in der Tür stehen und ihnen zusehen. Die dunkelbraune Holzfassade der Werkstatt war mit Kletterrosen bewachsen, weißen Buschrosen. Wenn sie ihre Blütenblätter verloren, sammelten wir sie ein und legten sie in Schalen mit Wasser: Wir produzierten unser eigenes Parfum, das wir uns mit den Fingern an den Hals tupften.

Ich erinnere mich an Stapel aus unfertigen Stühlen und Tischen; Holzspäne und Sägemehl; das Werkzeug an den

Haken an den Wänden: Stemmeisen, Stichsägen, Schnitz-messer, Hammer. Alles hatte seinen angestammten Platz. Von seinem Stuhl hinter der Tischlerbank hatte mein Vater alles im Blick. Dort saß er, mit einer Schürze aus braunem, rissigem Leder und einem Stift, den er sich hinters Ohr ge-klemmt hatte. Er arbeitete immer, bis es dunkel wurde. Som-mer wie Winter. Dann kam er nach Hause. Zurück in seinen Lesesessel.

Seine Seele ist noch da, in mir. In seinem Stuhl, der unter dem Berg von Zeitungen verborgen ist und dessen Sitzfläche meine Mutter gewebt hat. Sein größter Traum war es, die Welt zu sehen, sie zu bereisen. Am Ende hat er nur einen bleibenden Eindruck in seinen vier Wänden hinterlassen. Mit den Ergebnissen seines Handwerks: der Schaukelstuhl mit den zarten Verzierungen, den er für meine Mutter geschnitzt hatte. Die Holzornamente hatte er alle mit der Hand ausge-sägt. Die Bücherregale, in denen noch heute Bücher von ihm stehen. Mein Vater.

~ 2 ~

Die geringsten Bewegungen erfordern eine große Anstrengung, mental und physisch. Sie schiebt die Füße ein paar Millimeter vor, dann macht sie eine Pause. Dann legt sie die Hände auf die Armlehnen. Eine nach der anderen. Pause. Sie drückt die Füße in den Boden. Greift mit der einen Hand um die Armlehne, die andere legt sie auf den Esstisch. Dann beginnt sie vor und zurück zu schaukeln, um Schwung zu holen. Ihr Stuhl hat eine hohe weiche Rückenlehne und Untersetzer aus Plastik unter den Stuhlbeinen, die den Stuhl erhöhen. Trotzdem dauert es eine ganze Weile, bis sie es schafft, sich hochzudrücken. Erst beim dritten Anlauf gelingt es ihr. Mit beiden Händen auf dem Tisch bleibt sie stehen und wartet, bis der Schwindel sich wieder legt.

Das ist ihre tägliche Übung. Ein kleiner Spaziergang durch die zwei Zimmer ihrer Wohnung. Von der Küche in den Flur, eine Runde um das Sofa im Wohnzimmer, um die verwelkten Blätter von der roten Begonie im Fenster abzupflücken. Dann geht es weiter ins Schlafzimmer, zu ihrem Schreibtisch. Mit dem Laptop, der so wichtig geworden ist. Vorsichtig setzt sie sich auf den Stuhl, auch er hat Untersetzer unter den Beinen. Dadurch ist er aber so hoch geworden, dass ihre Oberschenkel kaum noch unter die Tischplatte passen. Sie klappt den Laptop auf. Die Festplatte brummt sanft, als sie zum Leben erweckt wird. Sie klickt das Explorer-Icon an und ist sofort auf ihrer Wunschstartseite, von *Dagens Nyheter*. Jeden

Tag wundert sie sich aufs Neue, dass die ganze große Welt in diesem kleinen Rechner Platz hat. Dass sie, eine alte einsame Frau in Stockholm, mit jedem Menschen auf der ganzen Welt in Kontakt treten könnte. Wenn sie wollte. Diese Technik füllt ihre Tage mit Inhalt. Und macht das Warten auf den Tod erträglicher. Jeden Nachmittag sitzt sie davor, manchmal auch schon früh am Morgen und spät am Abend, wenn der Schlaf nicht kommen will. Die Pflegerin Maria hat ihr beigebracht, wie das alles funktioniert. Skype, Facebook, Mail. Sie hatte immer gesagt, dass niemand zu alt sei, um etwas Neues zu lernen. Doris hatte ihr recht gegeben und hinzugefügt, dass niemand zu alt sei, um sich seinen Traum zu verwirklichen. Kurz darauf hatte Maria ihren Job gekündigt und wieder angefangen zu studieren.

Ulrika hat sich dafür noch nie interessiert. Sie hat weder den Laptop im Schlafzimmer kommentiert noch gefragt, was Doris damit macht. Sie wischt nur den Staub weg, wenn sie durch die Zimmer jagt und ihre To-do-Liste im Kopf abhakt. Vielleicht ist sie ja sogar auf Facebook. Die meisten sind da. Doris ist auch auf Facebook, Maria hat ihr einen Account eingerichtet. Sie hat drei Freunde. Maria ist eine davon. Und dann ist da noch ihre Nichte Jenny aus San Francisco und deren Sohn Jack. Ab und zu verfolgt sie, was in ihrem Leben so passiert, sieht Fotos und Filme aus einer anderen Welt. Manchmal sogar die Einträge von deren Freunden, wenn die ein öffentliches Profil haben.

Ihre Finger funktionieren nämlich noch einwandfrei. Sie sind langsamer als früher und tun zwischendurch weh, dann muss sie eine Pause einlegen. Sie schreibt, um ihre Erinnerungen zusammenzutragen. Um sich einen Überblick über ihr Leben zu verschaffen. Doris wünscht sich, dass Jenny diese Aufzeichnungen finden wird, wenn sie gestorben ist. Dass sie die Geschichten lesen und die Fotos ansehen wird und sich darüber freut. Dass sie die schönen Gegenstände erbt: die Möbel, die Gemälde, den handbemalten Becher. Denn sie werden hoffentlich nicht gleich alle in einen Container entsorgt? Bei dem Gedanken bekommt sie Gänsehaut, legt die Finger auf die Tastatur und schreibt, um sich abzulenken.

Die dunkelbraune Holzfassade der Werkstatt war mit Kletterrosen bewachsen, weißen Buschrosen, schreibt sie heute. Einen Satz. Danach herrscht Stille, und sie reist durch ein Meer aus Erinnerungen.

Das rote Adressbuch

A. ~~ALM, ERIC~~ TOT

Hast du jemals einen abgrundtiefen Schrei gehört, Jenny? Einen Schrei aus reinster Verzweiflung? Einen Schrei, der direkt aus dem Herzen kommt und sich in jede menschliche Zelle bohrt, niemanden unberührt lässt? Ich habe in meinem Leben viele gehört, aber sie alle erinnern mich nur an den ersten, den schrecklichsten von allen.

Er kam aus dem Innenhof. Dort stand er. Mein Vater. Sein Schrei hallte von den Steinwänden wider. Das Blut schoss aus seiner Hand und färbte den Frost auf dem Rasen dunkelrot. Ein Bohrer steckte in seinem Handgelenk. Dann verstummte der Schrei, und er sank zu Boden. Wir alle rannten zu ihm, die Treppen hinunter und über den Hof. Meine Mutter wickelte ihre Schürze um seine Hand und hielt seinen Arm hoch. Ihr Schrei war so laut wie seiner, als sie um Hilfe rief. Das Gesicht meines Vaters war erschreckend weiß, die Lippen blau. An alles, was danach geschah, erinnere ich mich nur noch verschwommen. Die Männer, die ihn vom Hof trugen. Das Auto, das ihn abholte. Die eine vertrocknete weiße Rose an der Wand der Werkstatt und der Frost, der sie und alles andere bedeckte. Nachdem alle verschwunden waren, blieb ich auf dem Boden im Hof sitzen und starrte die Rose an. Sie war eine Überlebende. Ich flehte Gott an, dass auch mein Vater so stark sein würde.

Es folgten Wochen des bangen Wartens. Jeden Tag sahen wir, wie unsere Mutter nach dem Mittag die Reste einpackte und sich auf den Weg ins Krankenhaus machte. Brei, Brot und Milch. Oft kam sie mit dem unberührten Esspaket zurück.

Eines Tages kam sie nach Hause und hatte die Kleidung meines Vaters über dem Korb hängen, in dem sie die Lebensmittel transportiert hatte. Ihre Augen waren verquollen und rot. So rot wie das vergiftete Blut meines Vaters.

Danach wurde alles anders. Das Leben war vorbei. Nicht nur das meines Vaters. Der abgrundtiefe Schrei an diesem frostigen Novembermorgen hatte auf brutale Weise meine Kindheit beendet.

Das rote Adressbuch

S. SERAFIN, DOMINIQUE

Die nächtlichen Tränen waren nicht meine, aber sie gingen mir so nahe, dass ich manchmal nachts davon wach wurde und dachte, ich hätte im Schlaf geweint. Meine Mutter saß immer im Schaukelstuhl in der Küche, wenn wir ins Bett gegangen waren. Ich gewöhnte mich daran, in Begleitung ihrer Schluchzer einzuschlafen. Sie nähte und weinte; die Geräusche ihrer Trauer übertrugen sich in Wellen in unser Zimmer. Sie dachte, dass wir schlafen. Aber das taten wir nicht. Ich konnte hören, wie sie die Nase hochzog. Ich spürte ihre Verzweiflung darüber, plötzlich allein zu sein, nicht mehr geborgen zu sein im Schatten meines Vaters.

Ich vermisste ihn auch furchtbar. Nie wieder würde er versunken in ein Buch in seinem Lesesessel sitzen. Nie wieder würde ich auf seinen Schoß klettern können und ihn auf seiner Reise durch die Welt begleiten dürfen. Ich vermisste auch seine Nähe, denn in meiner Kindheit wurde ich nur von ihm umarmt.

Es waren schwere Monate. Der Brei, den wir morgens und mittags aßen, wurde immer dünner. Die Beeren, die wir im Wald gepflückt und getrocknet hatten, waren aufgebraucht. Einmal schoss meine Mutter eine Taube mit dem Gewehr meines Vaters und machte daraus einen Eintopf. Und zum ersten Mal seit dem Tod meines Vaters wurden wir alle satt, zum ersten Mal hatten wir rote Wangen und lachten zusammen. Aber das Lachen sollte schon bald für lange Zeit verstummen.

»Du bist die Älteste, du musst jetzt alleine zurechtkommen«, sagte meine Mutter und drückte mir einen Zettel in die Hand. Ich sah, wie sich ihre grünen Augen mit Tränen füllten, bevor sie sich umdrehte und wie besessen die Teller abwusch, von denen wir gerade gegessen hatten. Dieser Moment in der Küche hat sich in meine Erinnerung eingebrannt. Alles ist erhalten, wie in einem Museum. Ich erinnere mich an jedes Detail. Der blaue Rock, an dem sie gerade arbeitete, der auf einem Hocker lag. Der getrocknete Schaum am Topf mit den Kartoffeln, der beim Kochen übergelaufen war. Die eine Kerze, die dem Raum Licht spendete und dunkle Schatten erzeugte. Die Bewegungen meiner Mutter, die zwischen der Spüle und dem Esstisch hin und her lief. Ihr Kleid, das ihre Beine umspielte.

»Was meinst du damit?«, stieß ich hervor.

Sie unterbrach für einen Moment ihr geschäftiges Treiben, sah mir aber nicht in die Augen.

»Wirfst du mich raus?«

Wieder keine Antwort.

»Jetzt sag doch endlich was! Setzt du mich vor die Tür?«

Sie stand an der Spüle, den Blick gesenkt. »Du bist jetzt groß, Doris. Und das ist eine gute Arbeit, die ich dir besorgt habe. Auf dem Zettel steht die Adresse, du siehst, das ist auch gar nicht weit weg von uns. Wir werden uns sehen können.«

»Und was ist mit der Schule?«

Mama hob den Kopf und starrte ins Leere.

»Vater hätte das niemals zugelassen, dass du mich aus der Schule nimmst. Jetzt noch nicht! Ich bin noch nicht so weit!«, schrie ich.

Agnes rutschte unruhig auf ihrem Stuhl hin und her.

Ich ließ mich auf einen Stuhl fallen und brach in Tränen

aus. Meine Mutter setzte sich neben mich und legte mir eine Hand auf die Stirn. Sie war kühl und feucht vom Spülwasser.

»Bitte, nicht weinen, mein Herz«, flüsterte sie und lehnte ihren Kopf an meinen. Es war so still im Raum, dass ich fast hören konnte, wie ihr die dicken Tränen über die Wangen liefen und sich mit meinen vermischten. »Du kannst immer an deinem freien Tag nach Hause kommen. Jeden Sonntag.«

Der geflüsterte Trost wurde zu einem Murmeln, das mich in ihren Armen in den Schlaf wiegte.

Aber am nächsten Morgen wachte ich auf und sah der brutalen und unleugbaren Wahrheit ins Gesicht, dass ich gezwungen war, die Geborgenheit meines Zuhauses für eine ungewisse Zukunft zu verlassen. Ohne Protest nahm ich die Tasche mit meinen Sachen, die mir meine Mutter gab. Ich konnte ihr nicht in die Augen sehen, als wir uns verabschiedeten. Ich umarmte meine kleine Schwester und ging. Ohne ein Wort. In der einen Hand trug ich die Tasche, in der anderen drei Bücher meines Vaters, die ich mit einer dicken Schnur zusammengebunden hatte. Auf dem Zettel in meiner Jackentasche stand ein Name, den meine Mutter mit zierlichen Buchstaben aufgeschrieben hatte: *Dominique Serafin.* Darunter standen ein paar Instruktionen: *Mach einen ordentlichen Knicks. Sprich deutlich.* Ich ging durch die Straßen von Södermalm auf mein neues Zuhause zu: *Bastugatan 5.*

Als ich die Adresse erreicht hatte, blieb ich eine Weile vor dem modernen Gebäude stehen. Die großen schönen Fenster waren von roten Holzrahmen eingefasst. Die Fassade war aus Stein, und ein schönes Kopfsteinpflaster führte in den Innenhof. Kein Vergleich zu dem einfachen Holzhaus, das bis dahin mein Zuhause gewesen war. Da kam eine Frau aus der Eingangstür. Sie trug glänzende Lederschuhe und ein weißes Kleid, ohne Taille. Auf ihrem Kopf saß ein beiger Glockenhut, den sie sich tief ins Gesicht gezogen hatte, und am Arm baumelte eine kleine Ledertasche in der gleichen Farbe. Ich strich beschämt über mein schlichtes, knielanges Wollkleid und war gespannt, wer mir die Tür öffnen würde. War Dominique ein Mann oder eine Frau? Ich wusste es nicht, diesen Namen hatte ich noch nie gehört.

Langsam ging ich die Marmortreppe in den zweiten Stock hoch, blieb auf jeder Stufe stehen. Die Flügeltür aus dunklem Eichenholz war größer als alle Türen, die ich je gesehen hatte. Der Türklopfer war ein großer Löwenkopf. Es hallte dumpf durch das Treppenhaus, und ich starrte dem Löwen ängstlich in die Augen. Eine Frau öffnete die Tür und nickte mir zu, sie war ganz in Schwarz gekleidet und trug eine weiße Schürze. Ich faltete meinen Zettel auf und wollte ihn ihr zeigen, als dahinter eine zweite Frau erschien. Die Schwarzgekleidete wich zur Seite und stellte sich mit geradem Rücken an die Wand.

Die andere Frau hatte rotbraunes Haar, das in zwei langen Zöpfen geflochten zu einem dicken Knoten im Nacken gewickelt war. Um ihren Hals hingen mehrere Reihen aus weißen, ungleich großen Perlen. Ihr Kleid war aus glänzender grüner Seide, reichte ihr bis zur Wade und hatte einen plissierten Rock, der raschelte, wenn sie sich bewegte. Sie war wohlhabend, das sah ich sofort. Sie musterte mich von oben bis unten, nahm dann einen Zug von ihrer Zigarette, die in einem langen schwarzen Mundstück steckte, und blies den Rauch zur Decke.

»Sieh mal einer an«, ihr französischer Akzent war deutlich zu hören, ihre Stimme ganz heiser vom Rauchen, »so ein hübsches Mädchen. Du darfst bleiben. Na komm, komm rein jetzt.«

Mit diesen Worten drehte sie sich um und verschwand in der Wohnung. Ich blieb auf der Fußmatte im Treppenhaus stehen und klammerte mich an meine Tasche. Die Schwarzgekleidete gab mir mit einem Nicken zu verstehen, dass ich ihr folgen sollte. Wir liefen durch die Küche zu der dahinterliegenden Dienstmädchenkammer, die ich mit zwei anderen teilen würde. Ich legte meine Tasche auf mein Bett. Ohne eine Aufforderung nahm ich das Kleid, das dort lag, und zog es mir an. Zu diesem Zeitpunkt wusste ich noch nicht, dass ich das jüngste der Dienstmädchen war und ich darum mit allen Aufgaben betraut werden würde, die keine der beiden anderen ausführen wollte.

Danach setzte ich mich auf mein Bett und wartete. Die Füße hatte ich dicht nebeneinander gestellt, die Hände gefaltet in den Schoß gelegt. Ich erinnere mich gut an die Einsamkeit, die mich in der kleinen Kammer überkam, weil ich nicht wusste, wo ich war und was mich erwartete. Die Wände waren kahl, die Tapete vergilbt. Neben jedem der drei Betten stand ein kleiner Nachttisch mit einem Kerzenständer. Zwei der Kerzen waren schon fast heruntergebrannt, meine noch ganz neu, mit gewachstem Docht.

Es dauerte nicht lange, da hörte ich Schritte auf den Dielen und das Rascheln ihres Rockes. Mein Herz schlug mir bis zum Hals. Sie blieb in der Tür stehen, aber ich wagte nicht, den Blick zu heben.

»Stell dich hin, wenn ich komme. Na, los. Gerader Rücken.«

Ich sprang auf, und sie griff sofort in meine Haare. Ihre kalten, schmalen Finger glitten über meine Kopfhaut, sie untersuchte jeden Millimeter meiner Haut.

»Sauber und fein. Sehr gut. Du hast doch keine Läuse, Mädchen?«

Ich schüttelte den Kopf. Sie setzte ihre Untersuchung fort, hob eine Haarsträhne nach der anderen hoch und zog an meinen Ohren. Sie kratzte mit ihren langen Fingernägeln über meine Haut.

»Hier sitzen sie am liebsten, hier hinter den Ohren. Ich hasse diese Viecher«, murmelte sie, und ein kleiner Schauer lief durch ihren Körper. In dem Sonnenstrahl, der durchs Fenster fiel, konnte ich den zarten Flaum auf ihren Wangen sehen, der sich aufstellte und der Schicht aus hellem Puder trotzte.

Die Wohnung war groß und voller Kunstgegenstände, Skulpturen und wunderschönen Möbeln aus dunklem Holz. Es roch nach Rauch und nach etwas anderem, das ich nicht zuordnen konnte. Tagsüber war es immer ruhig und still. Sie war eine der Glücklichen, die niemals arbeiten musste und trotzdem vermögend war. Woher sie das Geld hatte, wusste ich nicht. Manchmal stellte ich mir vor, dass sie ihren Mann irgendwo in einem Verschlag auf dem Dachboden eingesperrt hatte.

Abends hatte sie sehr oft Gäste. Frauen in wunderschönen Kleidern und mit Diamanten behangen. Die Männer trugen Anzug und Hut. Sie behielten ihre Schuhe an und liefen damit unbekümmert durch den Salon, als wäre es ein Restaurant. Die Luft war verraucht, und es wurde sich auf Englisch, Französisch und Schwedisch unterhalten.

In diesen Nächten kam ich mit Gedanken und Themen in Berührung, mit denen ich mich noch nie zuvor beschäftigt hatte. Gleicher Lohn für Männer und Frauen, gleiches Recht auf Bildung. Philosophie, Kunst und Literatur. Und auch das Verhalten der Gäste war anders, als ich es gewohnt war. Lautes Lachen, aufgebrachtes Geschrei, Paare, die in den Fensternischen oder in dunklen Ecken standen und sich ungeniert küssten. Eine radikale Veränderung.

Ich machte mich ganz klein, wenn ich die Gläser einsammelte und verschütteten Wein aufwischte. Beine auf hohen Schuhen wackelten über den Boden, Pailletten und Pfauenfedern schwebten zu Boden und setzten sich in den Fugen zwischen den breiten Dielen fest. Dort lag ich bis in die frühen Morgenstunden, um alle Reste der Feiern mit einem kleinen Küchenmesser zu beseitigen. Wenn Madame aufwachte, musste alles wieder perfekt sein. Das war harte Arbeit. Jeden Morgen musste eine frisch gebügelte Tischdecke bereitliegen. Alles musste glänzen, die Gläser mussten fleckenfrei sein. Madame schlief immer bis in den späten Vormittag hinein. Wenn sie dann ihr Schlafzimmer verließ, lief sie durch die Wohnung und inspizierte jedes Zimmer. Wenn sie etwas fand, das sie zu bemängeln hatte, bekam immer ich die Schuld dafür. Immer die Jüngste. Ich habe schnell gelernt, worauf sie achtete, und machte morgens eine zusätzliche Runde, um die Fehler zu korrigieren, die von den anderen Dienstmädchen begangen worden waren.

Die wenigen Stunden Schlaf auf der harten Matratze aus Rosshaar waren nie genug. Ich war erschöpft und entkräftet von den harten, langen Tagen und den kratzenden Nähten der schwarzen Dienstmädchenuniform. Und von der Hierarchie und den Ohrfeigen. Und von den Männern, die ungefragt meinen Körper berührten.

Das rote Adressbuch

N. NILSSON, GÖSTA

Ich hatte mich daran gewöhnt, dass einige Gäste einfach einschliefen, wenn sie zu viel getrunken hatten. Es gehörte zu meinen Aufgaben, sie zu wecken und hinauszuwerfen. Aber dieser eine Mann schlief gar nicht. Er starrte. Die Tränen liefen ihm unaufhaltsam die Wangen hinunter, während er einen anderen Mann in einem Sessel anstarrte – jung, mit goldbraunen Locken, die seinen Kopf wie einen Heiligenschein umgaben –, der dort lag und schlief. Das weiße Hemd des jungen Mannes war aufgeknöpft und entblößte ein vergilbtes Unterhemd. Auf der sonnengebräunten Brust war ein Anker abgebildet, unsauber gezeichnet, in grünblauer Tinte.

»Es tut mir sehr leid, dass Sie traurig sind, mein Herr, aber ich ...«

Er lehnte seine Schulter gegen die Armlehne des Ledersessels und legte seinen Kopf darauf.

»Unmöglich ist die Liebe«, nuschelte er und nickte.

»Sie sind betrunken. Bitte stehen Sie jetzt auf, Sie müssen die Wohnung verlassen haben, bevor Madame aufwacht.« Ich bemühte mich, meine Stimme mit Nachdruck zu versehen.

Er hielt meine Hand fest umklammert, als ich versuchte, ihn hochzuziehen. »Sieht das Fräulein es denn nicht?«

»Was soll ich sehen?«

»Dass ich leide!«

»Doch, das sehe ich sehr wohl. Gehen Sie nach Hause,

und schlafen Sie Ihren Rausch aus, dann wird auch das Leid weniger werden.«

»Lassen Sie mich bitte hier sitzen und diese Vollkommenheit betrachten. Lassen Sie mich diese lebensgefährliche Verführung genießen.«

Er verhedderte sich in seiner Ausführung, in dem Bemühen, die Stimmung zu beschreiben. Ich schüttelte nur den Kopf.

Das war meine erste Begegnung mit diesem empfindsamen Mann, und es würden noch viele folgen. Wenn sich die Wohnung langsam leerte und die Morgendämmerung über den Dächern von Södermalm aufging, saß er oft noch in einem der Sessel, tief in Gedanken versunken. Sein Name war Gösta. Gösta Nilsson. Er wohnte ein paar Häuser weiter die Straße hinunter, in der Bastugatan 25.

»Nachts kann ich so gut nachdenken, meine süße Doris«, sagte er immer, wenn ich ihn bat zu gehen. Und dann erhob er sich und schwankte mit hängenden Schultern und gesenktem Kopf durch die Nacht davon. Seine Kappe saß schief, und sein abgewetztes Jackett war viel zu groß und hing an einer Seite tiefer herunter, als wäre auch sein Rücken schief. Und trotzdem sah er elegant aus. Sein Gesicht war oft sonnengebräunt und hatte klassische Züge, eine gerade Nase und schmale Lippen. Sein Blick war voller Güte und Liebenswürdigkeit, aber auch voller Sorge und Trauer. Sein Feuer war erloschen.

Es dauerte ein paar Monate, bis ich begriff, dass er ein Künstler war, den Madame vergötterte. Seine Gemälde standen in ihrem Schlafzimmer, große Leinwände mit Drei- und Vierecken in kräftigen Farben. Keine Motive, nur Explosionen aus Farben und Formen. Als hätte sich ein Kind mit einem Pinsel auf die Leinwand gestürzt. Ich mochte die Bilder nicht. Überhaupt nicht. Aber Madame kaufte und kaufte.

Weil auch Prinz Eugen von Schweden es tat. Und weil die surrealistische Moderne eine Kraft hatte, die sonst niemand verstand. Sie mochte es, dass er, wie sie, ein Außenseiter war.

Madame hat mir beigebracht, dass der Mensch die unterschiedlichsten Erscheinungsformen annehmen kann. Dass das Erwartete nicht immer auch das Richtige sein muss, dass es viele Wege gibt auf dieser Reise, die für uns alle gleich endet. Mit dem Tod. Dass wir an viele Kreuzungen kommen, die schwere Entscheidungen erfordern, aber der Weg dahinter wieder gerade verläuft. Und dass Kurven nicht immer gefährlich sein müssen.

Gösta stellte mir immer unzählig viele Fragen.

»Magst du lieber Blau oder Rot?«

»In welches Land würdest du reisen, wenn du dir jeden beliebigen Ort auf dieser Welt aussuchen könntest?«

»Wie viele Bonbons für ein Öre das Stück kann man sich für eine Krone kaufen?«

Nach dieser letzten Frage warf er mir immer ein Kronenstück zu. Er schnippte es mit dem Zeigefinger in die Luft, und ich fing es lächelnd auf.

»Gib die ganze Krone für etwas Süßes aus, versprich mir das.«

Er wusste genau, dass ich noch sehr jung war. Eigentlich noch ein Kind. Er berührte mich auch nie, so wie es die anderen Männer taten. Er verlor nie auch nur ein einziges Wort über meine Lippen oder meine Brüste. Manchmal ging er mir sogar heimlich bei der Arbeit zur Hand: sammelte Gläser ein und brachte sie raus in den Dienstbotengang. Wenn Madame das bemerkte, bekam ich hinterher eine Ohrfeige. Ihre dicken Goldringe hinterließen rote Spuren auf meiner Wange. Ich kaschierte sie mit ein bisschen Weizenmehl.

~ 3 ~

»*Hi, auntie Doris!*«

Das kleine Kind lacht und winkt wild. Es sitzt so nah vor dem Bildschirm, dass man fast nur die Fingerspitzen und die Augen sehen kann.

»*Hi, David!*« Sie winkt zurück und will ihm dann eine Kusshand zuwerfen, aber in diesem Moment wird die Kamera geschwenkt, und der Kuss landet bei Davids Mutter. Doris muss unweigerlich lächeln, als sie Jennys Lachen hört. Es ist so ansteckend.

»Hallo, meine Liebe! Wie geht es dir, Doris? Bist du einsam?« Jenny neigt ihren Kopf zur Seite und geht so nah an die Kamera heran, dass auch von ihr nur noch die Augen zu sehen sind.

Doris lacht laut. »Nein, kein Grund zur Sorge.« Sie schüttelt den Kopf. »Ich habe doch dich. Und die Mädchen, die hier jeden Tag vorbeikommen. Besser kann man es fast nicht haben.«

»Ist das auch wirklich die Wahrheit?« Jenny sieht skeptisch aus.

»Absolut! Aber lass uns lieber von dir sprechen, was gibt es Neues? Wie geht es voran mit dem Buch?«

»Oh nein, lass uns bitte nicht darüber sprechen. Ich komme überhaupt nicht zum Schreiben. Die Kinder sorgen dafür, dass ich immer genug anderes zu tun habe. Warum fängst du immer wieder davon an? Warum ist das so wichtig?«

»Weil du das immer wolltest. Du wolltest schon als Kind schreiben. Mich kannst du nicht täuschen. Versuch, die Zeit dafür zu finden.«

»Ja, das werde ich schon noch. Eines Tages. Im Moment gibt es nichts Wichtigeres als die Kinder. Komm, ich will dir etwas Tolles zeigen. Tyra hat ihre ersten Schritte gemacht. Sieh mal, wie süß sie ist.«

Jenny dreht die Kamera so, dass Doris die kleine Tyra sehen kann, die auf dem Boden sitzt und verträumt auf der Ecke einer Tageszeitung herumkaut. Sie beschwert sich, als Jenny sie hochhebt. Will auch nicht stehen, sondern lässt sich sofort fallen, sobald ihre Füße den Boden berühren.

»*Come on, Tyra, walk please. Show auntie Doris.* Komm, steh auf und zeig, was du schon kannst.«

»Ach, lass sie doch, mit einem Jahr ist eine Zeitung einfach spannender als die alte Großtante auf der anderen Seite der Welt«, sagt Doris lächelnd.

Jenny seufzt. Dann nimmt sie den Laptop auf den Arm und geht in die Küche.

»Habt ihr neu gestrichen?«

»Ja, hatte ich dir das nicht erzählt? Ist doch toll geworden, oder?« Sie dreht sich mit dem Laptop im Kreis, bis die Möbel ineinander verschwimmen und nur noch als Striche zu sehen sind.

»Sehr schön ist es geworden«, sagt Doris. »Du hast ein Händchen für so etwas, das hattest du schon immer.«

»Na, ich weiß nicht. Willie findet, es ist zu grün geworden.«

»Und wie findest du es …?«

»Mir gefällt es. Ich liebe Hellgrün. Diese Farbe hatte Mama auch in ihrer Küche, erinnerst du dich? In dieser kleinen Wohnung in New York?«

»Das war doch nicht in New York?«

»Oh doch, in diesem Backsteinhaus. Du weißt schon. Da stand ein Pflaumenbaum in dem klitzekleinen Garten.«

»Du meinst in Brooklyn? Ja, natürlich erinnere ich mich. Mit dem großen Esstisch, der da nicht reinpasste.«

»Oh ja, stimmt. Den hatte ich ganz vergessen. Auf den wollte Mama nach der Scheidung partout nicht verzichten, und dann mussten sie ihn in der Mitte durchsägen, um ihn in die Wohnung zu bekommen. Er stand so dicht an der Wand, dass ich immer den Bauch einziehen musste, um dort sitzen zu können.«

»Ja, Gott, diese Wohnung war verrückt.« Doris lächelt.

»Ich fände es so schön, wenn du an Weihnachten zu uns kommen würdest.«

»Ja, das fände ich auch schön. Es ist schon lange her. Aber mein Rücken wird nicht besser. Und das Herz. Ich glaube, vom Reisen muss ich mich verabschieden.«

»Ich höre nicht auf, zu hoffen und mir das zu wünschen. Ich vermisse dich.«

Jenny stellt den Monitor erneut in eine andere Position. Doris sieht jetzt die Arbeitsfläche und Jenny von hinten.

»Ich muss kurz was zu essen vorbereiten.«

Sie holt Brot und Aufschnitt aus dem Kühlschrank. Tyra jammert, und Jenny hebt sie hoch. Doris wartet geduldig, während ihre Nichte Brote schmiert.

»Du wirkst irgendwie erschöpft. Unterstützt dich Willie denn auch genug?«, fragt sie, als Jenny wieder auf dem Monitor zu sehen ist. Tyra sitzt jetzt auf ihrem Schoß und drückt sich die ganze Scheibe Brot aufs Gesicht und versucht dann, mit der Zunge die verschmierte Butter abzulecken. Jenny nimmt einen großen Schluck aus einem Wasserglas.

»Er tut, was er kann. Aber er hat so viel zu tun auf der Arbeit. Er hat kaum Zeit.«

»Und ihr beide, habt ihr Zeit füreinander?«

Jenny zuckt mit den Schultern.

»Ganz selten. Aber es wird bestimmt wieder besser. Wir müssen nur das hier überstehen. Die ersten Jahre, wenn sie noch so klein sind. Er ist ein guter Mann, er kämpft. Es ist nicht leicht, eine Familie allein zu ernähren.«

»Bitte ihn trotzdem um Hilfe. Damit du ein bisschen Schlaf bekommst.«

Jenny nickt. Drückt Tyra einen Kuss auf den Kopf. Und wechselt schnell das Thema. »Ich will nicht, dass du an Weihnachten alleine zu Hause bist. Gibt es denn niemanden, mit dem du feiern kannst?«

»Mach dir um mich keine Sorgen. Ich war schon so oft an Weihnachten allein. Du musst dich doch um so vieles kümmern. Am wichtigsten ist es, dass die Kinder ein schönes Weihnachtsfest haben, dann freue ich mich. Es ist doch das Fest der Kinder. David und Tyra habe ich jetzt schon gesehen, aber wo ist Jack?«

»*Jack!*«, brüllt Jenny, bekommt aber keine Antwort. Sie hat sich zu ruckartig bewegt, und Tyras Brot ist dabei auf den Boden gefallen. Die Kleine fängt an zu weinen.

»*JACK!*« Jenny ist ganz rot im Gesicht. Schüttelt den Kopf und hebt die Brotscheibe vom Boden auf. Pustet sie ab und gibt sie Tyra. »Er ist im Moment wirklich unmöglich. Er ist die ganze Zeit da oben, aber ... Ich werde nicht schlau aus ihm. *JACK!!!*«

»Er ist jetzt groß. Ein Teenager. So wie du damals, erinnerst du dich daran?«

»Ob ich mich daran erinnere? Nein, natürlich nicht.« Jenny kichert und hält sich die Hände vors Gesicht.

»Oh ja, du warst eine ganz Wilde. Aber sieh doch, was aus dir geworden ist. Und auch Jack wird seinen Weg gehen.«

»Ich hoffe so sehr, dass du recht hast. Manchmal ist es überhaupt nicht lustig, Eltern zu sein.«

»Das gehört dazu, Jenny. Das ist der Lauf der Dinge.«

Jenny streift ihre weiße Bluse glatt, entdeckt einen Butterfleck und versucht ihn wegzureiben. »Oh nein, das war meine einzige saubere Bluse. Was soll ich denn jetzt anziehen?«

»Das sieht man doch gar nicht. Die steht dir so gut, die Bluse. Du siehst immer so hübsch aus!«

»Ach was, ich habe doch nie Zeit, mir mal was Schönes anzuziehen. Ich begreife nicht, wie das meine Nachbarinnen hier schaffen. Die haben auch Kinder, aber sehen immer perfekt aus. Lippenstift, tolle Locken, hohe Absätze. Ich würde am Ende des Tages nur wie eine billige Schlampe aussehen.«

»Aber Jenny! Du hast ja ein vollkommen falsches Bild von dir. Du bist eine natürliche Schönheit. Das hast du von deiner Mutter, und sie hat es von meiner Schwester geerbt.«

»Dabei warst *du* doch damals eine richtige Schönheit.«

»Ja, damals vielleicht. Wir können beide eigentlich ganz zufrieden sein, findest du nicht?«

»Wenn ich das nächste Mal zu Besuch komme, musst du mir wieder Fotos zeigen. Ich könnte mir stundenlang ansehen, wie du und Oma früher ausgesehen habt.«

»Wenn ich dann noch am Leben bin.«

»Hör sofort auf damit! Du wirst nicht sterben. Du musst für immer bei uns bleiben, liebste Doris. Du musst…«

»Aber du bist doch schon groß genug, um zu wissen, dass am Ende immer der Tod steht, oder, mein Herz? Wir müssen alle sterben, das ist das Einzige, was wir mit Sicherheit wissen.«

»Ach. Hör bitte auf, so etwas zu sagen. Ich muss jetzt Schluss machen, Jack muss zum Training. Bleib noch dran, dann kannst du ihm kurz Hallo sagen, wenn er runterkommt. Wir telefonieren nächste Woche wieder, ja? Küsschen.«

Jenny trägt den Laptop in den Flur und stellt ihn auf einen Hocker. Dann brüllt sie Jacks Namen erneut. Dieses Mal kommt er schon nach dem ersten Versuch. Er hat seine Sportsachen an, American Football, mit Schultern so breit wie ein Schrank. Er springt die Treppe hinunter, immer zwei Stufen auf einmal.

»*Say hi to auntie Doris.*« Jennys Stimme klingt wie ein Befehl. Jack entdeckt den Laptop und nickt Doris zu, die ihm winkt.

»Hallo, Jack. Wie geht es dir?«

»Alles *fine*«, antwortet er. »*Must go.* Tschüss Doris!«

Doris will auch ihm eine Kusshand zuwerfen, aber da hat Jenny die Verbindung schon unterbrochen.

Der helle Nachmittag in einem Haus in San Francisco mit Unterhaltung, Kindern, Lachen und Geschrei wird wieder ersetzt von Dunkelheit und Einsamkeit.

Und Stille.

Doris fährt den Rechner herunter. Ein Blick auf die Pendeluhr an der Wand über dem Sofa. Das Pendel bewegt sich hin und her, begleitet von einem hohlen Ticken. Im Takt mit dem Pendel beginnt auch Doris vor und zurück zu schwingen. Aber sie kommt nicht sofort zum Stehen, bleibt einen Moment sitzen, um neue Kraft zu sammeln. Sie legt die Hände auf die Tischplatte und versucht es noch mal. Dieses Mal gehorchen ihre Beine, und sie macht ein paar vorsichtige Schritte. Da poltert es an der Haustür.

»Na, Doris, auf den Beinen und unterwegs? Das ist ja ganz wunderbar. Aber warum ist es so dunkel hier?«

Die Pflegerin hetzt durch die Wohnung. Schaltet alle Lam-

pen an, räumt auf, scheppert mit dem Geschirr, redet drauf-
los.

Doris setzt ihren Weg in die Küche fort und setzt sich auf
ihren Stuhl am Fenster. Arrangiert die Gegenstände auf dem
Tisch. Und versteckt den Salzstreuer hinter dem Telefon.

Das rote Adressbuch

N. NILSSON, GÖSTA

Gösta war ein Mann der Gegensätze. Nachts und in den frühen Morgenstunden war er empfindsam, weinerlich und voller Selbstzweifel. Aber an den Abenden, die diesen Nächten vorangingen, forderte er die ungeteilte Aufmerksamkeit der Anwesenden ein. Das war sein Lebenselixier. Er wollte immer im Mittelpunkt der Diskussionen stehen. Stellte sich auf die Tische und sang Lieder. Lachte am lautesten. Protestierte, wenn die politischen Meinungen zu weit auseinandergingen. Er diskutierte am liebsten über die Arbeitslosigkeit und das Wahlrecht für Frauen. Aber am meisten redete er über Kunst. Und über das Göttliche im künstlerischen Prozess. Etwas, was die unechten Künstler niemals verstehen würden. Ich fragte ihn einmal, woher er denn wüsste, dass er ein richtiger Künstler sei. Dass es doch auch genau andersherum sein könnte? Da kniff er mich in die Seite und hielt mir einen langen Vortrag über Kubismus, Futurismus und Expressionismus. Mein fragender Gesichtsausdruck brachte ihn zum Lachen.

»Ach Kleines, eines Tages wirst du es verstehen. Formen, Linien, Farben. Es ist fantastisch, dass man mit ihnen das göttliche Prinzip in allem Lebendigen einfangen kann.«

Ich glaube, ihm gefiel es, dass ich ihn nicht verstand. Und es erleichterte ihn, dass ich ihn nicht so ernst nahm wie die anderen. Als würden wir ein Geheimnis teilen. Er begleitete mich auf meinen Wegen durch die Wohnung, machte immer wieder Zwischenhüpfer, um im Takt mit mir zu bleiben. *Bald werde ich sagen, dass das Fräulein die grünsten Augen und das schönste Lächeln hat, das ich je gesehen habe*, flüsterte er, und ich wurde jedes Mal rot. Er wollte, dass es mir gut ging. Und er wurde mein Fels in der Brandung in dieser mir so fremden Umgebung. Ein Ersatz für die Eltern, die ich so sehr vermisste. Wenn er kam, kam er immer zuerst zu mir, um sich zu vergewissern, dass es mir gut ging. Und er stellte mir Fragen. Es gibt einfach Menschen, die fühlen sich zueinander hingezogen. So war das bei Gösta und mir. Er wurde schnell ein echter Freund, und ich freute mich immer auf seinen Besuch. Es war, als konnte er hören, was ich dachte.

Manchmal hatte er eine Begleitung dabei. Es waren fast immer junge, muskulöse und braungebrannte Männer, die sich im Stil und Verhalten deutlich von der Kulturelite unterschieden, die normalerweise Madames Soirees frequentierte. Die jungen Männer saßen schweigend neben Gösta auf einem Stuhl, während dieser ein Glas Rotwein nach dem anderen trank. Sie folgten der Unterhaltung sehr aufmerksam, ohne sich aber jemals einzumischen.

Einmal habe ich sie gesehen. Es war schon spät, und ich ging in Madames Schlafzimmer, um ihre Kissen für die Nacht aufzuschütteln. Sie standen eng aneinandergepresst vor zwei von Göstas Gemälden, die an Madames Bett lehnten. Gösta hatte einen Arm um die Hüfte des jungen Mannes gelegt. Als er mich sah, ließ er ihn los, als hätte er sich verbrannt. Niemand sagte ein Wort, Gösta hielt seinen Zeigefinger vor die Lippen und sah mich durchdringend an. Ich schüttelte die Kissen auf und verließ danach sofort das Schlafzimmer. Göstas Freund stürzte aus dem Haus und kam nie wieder.

Es heißt, dass Genie und Wahnsinn Hand in Hand gehen. Dass die Menschen, die am kreativsten sind, auch einen Hang zu Melancholie, Traurigkeit und Zwangsneurosen haben. Damals dachte niemand so. Es galt als anstößig, wenn es einem schlecht ging. Darüber wurde nicht gesprochen. Alle hatten immer gute Laune. Madame mit ihrem tadellosen Make-up, den geglätteten Haaren und den funkelnden Juwelen. Niemand hörte ihre Ängste, nachts, wenn es in der Wohnung still wurde und nur noch sie und ihre Gedanken übrig waren. Wahrscheinlich veranstaltete sie die vielen Feste, um diese Gedanken zu vertreiben.

Auch Gösta kam aus diesem Grund zu uns. Die Einsamkeit jagte ihn aus seiner Wohnung, wo die vielen unverkauften Leinwände vor den Wänden gestapelt standen und ihn an seine Mittellosigkeit erinnerten. Ihn überkamen oft melancholische Gedanken, die mir schon bei unserer ersten Begegnung aufgefallen waren. Damals hatte er in dem Sessel gesessen, bis ich ihn am Ende rausgeworfen hatte. Er wollte immer zurück nach Paris, in sein Paris. Zu dem süßen Leben, das er dort geführt und das er so geliebt hatte. Zu seinen Freunden, der Kunst, neuen Inspirationen. Aber er hatte nie genug Geld. Madame gab ihm das Quantum französischen Lebensgefühls, das er brauchte. Wohldosiert.

»Ich kann nicht mehr malen«, seufzte er eines Abends.

Ich wusste nie, wie ich mit seinem Schwermut umgehen sollte. »Warum sagen Sie so etwas?«

»Es läuft einfach auf nichts hinaus. Ich sehe keine Bilder mehr. Ich kann das Leben nicht mehr in klaren Farben sehen. Es ist nicht mehr so wie früher.«

»Ich kenne mich mit so etwas nicht aus«, sagte ich und lächelte gequält. Dabei strich ich ihm mit der Hand über die Schulter.

Was wusste ich schon? Ein dreizehnjähriges Mädchen. Nichts. Ich wusste nichts von der Welt. Nichts über die

Kunst. Für mich bildete ein schönes Gemälde die Wirklichkeit ab, wie sie war. Nicht in verzerrten bunten Quadraten, aus denen dann entstellte Figuren wurden. In meinen Augen war es doch ein Glücksfall, dass er die scheußlichen Bilder nicht mehr sah, die Madame überall stapelte, um ihn zu finanzieren. Und trotzdem blieb ich immer wieder mit dem Staubwedel vor den Gemälden stehen. Das Durcheinander von Farben und Strichen erregte meine Aufmerksamkeit und entfachte meine Fantasie. Ich entdeckte jedes Mal etwas Neues. Und im Laufe der Zeit lernte ich dieses Gefühl zu schätzen und zu lieben.

S. SERAFIN, DOMINIQUE

Sie war rastlos. Das hatten mir die anderen Dienstmädchen schon erzählt. Die Feste hielten den Alltag auf Abstand, die häufigen Umzüge die Traurigkeit. Ihre Aufbrüche waren immer überstürzt, unvorhersehbar. Es gab immer einen guten Grund. Sie fand eine neue Wohnung, die viel besser war, größer oder in einem angeseheneren Viertel lag.

Fast auf den Tag genau ein Jahr, nachdem ich bei Madame angefangen hatte, kam sie in die Küche. Lehnte sich mit Hüfte und Schulter gegen das Mauerwerk des Holzofens. Die eine Hand fingerte an ihrer Hutkrempe, an dem Band unter ihrem Kinn, am Halsband, an ihren Ringen. Nervös, als wäre sie das Dienstmädchen und wir ihre Arbeitgeber. Als wäre sie das Kind, das die Erwachsenen um Erlaubnis fragen musste, einen Keks essen zu dürfen. Sie bewahrte sonst immer die Haltung, stand mit geradem Rücken und erhobenem Haupt. Wir verneigten uns vor ihr und dachten wahrscheinlich alle dasselbe. Dass sie uns jetzt kündigen würde. Die drohende Armut machte uns Angst. Bei Madame gab es Essen im Überfluss, und trotz der harten Arbeitsbedingungen war es ein gutes Leben. Stumm, die Hände vor den Schürzen gefaltet, standen wir vor ihr.

Sie zögerte. Ließ ihren Blick von einer zur anderen wandern, als würde sie vor einer schweren Entscheidung stehen.

»Paris!«, rief sie dann und warf die Arme in die Luft.

Diesem plötzlichen Ausbruch von Euphorie fiel eine kleine Vase auf dem Ofensims zum Opfer. Die kleinen Porzellanscherben flogen uns um die Beine. Ich bückte mich sofort, um sie aufzuheben.

Drückendes Schweigen. Ich spürte, wie ihr Blick an mir hängen blieb, und hob den Kopf.

»Doris. Pack deine Tasche, wir fahren morgen früh. Ihr anderen könnt gehen, ich benötige euch nicht mehr.«

Sie wartete offensichtlich auf eine Reaktion. Sah, wie den anderen die Tränen in die Augen stiegen. Konnte die Angst in meinen sehen. Niemand sagte ein Wort. Also drehte sie sich um, hielt einen kurzen Moment inne und verließ dann eilig die Küche.

Aus dem Flur rief sie noch: »Wir fahren morgen früh um sieben mit dem Zug. Bis dahin hast du frei!«

So kam es, dass ich am nächsten Morgen in einem rüttelnden Waggon der dritten Klasse auf dem Weg nach Malmö saß. Neben mir rutschten und wackelten die anderen fremden Menschen auf den harten Holzsitzen hin und her, die so zerschlissen waren, dass wir alle Splitter im Hintern hatten. Es roch nach abgestandener Luft, Schweiß und feuchter Wolle, die Passagiere husteten und schnäuzten sich. An jeder Haltestelle stiegen welche aus, und neue kamen dazu. Ab und zu kam jemand mit einem Käfig voller Hühner oder Enten, die auch noch untergebracht werden mussten. Sie verbreiteten einen beißenden Gestank und füllten den Waggon mit durchdringendem Gegacker.

Selten habe ich mich so einsam gefühlt wie auf dieser Zugfahrt. Ich war auf dem Weg in die Stadt, von der mein Vater immer geträumt hatte. Die er mir in den Büchern gezeigt hatte. In einer Zeit, in der meine Kindheit noch eine sichere

Kindheit war. Jetzt kam mir sein Traum eher wie ein Albtraum vor.

Vor wenigen Stunden noch war ich, so schnell mich meine Beine trugen, durch die Straßen von Södermalm gerannt, um mich von meiner Mutter zu verabschieden. Sie lächelte, so wie sie es immer getan hatte, schob ihre Angst und Sorge beiseite und umarmte mich. Fest und lange. Ich spürte ihren Herzschlag, hart und laut. Ihre Hände und ihre Stirn waren von Schweiß bedeckt. Ihre Nase zu und ihre Stimme belegt, ich erkannte sie kaum wieder.

»Ich wünsche dir von allem genug«, flüsterte sie mir ins Ohr. »Genug Sonne, die Licht in deine Tage bringt, genug Regen, damit du die Sonne schätzen kannst, genug Glück, das deine Seele stärkt, genug Schmerz, damit du auch die kleinen Freuden des Lebens genießen kannst, und genug Begegnungen, damit du die Abschiede besser verkraftest.«

Sie kämpfte gegen die Tränen an, um mir das zu sagen, aber am Ende konnte sie sich nicht mehr zurückhalten. Sie ließ mich los und ging zurück ins Haus. Dabei murmelte sie etwas, aber ich wusste nicht, ob sie mich meinte oder mit sich selbst sprach. »Sei stark, sei stark, sei stark.«

»Ich wünsche dir auch von allem genug, Mama!«, rief ich ihr hinterher.

Agnes war draußen im Hof. Sie klammerte sich an mir fest, als ich gehen wollte. Ich bat sie, mich loszulassen, aber sie weigerte sich. Am Ende musste ich ihre dicken Fingerchen gewaltsam lösen und schnell weglaufen, damit sie mich nicht einholen konnte. Ich erinnere mich noch, dass sie dreckige Fingernägel hatte. Ihre graue Wollmütze war übersät mit kleinen gestickten roten Blumen. Sie weinte lautstark, als ich weglief, aber ihr Jammern verstummte schnell wieder. Vermutlich hatte meine Mutter sie reingerufen. Bis heute bereue ich es, dass ich mich kein einziges Mal umgedreht habe. Dass ich ihnen nicht ein letztes Mal zugewunken habe.

Die Worte meiner Mutter wurden mein Leitfaden im Leben. Sie gaben mir die Kraft und die Stärke, die ich brauchte. Genug Kraft, um alle Schwierigkeiten zu überstehen, die noch kommen sollten. Denen wir alle in unserem Leben begegnen.

Das rote Adressbuch

S. SERAFIN, DOMINIQUE

Ich erinnere mich genau an die schmale Mondsichel am blassblauen Himmel. An die Häuserdächer darunter und die Wäsche auf den Balkonen. Den Rauch aus Hunderten von Schornsteinen. Das rhythmische Rattern des Zuges, das auf der langen Reise zu einem Teil von mir geworden war. Die Morgendämmerung brach an, als wir nach unzähligen Stunden und vielen Zugwechseln endlich den Gare du Nord erreichten. Ich stand auf und streckte meinen Kopf aus dem Fenster. Atmete den Frühlingsduft ein und winkte den Straßenkindern, die barfuß neben den Gleisen herrannten und ihre Hände ausstreckten. Einige Passagiere warfen ihnen Münzen zu, um die sich die Kinder dann prügelten.

Ich hielt mein Geld dicht an den Körper gepresst. Es war in einer kleinen flachen Lederbörse versteckt, die mit einem weißen Band an eine Schlaufe meines Rockbunds geknotet war. Ich strich immer wieder darüber, um mich zu vergewissern, dass es noch da war. Strich mit der Hand über die Umrisse, die sich unter dem Stoff abzeichneten. Meine Mutter hatte sie mir zugesteckt. Es war ihr Erspartes, das für besondere Anlässe gedacht war. Vielleicht hatte sie mich ja doch geliebt? Ich war so wütend auf sie gewesen und hatte oft gedacht, dass ich sie nie wieder sehen wollte. Gleichzeitig aber hatte ich sie so schmerzlich vermisst. Es verging kein Tag, an dem ich nicht an sie und an Agnes dachte.

Die Lederbörse war meine Sicherheit, als wir in mein

neues Leben einfuhren. Die Schwere der Münzen hatte etwas Beruhigendes. Die Räder quietschten, als wir bremsten, ich hielt mir die Ohren zu und brachte dadurch einen Mann neben mir zum Lachen. Ich erwiderte das Lachen nicht, sondern stürmte aus dem Zug.

Ein Gepäckträger lud die Sachen meiner Madame auf einen schwarzen Eisenwagen. Ich wartete neben dem wachsenden Kofferberg mit meiner Tasche, die ich zwischen den Beinen festhielt. Der Gepäckträger war jung und musste viele Male hin und her laufen. Sein Gesicht war schweißnass, und als er sich die Stirn abwischte, war sein Hemdsärmel ganz braun vom Schmutz. Taschen, Koffer, Hutschachteln, Stühle und Gemälde wurden auf den Wagen gestapelt, der bald voll war.

Menschen drängten sich an uns vorbei. Die langen, schmutzigen Kleider der ärmsten Passagiere glitten über die blank geputzten Schuhe der Männer aus der Oberschicht mit ihren Bügelfaltenhosen. Nur die feinen Damen ließen auf sich warten. Erst als der Bahnsteig leer war und die Reisenden der zweiten und dritten Klasse verschwunden waren, kamen sie in ihren hohen Schuhen die drei kleinen Eisenstufen herunter.

Madame lächelte übers ganze Gesicht, als sie mich dort warten sah. Aber ihre ersten Worte waren kein Gruß, sondern eine Beschwerde, wie anstrengend die Reise doch gewesen sei und wie langweilig die Mitreisenden gewesen waren. Sie klagte über Rückenschmerzen und die Hitze im Zug. Sie mischte Französisch und Schwedisch, und ich konnte sie nicht verstehen, aber es schien sie nicht weiter zu stören, dass sie keine Antworten bekam. Sie drehte sich auf dem Absatz um und lief in Richtung Bahnhofsgebäude. Der Gepäckträger und ich folgten ihr. Er schob den Wagen und musste sich mit seinem ganzen Körpergewicht dagegenstemmen. Ich legte meine freie Hand auf eine der Eisenstangen und half ihm beim Schieben. In der anderen Hand hielt ich meine kleine Reisetasche. Mein schwarzes Kleid war durchtränkt von Schweiß, und der scharfe Körpergeruch stieg mir bei jedem Schritt in die Nase.

Die Ankunftshalle mit ihren zierlichen kupfergrünen Pfeilern war voller Menschen, die kreuz und quer über den Steinfußboden liefen. Ihre Schritte hallten. Ein kleiner Junge in einem hellblauen Hemd und schwarzen, kurzen Hosen folgte uns und wedelte mit einer rosa Rose. Sein strähniger Pony hing über seinen hellblauen Augen, die mich flehend ansahen. Ich schüttelte den Kopf, aber er war hartnäckig, streckte mir die Rose hin und nickte. Er bettelte. Hinter ihm tauchte ein kleines Mädchen auf, das Brot verkaufte. Sie hatte ihr braunes Haar zu zwei dicken Zöpfen geflochten und trug ein viel zu großes braunes Kleid, das voller Mehlflecken war. Sie hielt mir ein Stück Brot hin und wedelte damit. Der Duft von frisch Gebackenem stieg mir in die Nase. Ich schüttelte erneut den Kopf und lief noch schneller, aber die beiden Kinder folgten uns. Ein Mann vor uns blies eine dicke Rauchwolke aus, und ich musste husten. Madame lachte laut auf.

»Bist du schockiert, meine Kleine?« Sie blieb stehen. »Hier ist es nicht wie in Stockholm. Oh, Paris, wie sehr habe ich dich vermisst!«, fuhr sie fort und lächelte. Es folgte ein ganzer Schwall französischer Worte.

Dann wandte sie sich an die beiden Kinder. Ihre Stimme klang scharf. Die Kinder sahen Madame stumm an, nickten, verneigten sich und rannten davon.

Vor dem Bahnhof wartete ein Chauffeur auf uns. Er stand neben einem großen schwarzen Wagen und hielt uns die Tür auf. Es war das erste Mal in meinem Leben, dass ich mit einem Auto fuhr. Die Sitze waren aus ganz weichem Leder, und der Geruch wurde noch intensiver, als ich mich hinsetzte. Ich atmete tief ein. Es erinnerte mich an meinen Vater.

Auf dem Boden lagen kleine Perserteppiche, rot, schwarz und weiß. Vorsichtig stellte ich meine Füße rechts und links daneben, um sie nicht dreckig zu machen.

Gösta hatte mir von Paris erzählt, von der Musik und den Gerüchen. Von den verfallenen Häusern in Montmartre. Ich starrte sprachlos aus dem Fenster und sah nur weiße, wunderschöne Fassaden, an denen wir vorbeiglitten. In diese feine Gegend hätte Madame sehr gut reingepasst. Dort gab es viele extravagante und schicke Damen, so wie sie eine war. Schöne Kleidung und teurer Schmuck. Aber dort hielten wir nicht an. Sie wollte nicht reinpassen. Sie wollte anders sein als ihre Umgebung, sie wollte ein Kontrast sein. Jemand, der in den Menschen Reaktionen auslöste. Für sie war das Abweichende das Normale. Darum versammelte sie auch Künstler, Autoren und Philosophen um sich.

Und so fuhren wir nach Montmartre. Langsam ging es den steilen Hügel hinauf, bis wir schließlich vor einem kleinen Haus mit abgeblättertem Putz und einer roten Holztür hielten. Madame war entzückt, der ganze Wagen füllte sich mit ihrem Lachen. Ihre Energie war ansteckend, wie sie mich ins Haus winkte und mir die muffigen und ungelüfteten Zimmer zeigte. Die wenigen Möbel, die darin standen, waren mit Laken verhängt. Madame flog von Zimmer zu Zimmer und riss sie von den Gegenständen. Enthüllte bunte Stoffe und dunkle Holzmöbel. Der Einrichtungsstil erinnerte mich sehr an die Wohnung in Södermalm. Auch hier hingen Gemälde an den Wänden, Unmengen von Gemälden, in Doppelreihen nebeneinander. Modernes und Klassisches in einer wilden Mischung. Und überall waren Bücher. Allein im Wohnzimmer standen drei hohe Regale, die in die Wand eingelassen waren, in denen bis obenhin in Leder eingeschlagene Bände standen. An einem der Regale lehnte eine Leiter, damit man auch die Bücher in den obersten Fächern erreichen konnte.

Als Madame das Zimmer verlassen hatte, stellte ich mich vor eines der Regale und las auf dem Buchrücken die Namen der Autoren. Swift, Rousseau, Goethe, Voltaire, Dostojewski, Doyle. Das waren Namen, die ich auf den Soirees gehört hatte, und nun standen sie alle dort. Beheimateten Ideen, die ich gehört, aber nicht verstanden hatte. Ich nahm eines der Bücher heraus, musste aber gleich feststellen, dass es auf Französisch geschrieben war. Sie waren alle französisch.

Erschöpft ließ ich mich in einen Sessel sinken und sagte leise murmelnd die vier Wörter auf, die ich gelernt hatte. *Bonjour, au revoir, pardon, oui.* Die lange Reise und die vielen neuen Eindrücke hatten mich so müde gemacht, ich konnte die Augen einfach nicht mehr aufhalten.

Als ich aufwachte, hatte Madame mich zugedeckt. Ich wickelte mich in der Decke ein. Es zog, ich stand auf und schloss das Fenster. Dann setzte ich mich hin und schrieb Gösta einen Brief. Das hatte ich mir vorgenommen, sobald ich ankommen würde. Ich beschrieb alles, was ich erlebt hatte, mit der bescheidenen Sprache einer Dreizehnjährigen. Das Geräusch meiner Schritte, als ich über das Gleis im Bahnhof gelaufen war, die neuen Gerüche, die beiden Kinder mit dem Brot und der Rose, die Straßenmusiker, die wir auf der Fahrt mit dem Wagen durch die Stadt gesehen hatten, Montmartre. Alles.

Ich wusste, dass er jedes Detail erfahren wollte.

4

»Nächste Woche kommt jemand anders. Eine Aushilfe.«
Ulrika spricht sehr deutlich und ein bisschen zu laut. »Ich
fliege auf die Kanarischen Inseln.«

Doris versucht sich ein bisschen abzuwenden, aber Ulrika
redet einfach noch lauter.

»Das wird so herrlich, mal rauszukommen und sich zu
entspannen. Die Kinder werden im Club bespaßt, und wir
können im Liegestuhl liegen und nichts machen. Sonne und
Wärme. Ist das nicht toll, Doris. Auf die Kanarischen Inseln.
Da sind Sie auch noch nie gewesen, oder?«

Doris sieht Ulrika beim Zusammenlegen der Wäsche zu.
Sie macht das unordentlich und hektisch, die Ärmel werden
ganz knitterig. Und sie plappert in einem fort weiter, während der Wäschestapel wächst.

»Maspalomas heißt der Ort. Ein bisschen touristisch vielleicht, aber es ist ein schönes Hotel. War auch gar nicht
so teuer. Kostete nur einen Hunderter mehr als das andere
Hotel, das viel schlechter war. Die Kinder können den ganzen Tag am Pool spielen. Und am Strand. Es gibt da einen
schönen, langen Sandstrand mit großen Dünen. Der Sand
kommt aus Afrika, glaube ich. Der ist bis dorthin geweht
worden.«

Doris' Finger spielen mit der Lupe auf dem Tisch. Sie sieht
aus dem Fenster und hält nach dem Eichhörnchen Ausschau.

»Ihr Alten findet uns verrückt, weil wir dauernd unterwegs sind und verreisen wollen. Meine Großmutter fragt mich auch immer, warum ich wegfahre, obwohl es hier doch so schön ist. Aber es macht einfach Spaß. Und es ist auch gut für die Kinder, was von der Welt zu sehen. So, und jetzt sind Sie an der Reihe, Doris. Die Wäsche ist fertig. Jetzt wollen wir mal duschen gehen. Sind Sie bereit?«

Doris lächelt gequält, legt die Lupe zurück. Auf ihren angestammten Platz. Sie muss die Position ein bisschen korrigieren, damit sie im richtigen Winkel liegt. Das Eichhörnchen ist nicht aufgetaucht. Wo es sich wohl herumtreibt? Hoffentlich ist es nicht überfahren worden. So frech und unvorsichtig, wie es immer über die Straße gesprungen ist.

Sie zuckt zusammen, als sich Ulrikas Finger in ihre Achseln bohren.

»Auf drei. Und eins, zwei und dreiii!«

Ulrika hebt sie auf die Füße und bleibt neben ihr stehen, bis sich der erste Schwindel gelegt hat.

»Sagen Sie mir Bescheid, wenn Sie so weit sind, dann machen wir uns auf in Ihren hauseigenen Spa-Bereich.«

Doris nickt müde.

»Stellen Sie sich mal vor, wenn Sie so ein richtiges Spa hier hätten. Mit Jacuzzi, Massage und Kosmetikerin. Das wäre doch was, oder?« Ulrika lacht bei der Vorstellung. »Ich bringe Ihnen eine Gesichtsmaske aus dem Urlaub mit, und wenn ich wieder da bin, verwöhne ich Sie ein bisschen. Das wird wunderbar, Sie werden sehen.«

Doris nickt und lächelt. Ulrikas Geplapper bringt sie zum Schmunzeln, aber sie verzichtet darauf, etwas auf Ulrikas Angebot zu erwidern.

Im Badezimmer streckt sie ihre Arme hoch und lässt sich von ihr ausziehen. Dann steigt sie vorsichtig in die Dusche. Setzt sich auf die Kante von dem weißen Stuhl mit der perforierten Sitzfläche, den sie vom Pflegedienst bekommen hat. Sie drückt sich den Duschkopf an den Körper und lässt das warme Wasser über den Rücken laufen. Schließt die Augen und genießt. Ulrika lässt sie für einen Moment allein und geht zurück in die Küche. Doris stellt das Wasser heißer und zieht die Schultern hoch, senkt den Kopf. Das Geräusch von Wasser hat schon immer eine beruhigende Wirkung auf sie gehabt.

Das rote Adressbuch

S. ~~SERAFIN, DOMINIQUE~~ TOT

Ich hatte einen Lieblingsort. Ein kleiner Platz nicht weit vom Haus entfernt. Auf dem Place Émile-Goudeau standen eine Bank und ein wunderschöner kleiner Brunnen. Vier Frauenfiguren trugen eine Kuppel mit ihren Händen. Der Brunnen strahlte etwas Starkes aus, und ich liebte das Geräusch des Wassers, das den Statuen über die knöchellangen Kleider gluckerte. Es erinnerte mich an Stockholm, an Södermalm und die Nähe zu Wasser. In Paris gab es nur die Seine. Und die war von Montmartre weit entfernt, außerdem waren die Arbeitstage bei Madame so lang, dass ich es nur selten dorthin schaffte. So wurde dieser kleine Brunnen mein Zufluchtsort.

Manchmal saß ich dort am Nachmittag, wenn Madame sich ausruhte, und schrieb meine Briefe an Gösta. Wir schrieben uns oft. Er bekam Momentaufnahmen von mir, Eindrücke von allem, was er so vermisste. Menschen, Essen, Kultur, Plätze, Aussichten. Künstler, mit denen er befreundet war. Und ich bekam Eindrücke aus Stockholm. Von allem, was ich vermisste.

Liebe Doris,
deine Briefe sind zu meinem Lebenselixier geworden. Sie geben mir Mut und Kraft weiterzumachen. Ich male jetzt wieder mehr als früher. Der stete Strom an Bildern, die du in meinem Kopf erzeugst, haben dazu geführt, dass auch ich wieder das Schöne um mich herum wahrnehmen kann.

Das Wasser. Die Häuser. Den Seemann unten am Kai. Es gibt so vieles, was ich bisher übersehen habe.

Und du schreibst so schön, meine kleine Freundin. Vielleicht wirst du später einmal Schriftstellerin. Bleib dabei. Wenn du auch nur den Hauch einer Berufung spürst, gehe dem nach. Verleugne niemals deine Gefühle. Wir werden in die Kunst geboren. Das verleiht uns eine große Macht, und wir haben die Ehre, sie zu verwalten. Ich glaube fest an dich, Doris. Ich glaube daran, dass du die Kraft dazu in dir trägst.

Heute regnet es in Strömen. Die Tropfen fallen so laut auf das Kopfsteinpflaster, dass ich es hier oben im dritten Stockwerk hören kann. Die Wolken sind so grau und hängen so tief, dass ich die Befürchtung habe, dass sie mir auf den Kopf fallen, wenn ich vor die Tür gehe. Ich bleibe lieber zu Hause. Male. Denke nach. Lese. Vielleicht treffe ich einen Freund. Aber er muss dann zu mir kommen, ich ertrage es nicht, mich dieser unendlichen Depression auszusetzen, die dem schwedischen Spätsommer folgt. Die Dunkelheit setzt mir jetzt mehr zu als jemals zuvor. Ich sehe den Herbst in Paris vor mir. Die milden Tage. Die starken Farben.

Genieße deine Zeit dort unten. Ich weiß, dass du Heimweh hast. Ich spüre deine Unruhe, obwohl du sie nie erwähnst. Genieße die Zeit und die Orte, an denen du bist. Deiner Mutter und Schwester geht es gut, mache dir um sie keine Sorgen. Ich werde sie besuchen gehen und mich dessen vergewissern.

Vielen Dank für die Kraft, die du mir mit deinen Briefen schenkst. Danke, meine liebe Doris.

Schreib bald wieder.

Ich habe sie noch alle, all die Briefe, die Gösta mir geschrieben hat. Sie liegen in einer kleinen Blechdose unter meinem Bett und haben mich mein ganzes Leben lang begleitet. Ab und zu hole ich sie hervor und lese sie mir durch. Denke daran, dass er meine Rettung war, in dieser Anfangszeit in Paris. Er zeigte mir das Positive der Stadt auf, die so ganz anders war als meine Heimatstadt. Er half mir, meine Aufmerksamkeit auf das zu lenken, was um mich herum geschah.

Was er mit meinen Briefen anstellte, weiß ich nicht. Vielleicht hat er sie in dem Kamin verbrannt, vor dem er so gerne saß. Aber ich erinnere mich genau, was ich ihm geschrieben habe. Ich weiß, welche Szenen und Ereignisse ich ihm erzählte. Von dem gelben Laub, das auf die Straßen von Paris fiel. Von der kalten Luft, die durch die Fensterritzen drang und mich nachts weckte. Von Madames Festen, bei denen Künstler wie Léger, Archipenko und Rosenberg häufige Gäste waren. Von dem Haus in Montparnasse, 86 Rue Notre Dame des Champs, wo Gösta gewohnt hatte. Ich hatte mich ins Treppenhaus geschlichen und jedes kleinste Detail beschrieben. Hatte alle Namen auf den Klingelschildern notiert. Er liebte es. Er kannte auch noch einige Bewohner und vermisste sie. Ich erzählte, dass Madame nicht so viele eigene Feste gab wie in Stockholm, sondern durch das nächtliche Paris zog, auf der Jagd nach neuen Künstlern und Schriftstellern, die sie verführen konnte. Und dass sie sehr lange schlief und ich viel mehr Zeit hatte zu lesen.

Ich brachte mir mithilfe der Bücher und einem Lexikon selbst Französisch bei. Ich begann mit den schmalsten Bänden und arbeitete mich langsam durch die Reihen. Band für Band. Diese vielen fantastischen Bücher, in denen ich so viel über das Leben und die Welt erfuhr. Es war alles dort versammelt, in den hölzernen Regalen. Europa, Afrika, Asien, Amerika. Länder, Gerüche, Landschaften, Kulturen. Und Menschen. Die in ganz verschiedenen Welten lebten und sich doch so ähnlich waren. Voller Angst, Zweifel, Hass und Liebe. Wie wir alle. Wie Gösta. Wie ich.

Ich hätte mich dort ewig aufhalten können. Mein Platz war bei den Büchern, dort fühlte ich mich sicher und geborgen. Aber leider hielt auch dieses Glück nicht lange an.

Eines Tages wurde ich, auf dem Rückweg vom Schlachter mit einem Korb voller frischer Fleischstücke, auf der Straße angehalten. Aus einem einzigen Grund. Heute verbergen mein geplagter Körper und die vielen Falten meine Schönheit, aber es tut gut, es sagen zu können: Früher war ich eine schöne Frau.

Ein Mann in einem schwarzen Anzug sprang aus einem Auto, das mitten im Verkehr angehalten hatte, und kam auf mich zugerannt. Er packte meinen Kopf mit seinen Händen und starrte mir in die Augen. Mein Französisch war nach wie vor weit entfernt von fließend, und er sprach viel zu schnell. Ich verstand nur, dass er mich haben wollte. Ich bekam es mit der Angst zu tun, befreite mich und rannte, so schnell ich konnte, nach Hause. Er folgte mir mit seinem Wagen. Als ich Madames Haus erreicht hatte, stürmte ich die Treppe hoch, warf die Tür hinter mir zu und verschloss sie.

Der Mann hämmerte dagegen. Er hämmerte und hämmerte, bis Madame kam und sie wieder aufschloss. Dabei fluchte sie auf Französisch.

Kaum hatte sie die Tür geöffnet, veränderte sich ihre Tonlage schlagartig, und sie bat den Mann herein. Sie warf mir einen wütenden Bick zu und bedeutete mir mit einer Handbewegung, dass ich verschwinden sollte. Sie stolzierte um ihn herum, als wäre er eine königliche Hoheit. Ich verstand die Welt nicht mehr. Sie gingen in den Salon, aber schon wenige Minuten später kam sie zu mir in die Küche gestürmt.

»Wasch dir das Gesicht, steh gerade! Weg mit der Schürze. *Mon dieu*, Monsieur will dich sehen.«

Sie kniff mit Zeigefinger und Daumen in meine Wangen und rieb sie, damit sie rosig wurden.

»So, mein Mädchen. Und lächeln!«, flüsterte sie und schob mich vor ihr her. Ich lächelte gequält. Der Mann in dem Sessel sprang sofort auf und musterte mich von oben bis unten. Begutachtete meine Augen, strich mit den Fingern über meine Hüfte. Kniff in die Haut in meiner schmalen Taille. Seufzte, als er meine Ohrläppchen berührte. Schweigend sah er mich an. Dann setzte er sich wieder in den Sessel. Ich wusste nicht, was ich tun sollte, darum blieb ich mit gesenktem Kopf stehen.

»*Oui!*«, sagte er dann und schlug sich die Hände vors Gesicht. Sprang auf und drehte mich um meine Achse. »*Oui!*«, wiederholte er, als ich endlich wieder still stand.

Madame kicherte entzückt. Dann geschah etwas sehr Sonderbares. Sie bat mich, mich zu ihnen zu setzen. Aufs Sofa. Im Salon. Zusammen mit ihnen. Sie lachte, als sie meine ungläubig aufgerissenen Augen sah, und wedelte mit der Hand, um den Ernst ihres Angebots zu unterstreichen.

Ich setzte mich ganz vorne auf die Kante. Knie zusammen und Rücken gerade. Ich strich den Stoff meines Kleides glatt, dort wo die Schürze gesessen hatte, war er ganz zerknittert. Schweigend saß ich bei ihnen und hörte dem schnellen französischen Wortwechsel zu. Die Wörter, die ich verstand, ergaben keinen Sinn. Ich hatte nach wie vor keine Ahnung, wer dieser Mann war und warum er so wichtig war.

»Das ist Jean Ponsard, mein Mädchen«, sagte Madame

plötzlich auf Schwedisch, das sehr französisch klang. Und mit einem Tonfall, als würde ich wissen müssen, wer das ist. »Er ist ein bekannter Modeschöpfer, ein sehr bekannter. Und er will dich als Mannequin für seine Kleider.«

Ich hob fragend die Augenbrauen. Mannequin? Ich? Ich wusste nicht mal genau, was das war. Madame sah mich erwartungsvoll an, ihre grünen Augen leuchteten. Ihr Mund war leicht geöffnet, als hätte sie am liebsten für mich geantwortet.

»Verstehst du denn nicht? Du wirst berühmt werden. Das ist der Traum aller Mädchen. Jetzt lächle doch endlich!« Ihre Irritation über mein Schweigen war so greifbar, dass ich eine Gänsehaut bekam. Sie schüttelte ungehalten den Kopf und schnaubte. Dann forderte sie mich auf, meine Sachen zu packen.

Eine halbe Stunde später saß ich im Wagen von Monsieur Ponsard. In meiner Tasche im Kofferraum war nur meine Kleidung. Keine Bücher. Die hatte ich bei Madame zurücklassen müssen.

Das war auch das letzte Mal, dass ich sie sah. Viel später erst habe ich erfahren, dass sie sich zu Tode getrunken hat. Man hat sie in ihrer Badewanne gefunden.

5

»Alles Gute für dich, Alles Gute für dich, alles Gute, liebe Jenny, alles Gute für dich!«, singt Doris und strahlt dabei die lachende Frau auf dem Monitor an. Als sie fertig ist, klatschen Jennys Kinder in die Hände.

»Oh, Doris, du Wunderbare! Vielen Dank. Wie schön, dass du immer an mich denkst.«

»Wie sollte ich dich denn vergessen können?«

»Ja, wie sollte das gehen? Weißt du noch… Als ich in dein Leben kam, war danach nichts mehr so, wie es vorher war.«

»Nein, meine Liebe, mit dir zog das Leben ein. Und wie süß du warst. Und so brav, wie du in deinem Laufställchen gesessen und gelacht hast.«

»Da musst du dich irren, Doris. Ich war ganz bestimmt nicht brav. Alle Kinder sind anstrengend. Auch ich.«

»Nein, du nicht. Du bist als Engel auf die Welt gekommen. Und auf deiner Stirn stand ›brav‹, ich erinnere mich ganz genau.« Sie warf Jenny eine Kusshand zu, die sie lachend in der Luft fing.

»Vielleicht war ich bei dir besonders brav, weil ich dich brauchte.«

»Ja, das kann sein. Und ich brauchte dich. Wir haben einander gebraucht.«

»Apropos brauchen. Kannst du nicht in den Flieger steigen und zu uns kommen?«

»Ach, du Verrückte, du weißt, dass ich das nicht kann. Hast du deine Geburtstagstorte schon bekommen?«

»Nein, noch nicht. Aber heute Abend. Wenn die Kinder wieder zu Hause sind. Eine halbe Stunde vor dem Zubettgehen, dann essen wir sie.« Jenny grinst.

»Die wird dir guttun, du bist so dünn geworden. Isst du auch genug?«

»Liebe Doris, ich befürchte, deine Augen lassen dich langsam im Stich. Siehst du nicht meinen Rettungsring?« Sie kneift sich in den Bauch und in die Taille.

»Ich sehe eine schlanke und sehr hübsche Mutter von drei Kindern. Bitte fang jetzt bloß nicht an, Diät zu machen. Du bist perfekt. Ein Stück Kuchen ab und zu tut dir gut.«

»Du konntest schon immer gut lügen. Erinnerst du dich noch an mein Kleid vom Abschlussball, das mir viel zu klein war? Das saß so eng, dass die Nähte sich schon dehnten. Du hattest sofort eine Lösung und hast mir einfach diesen schönen Seidenschal um die Taille gewickelt.«

Doris' Augen glitzern. »Doch, daran kann ich mich gut erinnern. Allerdings warst du damals wirklich ein bisschen moppelig. Weil diese dunkle Schönheit… Wie hieß er noch gleich? Morgan? Michael?«

»Marcus. Marcus, meine große Liebe.«

»Ja, du warst so unglücklich, als er mit dir Schluss gemacht hat. Du hast Schokolade zum Frühstück gegessen.«

»Zum Frühstück? Ich habe ununterbrochen Schokolade gegessen. Den ganzen Tag lang! Ich hatte überall in meinem Zimmer Tafeln versteckt. Wie eine Alkoholikerin. Eine Schokoholikerin! *Gosh*, ich war am Boden zerstört. Und ich bin so dick geworden!«

»Was für ein Glück, dass du dann Willie kennengelernt hast. Er hat alles wieder in Ordnung gebracht.«

»Ordnung? Ich weiß ja nicht.« Mit einer Hand deutet sie auf den vollen Küchentisch, die Zeitungsstapel, das dreckige Geschirr und die Spielsachen.

»Okay, aber du bist nicht mehr pummelig.« Doris lächelt.

»Nein, okay, ich verstehe, worauf du hinauswillst«, lacht Jenny. »Du hast recht, dick bin ich nicht mehr.«

»Na, siehst du. Das hört sich doch viel besser an. Wo ist Tyra? Schläft sie?«

»Schlafen? Nein, dieses Kind schläft nie. Sie ist hier.« Jenny kippt den Monitor. Das kleine Mädchen sitzt auf dem Boden und ist hochkonzentriert mit einer Dose in grellen Farben beschäftigt.

»Hallo, Tyra«, ruft Doris. »Was machst du da? Spielst du? Deine Dose ist aber schön.«

Das Mädchen strahlt übers ganze Gesicht und schüttelt die Dose, die laut scheppert.

»Oh, sie versteht Schwedisch?«

»Ja, natürlich. Ich spreche nur Schwedisch mit ihr. Fast immer jedenfalls. Und auf dem Rechner sieht sie manchmal den Kinderkanal.«

»Das ist toll. Und die anderen?«

»Das geht so lala. Ich spreche mit ihnen Schwedisch, und sie antworten auf Englisch. Ich habe keine Ahnung, wie viel da hängen bleibt. Ich fange ja selbst an, Wörter und Ausdrücke zu vergessen. Das ist echt nicht so leicht.«

»Du gibst dein Bestes, meine Liebe. Hast du meinen Brief bekommen?«

»Ja, vielen Dank dafür! Der kam pünktlich. Auch das Geld. Dafür kaufe ich mir etwas Schönes.«

»Genau. Kauf dir was, nur für dich.«

»Mach ich. Oder für uns alle.«

»Nein, du kennst die Regeln. Du musst dir etwas kaufen,

woran nur du Freude hast. Nicht Willie und auch nicht die Kinder. Du sollst dir ab und zu ein bisschen Luxus gönnen. Einen schönen Pullover. Oder du gehst in so ein Spa, wo heutzutage alle hingehen. Oder, ach, ich weiß auch nicht, geh mit einer Freundin essen und lach und quatsch die ganze Nacht mit ihr.«

»Ja, ich schau mal. Ich würde gerne mit dir im Restaurant sitzen und über alte Zeiten reden. Im Sommer kommen wir, versprochen. Die ganze Familie. Du musst...«

Doris runzelt die Stirn. »Was muss ich? So lange am Leben bleiben?«

»Nein, so war das nicht gemeint. Aber klar sollst du am Leben bleiben. Für immer!«

»Meine Liebe, ich bin eine ganz alte Schachtel. Ich komme kaum noch alleine vom Stuhl hoch. Meinst du nicht, da ist es am besten, einfach zu sterben?« Sie sieht Jenny mit ernstem Blick an, dann aber hellt sich ihre Miene auf, und sie ruft fröhlich: »Aber ich habe keine Absicht zu sterben, bevor ich diesem süßen Fratz da in die Wangen gekniffen habe. Oder, Tyra? Wir beide müssen uns doch noch kennenlernen!«

Tyra hebt die Arme in die Luft und winkt, und Jenny wirft Kusshände zum Abschied und klappt den Bildschirm zu. Wo gerade noch Leben und Liebe geleuchtet haben, ist jetzt nur ein schwarzes Rechteck. Wie kann Stille nur so überwältigend sein?

P. PONSARD, JEAN

Es fühlte sich an, als wäre ich verkauft worden. Ich hatte keine andere Wahl, als in den Wagen zu steigen und mich in eine ungewisse Zukunft fahren zu lassen. Mich von Madame und der Geborgenheit hinter der roten Tür zu verabschieden. Sie hatte meine Sprache gesprochen. Sie kannte die Straßen meiner Heimatstadt.

Monsieur Ponsard sagte nichts, obwohl wir nebeneinander auf dem Rücksitz saßen. Auf der gesamten Strecke kein einziges Wort. Er starrte nur aus dem Fenster. Der Wagen holperte den Berg hinunter über die Pflastersteine, und ich grub meine Finger tief ins Polster, um mich festzuhalten.

Er war sehr elegant. Ich studierte seine Frisur eingehend, sein schwarzes Haar war von grauen Strähnen durchzogen. Glatt zurückgekämmt. Der Stoff seines Anzugs schimmerte, die Handschuhe waren aus dünnem weißem Leder, makellos, ohne einen einzigen Fleck. Die Schuhe waren schwarz, poliert und glänzten. Ich sah an mir hinunter, musterte mein dunkles Kleid. Im Licht der Sonnenstrahlen, die durch das Fenster fielen, sah es schmutzig aus. Ich strich mit der Hand darüber, entfernte ein paar Fusseln und kratzte einen frischen Teigflecken mit dem Zeigefinger ab. Der Hefeteig lag wahrscheinlich noch in der Küche und war sich nun selbst überlassen.

Er fragte nie etwas über mich. Vermutlich wusste er nicht einmal, aus welchem Land ich kam. Es interessierte ihn auch nicht, was in meinem Kopf vorging. Das ist wahrscheinlich die erniedrigendste Art und Weise, einen Menschen zu behandeln. Indem man sich nichts aus seinem Verstand macht. Die Oberfläche war das Einzige, was zählte. Und er war sehr schnell, wenn es darum ging, Mängel aufzuzeigen. Meine Haare waren zu trocken oder zu ungepflegt. Meine Haut zu gebräunt. Meine Ohren standen zu sehr ab, wenn ich eine Hochsteckfrisur hatte. Meine Füße waren zu groß für die Schuhe. Meine Hüften waren zu schmal oder zu breit, je nachdem, welches Kleid ich anprobierte.

Meine Reisetasche wurde zu meinem Kleiderschrank. Ich ging nicht davon aus, dass ich so lange bleiben würde. Jeden Abend schob ich sie unter mein Bett in der Wohnung, die ich mit vier anderen Mannequins teilte. Wir waren alle im selben Alter und alle gleichermaßen verloren.

Über uns wachte eine Hausmutter mit verkniffenem Gesicht und schmalen Lippen. Der Ausdruck ständigen Missfallens beherrschte ihr Gesicht und hatte auch den Verlauf ihrer Falten beeinflusst. Sie verliefen nach unten, von den Mundwinkeln herab zum Kinn. Bildeten Gräben aus Bitterkeit und Gereiztheit. Die dünnen, tiefen Fältchen auf der Oberlippe verliehen ihrem Gesicht zusätzlich einen verärgerten Ausdruck, auch wenn sie nur im Wohnzimmer auf dem Sessel saß und döste. Ihre unverhohlene Verachtung uns gegenüber, den jungen hübschen Mädchen, mit denen sie zusammenwohnen musste, zeigte sich auf die verschiedensten Weisen, am deutlichsten in ihrer manischen Kontrolle unseres Essverhaltens. Nach sechs Uhr abends durften wir nichts mehr zu uns nehmen. Wer spät nach Hause kam, musste hungrig ins Bett. Und nach sieben Uhr durften wir das Haus nicht mehr verlassen. Sie hatte dafür zu sorgen, dass wir unseren Schönheitsschlaf bekamen.

Sie unterhielt sich auch nie mit uns. Wenn sie ein bisschen Freizeit hatte, setzte sie sich in die Küche und strickte winzige Kinderpullover. Ich fragte mich immer, welches Kind die Sachen am Ende wohl trug. Und wann sie ihm begegnete. Und ob es vielleicht sogar ihr eigenes war.

Tagsüber mussten wir hart arbeiten. Es waren lange Tage. Wir trugen wunderschöne Kleider, die wir in den Kaufhäusern vorführten und manchmal auch in den Schaufenstern. Immer mit geradem Rücken. Die Kundschaft zupfte an uns herum, sie wollte den Stoff fühlen, die Nähte begutachten und sich über kleine Mängel mokieren, um den Preis zu drücken. Ab und zu standen wir auch vor einem Fotografen und mussten ganz still posieren, stundenlang. Durften nur den Kopf oder die Hände mal hierhin, mal dorthin drehen, um die bestmögliche Haltung zu finden. Wenn der Fotograf abdrückte, mussten wir reglos dastehen. So war das Leben eines Mannequins.

Im Laufe der Zeit fand ich heraus, wie mein Gesicht wirkte, aus jedem Winkel. Ich wusste, wie sich der Ausdruck meiner Augen veränderte, wenn ich sie etwas zusammenkniff – niemals zu viel, sonst bildeten sich kleine Fältchen, immer nur ein bisschen, damit mein Blick intensiver und geheimnisvoller wurde. Und ich wusste, wie ich meine Silhouette mit einer kleinen, kaum sichtbaren Kippbewegung meiner Hüfte wandeln konnte.

Monsieur Ponsard überwachte unsere Arbeit sehr genau. Wenn wir ihm zu blass waren, kam er höchstpersönlich und kniff uns in die Wangen. Dabei sah er uns nie in die Augen. Er kniff sehr fest zu mit seinen dünnen, manikürten Fingern und nickte zufrieden, wenn die Haut rot wurde. Die Tränen blinzelten wir weg.

~ 6 ~

»Weinen Sie?«

Die Aushilfe kniet sich neben Doris, die am Küchentisch sitzt, die Ellenbogen aufgestützt und den Kopf in die Hände gelegt. Sie zuckt zusammen und wischt sich hastig die Tränen aus dem Gesicht.

»Nein, nicht doch«, antwortet sie, aber das Zittern in ihrer Stimme verrät sie. Sie schiebt die Schwarzweißfotos von sich, dreht sie um.

»Darf ich sie mir ansehen?«

Sara ist die Urlaubsvertretung von Ulrika und schon ein paarmal bei ihr gewesen. Doris schüttelt den Kopf.

»Die sind nichts Besonderes. Nur alte Fotos. Von Freunden, die nicht mehr leben. Sie sind alle tot. Der Mensch will immer so alt wie möglich werden, aber wissen Sie was, es ist überhaupt nicht schön, die Letzte zu sein. Dann hat das Leben keinen Sinn mehr, wenn alle anderen tot sind.«

»Wollen Sie sie mir nicht doch zeigen? Zeigen Sie mir doch die, die Ihnen besonders viel bedeutet haben.«

Doris streicht über den kleinen Stapel, sie zögert, ihre Hand erstarrt in der Bewegung.

»Haben Sie vielleicht ein Foto von Ihrer Mutter?«, versucht Sara sie zu ermutigen.

Doris zieht ein Foto aus dem Stapel. Betrachtet es.

»Ich kannte sie nicht so gut. Nur bis zu meinem dreizehnten Lebensjahr.«

»Und was ist dann geschehen? Ist sie gestorben?«

»Nein. Aber das ist eine lange Geschichte. Viel zu lang, um interessant zu sein.«

»Sie müssen es mir nicht erzählen, wenn Sie nicht wollen. Nehmen Sie doch einfach ein anderes Foto aus dem Stapel.«

Doris dreht einen Abzug um. Darauf ist ein junger Mann abgebildet. Er lehnt gegen einen Baumstamm, hat die Beine übereinandergeschlagen und eine Hand in die Hosentasche gesteckt. Er lächelt übers ganze Gesicht, seine weißen Zähne leuchten. Auch dieses Foto legt sie schnell wieder weg.

»Schick. Wer ist das? Ihr Mann?«

»Nein. Nur ein Freund.«

»Lebt er noch?«

»Ich weiß es nicht. Ich glaube nicht. Wir haben uns vor vielen Jahren kennengelernt. Aber es wäre wunderbar, wenn er noch am Leben wäre.« Doris lächelt verschmitzt und streicht zärtlich über das Fotopapier.

Sara legt ihren Arm um sie, ohne etwas zu sagen. Sie ist so anders als Ulrika. Viel sanfter und netter.

»Müssen Sie wirklich aufhören, wenn Ulrika zurückkommt? Können Sie nicht noch länger bleiben?«

»Leider nein. Wenn Ulrika aus dem Urlaub zurückkommt, gelten wieder unsere alten Einsatzpläne. Aber bis dahin machen wir beide es uns richtig gemütlich, einverstanden? Haben Sie Hunger?«

Doris nickt. Sara zieht die Folie von dem Behälter ab und legt das Essen auf einen Teller. Sie trennt Gemüse und Fleisch voneinander und drückt den Kartoffelbrei mit einer Gabel platt, bevor sie den Teller in die Mikrowelle stellt. Dann schneidet sie eine Tomate auf und drapiert sie halbmondförmig daneben.

»So. Bitte schön. Das sieht doch lecker aus?«, sagt sie zufrieden und stellt den Teller auf den Tisch.

»Vielen Dank, dass Sie das Essen so angerichtet haben.«

Sara stutzt und sieht Doris fragend an. »Wie meinen Sie das? So?«

»Na, so hübsch angerichtet, nicht als eine einzige Pampe.«

»Sieht es sonst aus wie Pampe? Das klingt aber nicht besonders appetitlich.« Sara rümpft die Nase. »Das müssen wir unbedingt ändern.«

Doris lächelt zaghaft und nimmt eine Gabel. Es schmeckt ihr heute richtig gut.

»Fotos sind wirklich eine tolle Erfindung.« Sara zeigt auf den Stapel auf dem Tisch neben den beiden leeren Blechdosen. »Sie helfen uns, damit wir uns an Dinge und Menschen erinnern können, die wir sonst vielleicht vergessen hätten.«

»Oder die wir längst hätten vergessen sollen.«

»Waren Sie deshalb vorhin so traurig, als ich kam?«

Doris nickt. Sie faltet ihre Hände, die auf der Tischplatte liegen. Die Haut ist trocken und faltig, und die dunkelblauen Adern sind ganz erhaben. Dann dreht sie eines der Fotos um und zeigt es Sara. Darauf sind eine Frau und ein kleines Kind.

»Meine Mutter und meine Schwester«, sagt sie mit einem Seufzer und wischt sich noch eine Träne weg.

Sara nimmt das Foto an sich und betrachtet es lange.

»Sie ähneln Ihrer Mutter sehr, Sie haben dasselbe Leuchten in den Augen. Das Schönste am Menschen ist, wenn die Augen voller Leben sind.«

Doris nickt. »Aber jetzt sind alle tot. Das ist alles so lange her. Es tut weh.«

»Wollen Sie die Fotos nicht in zwei Haufen sortieren?

Auf den einen Stapel kommen die Fotos, die Ihnen positive Gefühle geben, und auf den anderen die mit den negativen Gefühlen.« Sara steht auf und sucht etwas in der Küchenschublade. »Hier!«, ruft sie, als sie gefunden hat, wonach sie sucht: eine Rolle Tesafilm. »Die negativen kommen in eine Dose, und dann kleben wir die mit dem Tesafilm zu, bis er alle ist.«

»Sie kommen ja auf Ideen!«, kichert Doris.

»Wir machen das jetzt einfach!«, lacht Sara. Nachdem Doris aufgegessen hat, übernimmt sie auch gleich das Kommando über den Stapel. Sie legt ein Foto nach dem anderen auf den Tisch und lässt Doris zeigen, ob es in die Dose soll oder nicht. Sara stellt keine Fragen, obwohl die vielen Menschen und Aufnahmen aus längst vergangenen Zeiten und Umgebungen sie neugierig machen. Die Fotos, die in der Dose verschwinden sollen, legt sie umgedreht hinein, damit Doris sie auch nicht mehr sehen muss. Viele der alten Schwarzweißaufnahmen landen in der Dose mit den negativen Gefühlen. Modernere Aufnahmen in Farbe mit lachenden Kindern bleiben auf dem positiven Haufen. Sara beobachtet Doris dabei und streicht ihr ab und zu zärtlich über den Rücken.

Kurz darauf sind alle sortiert. Sara wickelt den durchsichtigen Tesafilm um die Dose. Sucht nach weiterem Klebeband in der Schublade und findet auch welches. Sie setzt ihre Arbeit mit Malerkrepp fort und schließt sie mit einer Lage silbernem Gaffa-Tape ab. Zufrieden kichernd stellt sie die Dose vor sich auf den Küchentisch.

»Versuchen Sie jetzt mal, da ranzukommen!« Sara lacht übers ganze Gesicht und klopft mit der Hand auf die Dose.

Das rote Adressbuch

N. NILSSON, GÖSTA

Das Papier vor mir war leer. Ich war müde. Hatte keine Worte. Spürte keine Freude. Ich saß auf meiner Matratze an der Wand, mit einem Kissen im Rücken. Alles in dem Zimmer war grün, mir war ganz schlecht von der Farbe. Ich konnte das symmetrische Tapetenmuster aus Blättern und Blumen nicht mehr ertragen. Die Blumen waren groß und üppig, etwas heller als der dunkelgrüne Hintergrund, und zwischen ihnen schlängelten sich Stiele und Blätter. Wenn ich später solche Tapeten sah, musste ich immer an die Abende in diesem Raum denken. An das Nichtstun, die Müdigkeit, die aufgesetzte Nettigkeit unter den Mädchen. An die Schmerzen in meinem Körper und das Gefühl der Leere in mir.

Ich wollte Gösta so gerne schreiben. Wollte ihm erzählen, wonach er sich sehnte. Aber ich konnte nicht. Ich fand keine schönen Worte mehr für die Stadt, die ich mittlerweile so verabscheute. Die letzten goldenen Sonnenstrahlen fielen durchs Fenster, was die Tapete noch abscheulicher machte. Ich drehte den Stift in der Hand, das Metall reflektierte das Licht und warf es an die Wand. Ein schmaler Lichtstreifen tanzte über die Tapete, während ich in Gedanken die Ereignisse der letzten Zeit Revue passieren ließ. Verzweifelt versuchte ich, das Erlebte in etwas Positives umzuwandeln.

Meine Kopfhaut schmerzte, und ich legte meine Haare so, dass es etwas weniger wehtat. Eine Strähne hing mir ins Gesicht. Die harten, stacheligen Rollen, auf die unsere Haare jeden Tag gewickelt wurden, hinterließen rote Stellen und manchmal sogar kleine Löcher in der Haut. Die Friseure waren zum Teil sehr grob und zerrten an den Haaren, um die perfekte Frisur anzufertigen. Das einzige Ziel war immer, für das nächste Foto oder für den nächsten Lauf so vollkommen wie möglich auszusehen. Ich aber musste ja auch am nächsten Tag gut und frisch bei der Arbeit erscheinen und am darauffolgenden ebenfalls. Weder kleine Löcher auf der Kopfhaut noch Ausschlag im Gesicht durften das Bild einer jungen strahlenden Frau zerstören. Eine, die so war, wie alle anderen Frauen sein wollten.

Mein Aussehen war mein ganzes Kapital. Dafür opferte ich alles. Ich machte Diät. Zwängte meinen Körper in enge Korsetts und Mieder. Schmierte mir abends selbst gemachte Schönheitsmasken aus Milch und Honig ins Gesicht und cremte mir die Beine mit Pferdesalbe ein, was die Blutzirkulation verbessern sollte. Und dennoch war ich nie zufrieden, immer auf der Suche nach noch mehr Schönheit.

Alles unnötig.

Denn ich *war* schön. Große Augen unter langen Wimpern. Ebenmäßige und helle Haut, kein Sonnenstrahl hatte die Pigmente zerstören können. Straffer Hals. Aber keine Kur, kein Mittel half gegen den kritischen Blick auf mich selbst. Wir schätzen nicht, was wir haben, bis es weg ist. Dann fehlt es uns.

Vermutlich war ich einfach zu beschäftigt mit meinem Unglück, um Gösta schreiben zu können. Und die Umstände, in denen ich lebte, waren so weit von denen entfernt, die Gösta mit Paris verband. Was sollte ich ihm schreiben? Dass ich Heimweh hatte und mich nachts in den Schlaf weinte? Dass ich den Verkehr, die Gerüche, die Menschen, die Sprache und die Hektik verabscheute? Gösta liebte all das. In Paris fühlte er sich frei, aber ich wurde hier gefangen gehalten. Ich setzte den Stift aufs Papier und schrieb ein paar Worte. Über das Wetter. Das konnte ich ohne Probleme beschreiben. Die Sonne, die unbeirrt jeden Tag schien. Die Hitze, die an meinem Körper klebte. Aber was interessierte ihn das? Ich zerriss das Papier und warf es weg. Die Schnipsel segelten in den Papierkorb und gesellten sich zu anderen von vorherigen Versuchen, aus denen auch kein Brief geworden war.

Die Gebäude in dem Viertel, in dem das Kaufhaus stand, waren stattlich und wunderschön verziert, aber ich sah meistens nur die Straße vor mir. Nach den langen harten Arbeitstagen hatte ich selten die Ruhe und Muße, es zu genießen und Neues zu entdecken. Am meisten erinnere ich mich an die Gerüche auf meinem Nachhauseweg. Auch heute noch denke ich an Paris, wenn ich an einem Müllraum vorbeikomme. Die Straßen waren so schmutzig, die Rinnsteine voller Dreck und Abfall. Und vor den Hintereingängen der Restaurantküchen fand man nicht selten Fischreste, Fleischabfall und verfaultes Gemüse.

Die Straßen am Kaufhaus waren immer tadellos und sauber, Laufburschen mit Tweedmützen und weißen Hemden fegten ununterbrochen die Gehwege mit ihren Besen. Glänzende Wagen wurden von Chauffeuren in schwarzen Anzügen vorgefahren und hielten mit der Motorhaube zum Bürgersteig an. Wie ein schwarzer Fächer, der das Kaufhaus einrahmte. Mich faszinierten die feinen Damen, die mit großer Eleganz aus den Wagen stiegen und über den Gehsteig durch die großen Türen des Kaufhauses trippelten. Sie waren unser Publikum, sprachen aber nie ein Wort mit uns. Kein einziges Wort. Sie musterten uns nur. Von Kopf bis Fuß und wieder zurück.

Abends steckte ich meine Füße oft in eine Schüssel mit eiskaltem Wasser. Das verhinderte Schwellungen nach einem langen Tag in hohen Schuhen. Meistens waren diese Schuhe auch viel zu klein. Skandinavische Mädchen hatten große Füße, aber darauf wurde keine Rücksicht genommen. Die Schuhe mussten allen passen. Also gab es Schuhe in 37, wenn ich Glück hatte, auch in 38. Ich trug sonst Größe 39.

Die Wochen vergingen. Und sie liefen alle gleich ab. Lange Tage, schmerzende Frisuren, geschwollene und wunde Füße, Schminke, die auf der Haut brannte. Ich wischte sie mit einem Stück Papier und etwas Öl ab, das mir dann in die Augen lief, sodass ich nur noch verschwommen sah. Meistens las ich Göstas Briefe so. Mit verschleiertem Blick.

Liebe Doris,
was ist geschehen? Ich bin ganz krank vor Unruhe. Jeder Tag ohne einen Brief oder Gruß von dir ist ein großes Unglück. Bitte melde dich, und sage mir, dass es dir gut geht und du am Leben bist.
Dein Gösta

Seine Sorge spendete mir Geborgenheit. Ich lehnte mich dagegen, spielte damit, als wären wir ein Liebespaar ohne Zukunft. Ich hatte sogar ein Foto von ihm auf meinem Nachttisch stehen. Es war eine Aufnahme aus einer Zeitung, die ich in meinem Tagebuch aufgehoben hatte. Die steckte ich in einen kleinen, vergoldeten Rahmen, den ich auf einem Flohmarkt gefunden hatte. Der ovale Ausschnitt war so klein, dass sein Kinn keinen Platz mehr hatte. Ich musste ihn nach oben schieben und etwas von seinem Haar opfern, sodass es aussah, als ob er eine Glatze hatte. Jeden Abend schenkte ich ihm ein Lächeln, bevor ich schlafen ging. Er sah ein bisschen verrückt aus. Aber sein Blick ging mir mitten ins Herz. Es ist sonderbar, aber ich vermisste ihn mehr als meine Mutter und meine Schwester.

Ich vermute sogar, dass ich in ihn verliebt war. Obwohl ich genau wusste, dass er sich nicht auf diese Weise für Frauen interessierte. Aber uns verband etwas anderes, etwas ganz Besonderes. Da war ein Band zwischen unseren Herzen, ein schimmernder Regenbogen, dessen Funkeln im Laufe der Jahre kam und ging.

7

Sie legt die Hand auf den Stapel Papiere, den sie ausgedruckt hat, streicht sanft über die Oberfläche. Misst die Höhe mit den Fingern. Von der Fingerspitze bis zum zweiten Glied des Zeigefingers. Was am Anfang nur ein Brief an Jenny werden sollte, ist zu so viel mehr geworden.

Es gibt so viele Erinnerungen.

Sie beginnt die Seiten zu sortieren, nach Namen. Die Namen von Menschen, die nicht mehr leben. Sie schlägt ihr Adressbuch auf. Die Namen sind die einzige physische Spur von denen, die einst lachen und weinen konnten. Verstorbene verändern sich in der Erinnerung. Sie versucht, die Gesichter hervorzurufen, versucht sie sich so vorzustellen, wie sie gewesen sind.

Eine Träne rollt ihr über die Wange. Sie landet oben rechts in der Ecke, in der das Wort TOT steht. Das Papier saugt die Flüssigkeit auf, die Tinte verläuft. Kleine schwarze Wirbel der Trauer.

Die Wohnung ist so still, dass jeder Laut verstärkt wird. *Tick. Tick. Tick.* Sie lauscht dem weißen Wecker mit den Ziffern, die so groß sind wie Münzen. Sie folgt dem roten Sekundenzeiger auf seinem Weg. Sie schüttelt ihn und hält ihn sich vor die Augen, um die Zahlen besser sehen zu können. Es ist doch schon zwei und nicht erst ein Uhr? Sie legt ihr Ohr ans Gehäuse, es tickt weiter. Und auch der Eifer des

Sekundenzeigers trügt nicht. Ihr tut der Magen weh, ihre übliche Essenszeit ist schon längst vorbei. Sie sieht aus dem Küchenfenster, dicke Schneeflocken fallen. Aber sonst ist niemand unterwegs, nur ein Auto schlängelt sich den Hügel hinauf. Kaum ist es vorbeigefahren, wird es wieder ganz still.

Es wird halb drei. Dann drei. Halb vier. Vier. Als der Zeiger auf die fünf zusteuert, fängt Doris vorsichtig an, im Stuhl von vorne nach hinten zu schaukeln. Seit dem lieblos in Plastikfolie gewickelten geschmacksneutralen Käsebrot heute Vormittag hat sie nichts mehr gegessen. Das hatte der Pflegedienst gestern Abend im Kühlschrank gelassen. Mit Schwung zieht sie sich am Küchentisch hoch und kommt zum Stehen. Ihr Ziel ist der Schrank mit den Vorräten. Dort liegt die Pralinenschachtel, die ihr Maria zum Abschied geschenkt hat. Eine große schöne Schachtel mit einem Foto der Kronprinzessin und ihrem Mann. Sie hat sie dort versteckt, sie war zu schön, um sie aufzumachen. Jetzt aber ist ihr Hunger zu groß, um darauf Rücksicht zu nehmen. Außerdem muss sie wegen der Altersdiabetes auf ihren Blutzucker achten.

Den Blick fest auf die Schranktür gerichtet, wagt sie ein paar zitternde Schritte, muss aber eine Pause machen, als sie kleine Blitze vor den Augen sieht. Dann kommen weiße Sternchen dazu, und sie hat das Gefühl, dass der ganze Raum schwankt. Sie streckt die Hand aus, will sich an der Spüle festhalten, bekommt sie aber nicht zu fassen und stürzt. Die Hüfte stößt mit Wucht gegen den Küchenschrank, Hinterkopf und Schulter schlagen auf dem Holzfußboden auf. Der Schmerz breitet sich im ganzen Körper aus. Sie liegt auf dem Rücken, die harten Holzdielen unter sich, und keucht. Decke und Wände verschwimmen, und schließlich versinkt alles in tiefem Schwarz.

Als sie wieder zu sich kommt, sitzt Sara neben ihr. Sie hat ihre Hand auf Doris' Wange gelegt. Mit der anderen presst sie ihr Handy gegen das Ohr.

»Sie ist gerade zu sich gekommen. Was soll ich jetzt tun?«

Doris versucht, die Augen offen zu halten, aber sie fallen immer wieder zu. Ihr Körper fühlt sich ganz schwer an, die unebenen Dielen drücken gegen ihren unteren Rücken. Der eine Oberschenkel ist in einem unnatürlichen Winkel abgeknickt. Als sie das Bein vorsichtig abtastet, stöhnt sie vor Schmerzen auf.

»Sie Arme, das wird gebrochen sein. Ich habe den Notarzt schon angerufen, die müssten gleich hier sein.«

Sara versucht, ihr Entsetzen zu verbergen, und streichelt Doris über die Wange.

»Was ist passiert? Ist Ihnen schwindelig geworden? Das ist alles mein Fehler. Der Lkw mit den Mahlzeiten ist liegen geblieben, und dadurch hat sich alles verzögert. Ich wusste nicht, was ich tun soll, habe irgendwie nicht daran gedacht anzurufen und habe einfach auf die Lieferung gewartet. Und dann waren so viele auf der Liste. Ich hätte sofort zu Ihnen fahren müssen, Sie haben ja auch Diabetes und alles... So dumm von mir! Doris, es tut mir wirklich furchtbar leid!«

Doris versucht zu lächeln, aber kann die Mundwinkel kaum bewegen und schon gar nicht die Hand heben, um Sara besänftigend über die Wange zu streichen.

»Pralinen«, flüstert sie nur.

Sara sieht zum Vorratsschrank.

»Pralinen? Sie wollen Pralinen?«

Sara stürzt zum Schrank und sucht fieberhaft zwischen den Dosen und Milchpackungen. Ganz hinten im Schrank findet sie die Schachtel, reißt die Folie ab und öffnet sie. Sie sucht eine weiche Praline heraus und hält sie Doris vor den Mund. Doris dreht mühsam den Kopf zur Seite.

»Sie wollen doch keine?«

Doris seufzt, hat keine Kraft, etwas zu sagen.

»Oder wollten Sie die Pralinen holen? Sie waren auf dem Weg zum Schrank?«

Doris will nicken, aber da fährt ihr der Schmerz in den Rücken, und sie kneift die Augen zusammen. Sara hat nach wie vor die Praline in der Hand. Die Schokolade ist schon älter, die Oberfläche ist ganz weiß geworden.

Sie bricht ein kleines Stück von der Praline ab und hält es Doris hin.

»Kommen Sie, nur ein bisschen, dann bekommen Sie wieder ein wenig Energie. Sie müssen ja furchtbar hungrig sein.«

Doris lässt das Stück Schokolade im Mund schmelzen. Als die Rettungssanitäter kommen, ist immer noch etwas da. Sie schließt die Augen und konzentriert sich auf die Süße in ihrem Mund, während sie die kalten Hände auf ihrem Körper spürt. Sie knöpfen ihre Bluse auf und befestigen Elektroden auf ihrer Brust, damit sie ihren Herzschlag und Blutdruck messen können. Sie nimmt Stimmen wahr, die mit ihr sprechen, aber sie kann nicht verstehen, was sie sagen. Hat keine Kraft zu antworten. Hat keine Kraft zuzuhören. Sie lässt die Augen zu und träumt von einem schönen Ort. Zuckt zusammen, als sie eine Spritze gegen die Schmerzen bekommt. Wimmert leise und ballt die Fäuste, als sie versuchen, ihr Bein zu bewegen. Aber erst, als sie auf die Trage gehoben wird, kann sie die Schmerzen nicht mehr aushalten, schreit laut auf und schlägt nach einem der Sanitäter. Die Tränen fließen unaufhaltsam die Wangen hinunter und bilden kleine kalte Pfützen in ihren Ohren.

8

Das Zimmer ist weiß. Ganz weiß. Die Bettdecke, die Wände, der Vorhang vor dem Bett, die Decke. Kein warmes Eierschalenweiß, sondern grelles Weiß. Sie starrt in das Licht der Deckenlampe, um sich wach zu halten, aber ihr Körper ist müde und will nur schlafen. Sie blinzelt. Der Boden ist als Einziges nicht weiß. Die ungleichmäßige Kante zwischen seinem schmutzigem Gelb und dem Weiß verrät ihr, dass sie nicht tot ist. Noch nicht. Das Licht, in das sie starrt, ist nicht der Himmel.

Das Kissen unter ihr ist uneben, die kleinen Klumpen der Synthetikfüllung drücken gegen ihre Haut. Sie dreht sich vorsichtig auf eine Seite, aber die Bewegung erzeugt einen solchen Schmerz im Becken, dass sie die Augen zukneifen muss. Jetzt liegt sie schief, und es zieht, aber sie wagt keine weitere Bewegung aus Angst vor noch mehr Schmerzen. Nur die Augen und die Finger kann sie bewegen, ohne dass es wehtut. Sie trommelt mit dem Zeige- und Mittelfinger eine Melodie. Summt leise das vertraute Lied vor sich hin: »*The falling leaves… drift by my window…*«

»Hier ist sie, kein Besuch bisher, keine Verwandten in Schweden. Sie hat große Schmerzen.«

Doris sieht eine Krankenschwester und einen Mann in einem schwarzen Anzug in der Tür stehen. Sie flüstern zwar, aber sie kann jedes Wort so deutlich hören, als würden sie neben ihr stehen. Sie sprechen über sie, als würde sie bald sterben. Der Mann nickt der Krankenschwester zu und wendet sich dann an Doris. Der weiße Kragen des Pfarrers leuchtet über seiner schwarzen Kluft. Sie kneift die Augen fest zu, wünscht sich so sehr, nicht allein zu sein, wünscht sich, dass Jenny bei ihr wäre und ihre Hand halten würde.

Wenn es einen Gott gibt, dann soll er diesen Pfarrer wieder wegschicken, denkt sie.

»Guten Tag, Doris, wie geht es Ihnen?«

Er nimmt sich einen Stuhl und setzt sich an ihr Bett. Spricht laut und langsam. Sie seufzt, und er legt seine warme Hand auf ihre, die ganz kalt ist. Die Adern winden sich wie Würmer über der Haut. Wie auf ihrer. Aber seine ist braun gebrannt und voller Sommersprossen. Und viel jünger. Sie fragt sich, wo er vorher gewesen ist, ob er die weiße Halsbinde abnimmt, wenn er an den Strand geht. Doris öffnet die Augen und will überprüfen, ob er von der Sonne einen weißen Rand am Hals hat. Hat er nicht.

»Die Schwester hat mir gesagt, dass Sie große Schmerzen haben. Wie furchtbar, dass Sie so unglücklich gestürzt sind.«

»Ja.« Sie flüstert, aber ihre Stimme bricht trotzdem vor Anstrengung. Sie versucht sich zu räuspern, spürt die Vibration aber bis ins Becken und wimmert vor Schmerzen.

»Es wird alles wieder gut, Sie werden sehen. Sie werden bestimmt bald wieder laufen können.«

»Ich konnte vorher auch nicht besonders gut gehen ...«

»Wir sorgen schon dafür, dass Sie wieder auf die Füße kommen. Einverstanden? Brauchen Sie irgendetwas? Die Schwester hat gesagt, dass Sie bisher noch keinen Besuch hatten?«

»Den Rechner. Ich brauche meinen Laptop, der ist in meiner Wohnung. Können Sie mir den besorgen?«

»Ihren Rechner? Natürlich kann ich das organisieren. Wenn Sie mir Ihren Hausschlüssel geben. Sie haben keine Familie mehr in Schweden, habe ich vorhin gehört. Gibt es jemand anderen, den ich anrufen könnte? Freunde?«

Sie schnaubt und sieht ihn durchdringend an. »Sie sehen doch, wie alt ich bin. Meine Freunde sind alle schon längst tot. Das werden Sie auch noch erleben, wenn Sie mal so alt sind wie ich. Einer nach dem anderen stirbt.«

»Das tut mir leid.« Der Pfarrer nickt mitfühlend, hält aber ihrem Blick stand.

»Jahrelang waren Beerdigungen die einzigen Feierlichkeiten, an denen ich teilgenommen habe. Jetzt finden nicht einmal mehr die statt. Ich werde mich wohl langsam mit meiner eigenen beschäftigen müssen.«

»Wir müssen alle eines Tages sterben. Dem können wir nicht entgehen.«

Doris schweigt.

»Was für Gedanken haben Sie denn, wenn Sie an Ihre Beerdigung denken?«

»Worüber ich nachdenke? Über die Musik. Und wer kommen wird. Ob überhaupt jemand kommen wird.«

»Was für eine Musik wünschen Sie sich denn?«

»Jazz. Ich liebe Jazz.« Doris lächelt. »Ich wünsche mir, dass fröhlicher Jazz gespielt wird. Damit die Gäste wissen, dass es der alten Schrulle dort oben im Himmel gut geht, weil sie ihre alten Freunde endlich wiedersieht.«

Ihr Lachen wird zu einem Husten, der einen stechenden Schmerz verursacht. Beunruhigt streckt der Pfarrer seine Hand aus und legt sie auf ihre.

»Keine Sorge«, keucht Doris zwischen zwei Hustenattacken. »Ich habe keine Angst vor dem Tod. Und wenn es diesen Himmel tatsächlich gibt, von dem ihr Geistlichen immer redet, dann wird das ein Fest dort oben, wenn ich sie alle wiedersehe.«

»Alle, die Sie vermissen?«

»Und die anderen auch…«

»Auf wen freuen Sie sich denn am meisten?«

»Warum muss ich mich für einen entscheiden?«

»Das müssen Sie gar nicht. Jeder Mensch hat seine Bedeutung und seinen Platz in Ihrem Herzen. Das war eine dumme Frage.«

Doris will so gerne wach bleiben, aber der Pfarrer verschwimmt langsam vor ihren Augen, und seine Worte werden immer undeutlicher. Am Ende gibt sie auf. Ihr Kopf fällt zur Seite. Der Pfarrer bleibt noch eine Weile an ihrem Bett sitzen und betrachtet ihren zarten, mageren Körper. Die weißen Locken kleben nach den vielen Tagen im Bett am Kopf. Die Haut darunter leuchtet bläulich.

9

In einem Krankenhaus wird es niemals dunkel. Das Licht von Türen, Fenstern, Leselampen und Fluren dringt hinter die Augenlider, wo es doch eigentlich dunkel sein soll. Sosehr sie auch die Augen zukneift, es nützt nichts. Außerdem kann sie nicht schlafen, wenn sie so angespannt ist. Neben ihrer rechten Hand liegt die Alarmklingel. Sie streicht mit dem Daumen darüber, drückt aber nicht auf den Knopf. Der Stuhl, auf dem der Pfarrer gesessen hat, ist leer. Sie schließt die Augen wieder. Versucht wieder einzuschlafen, aber wenn es nicht das Licht verhindert, dann sind es die Geräusche. Es piepst, wenn einer der Patienten die Schwester ruft. Jemand im Zimmer schnarcht. Eine Tür wird irgendwo geöffnet und wieder geschlossen. Sie hört Schritte auf dem Flur. Manche Geräusche sind interessant, machen sie neugierig. Das Klappern von Metall oder eine SMS. Andere Geräusche drehen ihr den Magen um. Schreie, Spucken, Furzen. Dann sehnt sie sich nach den frühen Morgenstunden, wenn das Licht und der Betrieb auf der Station die schlimmsten Geräusche verschlucken. Am Tag vergisst sie, die Schwestern um Ohrenstöpsel zu bitten, und nachts will sie die Schichthabenden nicht damit belästigen.

Die Schlaflosigkeit verstärkt trotz der Tabletten den Schmerz. Er strahlt bis in die Beine. In ein paar Tagen wird sie operiert, ihr Hüftgelenk ist bei dem Sturz gebrochen, und sie bekommt ein neues. Ihr ist es kalt über den Rücken gelaufen, als ihr die Krankenschwester die Schraube gezeigt hat, die in ihren Knochen gebohrt werden soll, damit sie wieder laufen kann. Bis dahin muss sie ganz still liegen, allerdings kommt trotzdem jeden Tag eine Krankengymnastin und quält sie mit kleinen Übungen, die unmöglich scheinen. Das Schönste wäre, wenn der Pfarrer bald mit ihrem Laptop vorbeikommen würde. Aber sie wagt es kaum zu hoffen, wahrscheinlich hat er es vergessen. Langsam gleiten die Gedanken vorbei, und sie findet endlich ihren Schlaf.

Als sie wieder aufwacht, ist es schon hell. Ein kleiner Vogel sitzt draußen auf dem Fenstersims. Grau und gelb ist sein Gefieder. Eine Kohlmeise? Oder ein Spatz? Sie weiß es nicht genau. Der Vogel hat sich aufgeplustert und pickt in seinen Federn nach Ungeziefer. Sie beobachtet ihn lange und denkt an das Eichhörnchen vor ihrem Küchenfenster.

Das rote Adressbuch

P. PESTOVA, ELEONORA

Nora. Ich habe so lange nicht mehr an sie gedacht. Sie war wie aus einem Märchen entsprungen, das schönste Wesen, dem ich jemals begegnet bin. Alle sahen zu ihr auf und wollten so sein wie sie. Auch ich. Sie war so stark.

Ich litt fürchterlich unter Heimweh. Damit war ich natürlich nicht allein. Nachts konnte man oft die Schluchzer der anderen Mädchen in der Rue Poussin hören, und am nächsten Morgen holten wir uns die eisgekühlten Gläser aus dem Kühlschrank, um die geschwollenen Augen zu mildern. Dann wurden wir geschminkt und verbrachten den Tag mit falschem Lächeln. Wir mussten so viel lächeln, dass wir davon manchmal Muskelkater im Gesicht hatten.

Menschen, die unter großer Sehnsucht leiden, verändern sich. Sie verschließen die Augen auch für alles andere und verlieren die Fähigkeit, das Schöne zu sehen. Mein Blick war immer nur rückwärts gerichtet. Ich überhöhte die Vergangenheit, die nicht mehr Teil meines Alltags war.

Aber wir hielten durch, denn wir hatten kein Geld, und die Arbeit trieb uns an. Wir bissen die Zähne zusammen. Und erduldeten die Stecknadeln im Rücken und die schmerzhaften Frisuren. Aber Nora war anders. Sie lächelte immer. Ein echtes Lächeln. Kein Wunder vielleicht, denn sie war sehr gefragt. Alle wollten mit ihr arbeiten. Während wir im Kaufhaus standen und gequält posierten, wurde sie für Chanel und die *Vogue* fotografiert.

Eleonora Pestova – sogar ihr Name war schön – kam aus der Tschechoslowakei. Sie trug ihr dunkelbraunes Haar kurz, in einem Pagenschnitt. Und sie hatte strahlend blaue Augen. Mit rotem Lippenstift sah sie aus wie Schneewittchen. Mit straff geschnürtem Mieder um Taille und Hüfte entsprach sie dem jungenhaften Ideal, das Anfang der Dreißiger so beliebt war. Die Kleider waren gerade geschnitten und kurz, obwohl auch langsam die weiblichen Kurven gezeigt werden durften. Heutzutage schreiben die Zeitungen, dass die jungen Leute Sklaven der Mode sind, aber sie hätten mal damals dabei sein sollen!

Während wir anderen pünktlich bei der Arbeit sein und uns um Haare und Schminke kümmern mussten, wurde Nora mit dem Wagen abgeholt. Wir kamen mit unserem Verdienst so gerade über die Runden, aber Nora verdiente viel mehr. Natürlich kaufte sie sich auch mal eine schöne Tasche oder schicke Kleider, aber großer Luxus interessierte sie nicht besonders. Abends saß sie meistens zusammengekauert auf ihrem Bett und las. Auf dem Nachttisch, den wir teilten, stand mein Foto von Gösta neben ihrem ständig wachsenden Bücherstapel. Auch Nora entfloh durch das Lesen der Wirklichkeit, so wie ich damals mit den Büchern von Madame. Als Nora erkannte, dass wir dieses Interesse teilten, durfte ich Bücher von ihr ausleihen. Und dann saßen wir Abend für Abend dicht beieinander auf unserem französischen Balkon, sprachen über Bücher und rauchten. Mindestens zehn Zigaretten war unsere verordnete Diät. Denn dicke Mädchen bekamen keine Aufträge, und Zigaretten, wir nannten sie damals *Diätzigaretten,* galten seinerzeit als Wunderkur. Von dem Nikotin wurde uns schwindelig, und dann lachten wir über Dinge, die eigentlich gar nicht lustig waren. Als die Zigaretten nicht mehr den gewünschten Effekt hatten, begannen wir Wein zu trinken. Und zwar in großen Teebechern, damit die Haushälterin uns dabei nicht erwischte.

Durch Nora und die lustigen Abende mit ihr bekam Paris endlich ein bisschen Farbe, und ich konnte Gösta schreiben. Jetzt musste ich auch nicht mehr lügen, wenn ich beschrieb, was ich sah und erlebte. Und ich bediente mich bei den Autoren, die ich las, um die Bilder der Stadt zu verstärken. An unseren freien Tagen besuchten wir die Orte, von denen sie in ihren Büchern erzählten. Dann träumten wir uns zurück ins 19. Jahrhundert, schwärmten von den langen, schwingenden Kleidern, dem Straßenleben, der Musik, der Liebe und der Romantik. Von der Zeit vor der großen Depression, die gerade die Welt zu Boden drückte.

Nora organisierte auch mein erstes Fotoshooting, wie man das heute nennt. Bei der *Vogue*. Sie behauptete, krank geworden zu sein, und schickte mich als Vertretung. Als ihr Wagen vorfuhr, schob sie mich mit einem Lächeln hinein.

»Steh gerade. Lächle. Sie werden gar nicht merken, dass es jemand anders ist. Sie erwarten eine schöne Frau, und das bist du.«

Ich wurde zu einem großen Industriegebäude am Stadtrand gefahren. An der Tür hing ein kleines Metallschild. Noch heute habe ich den Schriftzug des Namens vor Augen, die kantigen, schnörkellosen Buchstaben. Claude Levi, der Fotograf. Und es war tatsächlich so, wie Nora gesagt hatte. Er nickte mir nur zu und zeigte auf einen Stuhl, auf den ich mich setzen und warten sollte.

Ich sah zu, wie die Assistenten Kleidungsstücke hereintrugen und sie Schneiderpuppen anzogen. Claude ging zusammen mit dem Redakteur der *Vogue* von einer Puppe zur nächsten und musterte die Sachen. Sie entschieden sich für vier Kleider, alle in rosa Farbtönen. Die Assistenten hängten lange rote Halsketten aus Glasperlen dazu. Dann drehten sie sich zu mir um, musterten mich von oben bis unten.

»Sie sieht anders aus.«

»War sie nicht brünett?«

»Sie ist hübsch, die Sachen werden an einer Blonden noch besser aussehen«, sagte der Redakteur und nickte zufrieden. Dann drehten sie sich wieder um. Als wäre ich nicht anwesend oder nur eine der Kleiderpuppen.

Ich saß also reglos und still auf dem Stuhl, bis jemand kam und mich zu einem anderen Stuhl brachte. Dort bekam ich roten Nagellack, Make-up, und meine Haare wurden mit Zuckerwasser eingesprüht. Sie wurden dadurch ganz steif und schwer, ich musste den Kopf gerade und still halten und durfte auf keinen Fall die sorgfältig gelegten Haarsträhnen durcheinanderbringen.

Die Kamera stand auf einem Holzstativ in der Mitte des Raumes. Ein kleiner schwarzer Kasten mit einem Balgen aus gefaltetem Leder. Claude tanzte um die Kamera herum. Verschob sie ein paar Zentimeter nach hinten, nach vorne und zur Seite. Suchte nach dem optimalen Winkel. Ich saß seitlich auf einem Stuhl, den einen Arm über die Stuhllehne gelegt. Ich hatte am ganzen Körper fremde Hände, die den Stoff zurechtzupften, die Kette richtig legten und mir die Nase puderten.

Claude brüllte seine Anweisungen. »Halt den Kopf still! Dreh die Hand noch einen Millimeter nach rechts! Das Kleid schlägt Falten!« Als er dann bereit war für die Aufnahme, durfte ich mich auf keinen Fall bewegen, bis die Blende sich wieder geschlossen hatte.

Dort hätte die Geschichte enden können. Mit einem schönen Titelbild einer blonden Frau in einem rosa Kleid.

Aber das tat sie nicht.

Als wir mit den Aufnahmen für das Magazin fertig waren, kam Claude Levi auf mich zu und bat mich, noch für eine weitere Aufnahme zu bleiben. Es sollte ein eher künstlerisches Foto werden. Ich behielt das Kleid an, während die Stylistin ihr Make-up, der Friseur seine Bürsten und Flaschen und die Garderobieren die restlichen Kleider einpackten und zusammen mit dem Redakteur das Studio verließen. Der Raum war leer, als er mich dann bat, mich auf den Boden zu legen. Er breitete meine Haare wie einen Fächer aus und befestigte kleine Birkenäste mit Nadeln darin. Ich war stolz, während ich so dalag, stolz, dass er mich gefragt hatte. Fühlte mich bestätigt. Dann kippte er das Stativ, hielt die Kamera mit beiden Händen fest und bat mich, die Lippen zu öffnen. Ich tat es. Er bat mich, voller Leidenschaft in die Kamera zu sehen. Ich tat es. Er bat mich, mit der Zungenspitze über die Oberlippe zu fahren. Ich zögerte.

Da stellte er die Kamera beiseite, packte mich an den Handgelenken und drückte sie über meinem Kopf zu Boden. Viel zu hart. Dann küsste er mich. Schob seine Zunge in meinen Mund. Ich presste die Zähne aufeinander und strampelte mit den Beinen, um mich zu befreien. Aber meine Haare waren mit den Nadeln am Boden befestigt. Ich schloss die Augen, bereitete mich auf den bevorstehenden Schmerz vor und riss mich los. Unsere Köpfe schlugen gegeneinander, und er griff sich fluchend an die Stirn. Diesen Augenblick nutzte ich, wand mich unter ihm raus und rannte los. Durch die Tür, barfuß und ohne meine Sachen, nur mit dem Kleid, in dem ich fotografiert worden war. Er schrie mir hinterher: *putain*, Hure!

Ich rannte und rannte. Durch das Industriegebiet, zwischen all den Gebäuden hindurch. Ich schnitt mir die Füße an Glassplittern und spitzen Steinen. Sie bluteten, aber ich hielt nicht an. Das Adrenalin trieb mich weiter, bis ich das Gefühl hatte, in Sicherheit zu sein.

Aber dann hatte ich mich verlaufen. Ich setzte mich auf eine Mauer, der Schweiß lief mir in Strömen herunter, und der Stoff klebte feucht und kalt auf meiner Haut. Wenn Passanten vorbeikamen, elegant gekleidete Pariser, verbarg ich meine blutigen Füße, indem ich sie gegen die Mauer presste. Niemand blieb stehen. Niemand fragte mich, ob ich Hilfe brauchte.

Es wurde Abend, und ich blieb sitzen.

Es wurde Nacht, und ich blieb sitzen.

Die wunden Fußsohlen hatten aufgehört zu bluten, als ich schließlich ganz vorsichtig in einen Hinterhof humpelte und dort ein Fahrrad stahl. Ein nicht angeschlossenes rostiges Herrenrad. Ich hatte das letzte Mal in meiner Kindheit in Stockholm auf einem Fahrrad gesessen, und das auch nicht oft. Nur wenn der Postbote mit seiner Runde fertig war und uns Kinder auf sein Fahrrad ließ. In Schlangenlinien fuhr ich durch die Straßen nach Hause. Sah, wie die Sonne als roter Ball aufging und die Bewohner von Paris erwachten. Roch den Duft von frisch gebackenem Brot und Holzöfen, die eingeheizt wurden. Schmeckte meine salzigen Tränen. Die Straßen kamen mir immer bekannter vor, und dann sah ich Nora, die von einer Parkbank in der Rue d'Auteuil an der Metro aufsprang und auf mich zugerannt kam. Sie schrie, als sie mich sah. Ich zitterte vor Müdigkeit.

Wir setzten uns an den Bürgersteig, dicht beieinander wie zu Hause auf dem Balkon. Sie gab mir eine Zigarette und hörte mir geduldig zu, als ich ihr zwischen tiefen Zügen erzählte, was passiert war.

»Wir werden nie wieder für Claude arbeiten. Versprochen!«, sagte sie und lehnte ihren Kopf gegen meinen.

»Nie wieder«, schluchzte ich.

»Es ist auch egal, ob es für die *Vogue* ist.«

»Vollkommen egal.«

Aber natürlich war es nicht egal. Und es war auch nicht das letzte Mal, dass Nora für Claude gearbeitet hat. Und auch nicht mein letztes Mal. So war das Leben eines Mannequins. Wir hinterfragten nichts. Ein guter Auftrag war eine Bestätigung, und einen Auftrag abzulehnen war keine Option. Ich sorgte nur dafür, dass ich nie wieder alleine mit ihm in einem Raum war.

N. NILSSON, GÖSTA

Ich musste mehrere Wochen mit Verbänden an den Füßen das Bett hüten. Es roch streng und beißend nach Eiter und Krankheit in unserem Schlafzimmer. Monsieur Ponsard war verärgert, weil er für mich keinen Ersatz im Kaufhaus hatte. Er kam jeden Tag vorbei und brummte vor sich hin, wenn er sah, dass ich keine Fortschritte machte. Ich hatte mich nicht getraut, ihm von dem Vorfall zu erzählen. Das tat man damals einfach nicht.

Eines Tages kam ein Brief von Gösta. Der bestand nur aus einem einzigen Satz in schiefen Großbuchstaben.

ICH KOMME BALD!

Bald? Was bedeutete bald? Allein der Gedanke daran, dass ich ihn treffen würde, gab mir Hoffnung. Ich wollte endlich mit ihm durch die Stadt spazieren können, die ich mittlerweile mein Zuhause nannte. Ich würde sein Paris kennenlernen und ihm meines zeigen. Ich wartete sehnsüchtig auf ihn, jeden Tag aufs Neue. Aber er kam nicht. Und es traf auch kein Brief mit einer Erklärung oder einem Datum ein.

Schon bald waren meine Füße geheilt, und ich konnte wieder laufen. Von Gösta nach wie vor kein Wort. Jeden Tag nach der Arbeit fragte ich unsere Hausmutter, ob Besuch oder ein Brief gekommen sei oder ob jemand angerufen habe. Aber die Antwort lautete immer nein. Ich kann mich noch sehr gut an ihr sarkastisches aufgesetztes Grinsen erinnern, wenn sie mir die schlechte Nachricht übermittelte. Ich seufzte oft über ihr vollkommenes Unvermögen, Interesse zu zeigen.

Nora und ich hassten sie genauso sehr, wie sie uns hasste. Wenn ich jetzt darüber nachdenke, muss ich feststellen, dass ich noch nicht einmal mehr weiß, wie sie hieß. Vielleicht hat sie mir ihren Namen auch nie verraten. Für uns war sie die *Gouvernante*. Oder wenn sie es nicht hören konnte, *vinaigre*, der Essig.

Es vergingen Monate, bis endlich ein Brief von Gösta kam.

Liebste Doris,
es sind schwere Zeiten hier in Stockholm. Vielleicht trifft das ja auch auf meine Herzensstadt Paris zu? Die Arbeitslosigkeit ist so groß, und die Menschen sparen ihr Geld, anstatt es für die Kunst auszugeben. Ich habe das Geld für drei Bilder bis heute noch nicht bekommen und habe nicht einmal genug, um mir Milch zu kaufen. Ich muss meine Bilder gegen Lebensmittel tauschen. Ein Ticket nach Paris ist darum bis auf Weiteres ein unerreichbarer Traum. Meine liebste kleine Doris, auch dieses Mal werde ich nicht kommen können und hierbleiben müssen. In der Bastugatan 25. Manchmal frage ich mich, ob ich dieses Haus wohl jemals verlassen werde. Ich träume weiter von dem Tag, an dem ich dich endlich wiedersehe.
Lebe dein Leben! Zeig es der Welt, lass sie staunen. Ich bin so stolz auf dich.
Dein Freund Gösta

Ich halte den Brief jetzt in der Hand, ich habe sie alle behalten. Liebe Jenny, wirf sie bitte nicht weg. Wenn du die Dose mit den Briefen nicht haben willst, leg sie mir ins Grab.

Meine Sehnsucht nach Gösta wurde immer größer. Wenn ich die Augen schloss, sah ich sein Gesicht vor mir und konnte seine Stimme hören. Mein Gösta, der sich nachts mit mir unterhalten hat, während ich die Wohnung von Madame geputzt habe. Der mir Fragen gestellt und sich aufrichtig für mich und meine Gedanken interessiert hat.

Dieser außergewöhnliche Mann, der sonderbare Bilder malte und sich mit Jünglingen umgab, die er aber vor der Welt verbarg, wurde eine Fantasiegestalt. Die Verbindung zu meinem alten Leben. Und das Gefühl, dass es jemanden gab, dem ich etwas bedeutete.

Aber seine Briefe kamen immer seltener. Und auch ich schrieb immer weniger. Nora und ich hatten unsere einsamen Abende, an denen wir die Nasen in unsere Bücher steckten, eingetauscht gegen wilde Feste an glamourösen Orten. Mit reichen jungen Männern, die alles taten, um uns für sich zu gewinnen.

Das rote Adressbuch

P. PESTOVA, ELEONORA

Jeden Tag erlebten wir aufs Neue unsere Verwandlung, wenn wir geschminkt und frisiert wurden. Wenn sich die schönen Kleider an unsere Körper schmiegten. Die Schminke zu meiner Zeit kann man mit der heutigen nicht vergleichen. Sie wurde in dicken Schichten aufgetragen, dann wurde gepudert, und die Augen waren mit breiten schwarzen Strichen umrandet. Die Gesichtsformen veränderten sich, wenn natürliche Falten oder Züge übermalt wurden. Dadurch wurden die Augen groß und glänzten.

Schönheit ist das Manipulativste, was es gibt, und wir lernten, sie einzusetzen. Geschminkt und mit wunderschönen Kleidern ausgestattet, streckten wir den Rücken durch und genossen die Macht, die mit unserer Schönheit kam. Einem schönen Menschen hört man zu, er wird bewundert. Das wurde mir später im Leben schmerzhaft bewusst, als meine Haut ihre Spannkraft verlor und meine Haare grau wurden. Als die Leute nicht mehr hinsahen, wenn ich einen Raum betrat. Dieser Tag kommt. Für alle.

Aber damals in Paris trug mich mein Aussehen durchs Leben. Je älter wir wurden und je häufiger wir besser bezahlte Aufträge bekamen, desto raffinierter wurden wir auch darin, diese Macht auszunutzen. Unser Selbstbewusstsein war dadurch gestärkt worden. Wir waren unabhängige Frauen, die ihr eigenes Geld verdienten und sich sogar ein bisschen Luxus leisten konnten. Abends verließen wir häufig die Wohnung und stürzten uns in das Gewimmel der Stadt, in der sich die Intellektuellen und Wohlhabenden zu den Klängen von Jazz amüsierten. Und wir amüsierten uns auch.

Wir waren überall gerne gesehen und willkommen, aber Nora interessierten die Feste gar nicht so sehr, sie wollte vor allem Champagner. Wir hatten immer Gesellschaft und immer ein volles Glas mit dem perlenden Getränk. Wir kamen immer zusammen, gingen dann aber oft getrennter Wege. Nora stand an der Bar, ich tanzte. Sie führte lieber intellektuelle Gespräche und ließ sich dann von den Männern zu Drinks einladen. Sie war belesen, konnte über Kunst und Bücher und Politik sprechen. Wenn die Gesprächspartner aufhörten, sie einzuladen, war auch die Unterhaltung beendet. Dann kam sie zu mir, zog diskret an meinem Kleid, und wir verließen erhobenen Hauptes den Ort, ehe der Kellner feststellen konnte, dass für die restlichen edlen Tropfen niemand aufkommen würde.

Unsere Hausmutter gab es schon lange nicht mehr. Wir waren jetzt erwachsen und konnten uns um uns selbst kümmern. Sollten uns um uns selbst kümmern können. Die Nachbarn warfen uns nach wie vor schiefe Blicke zu, wenn wir spätabends nach Hause kamen, manchmal in Begleitung von ein oder zwei Bewunderern. Wir waren jung und frei, aber wir waren auf der Suche nach echten Männern. So war das damals. Sie sollten nett, elegant und reich sein, wie Nora immer sagte. Männer, die uns vor der zugekleisterten Oberflächlichkeit retten konnten, von der wir umgeben waren. Die uns Sicherheit schenkten. Wir fanden viele Kandidaten. Feine Herren besuchten uns mit dem Hut in der Hand und Rosen hinterm Rücken. Luden uns in die teuersten Cafés der Stadt ein. Einige von ihnen fielen sogar vor uns auf die Knie und wollten uns heiraten. Aber wir lehnten immer ab. Es gab immer ein Detail, das nicht stimmte. Entweder war es ihre Art und Weise zu sprechen, sich zu kleiden, zu lachen oder wie sie rochen. Nora war eher auf der Suche nach Perfektion als auf der Suche nach Liebe. Und sie war fest entschlossen. Sie wollte auf keinen Fall zurück in die Armut, in der sie in der Tschechoslowakei aufgewachsen war. Aber sie hatte eine Jugendliebe in ihrer Heimat. Ich sah ihre Trauer, wenn sie einen weiteren ungeöffneten Brief auf den Stapel in ihrem Schrank legte. Aber es sollte sich zeigen, dass die Vernunft machtlos ist gegen die Liebe. Das galt auch für sie.

Nora bat immer jemand anderen, an die Tür zu gehen, wenn es klingelte. Damit sie aus sicherem Abstand entscheiden konnte, ob sie die Person sehen wollte oder nicht. Wenn jemand sie besuchen wollte und sie ihre Zimmertür nicht öffnete, sollte es heißen, sie sei verreist. Eines Abends ging ich an die Tür. Da stand ein Mann mit nussbraunen, freundlichen Augen, einem kurz geschorenen schwarzen Bart und in einem ausgebeulten Anzug. Er nahm die Mütze vom Kopf, fuhr sich mit den Fingern durch die kurzen Haare und deutete eine Begrüßung an. Er sah wie ein Bauer aus, der sich in die Stadt verirrt hatte. In der Hand hatte er eine weiße Pfingstrose. Dann sagte er Noras Namen. Ich schüttelte den Kopf.

»Sie ist leider nicht zu Hause.«

Der Mann erwiderte nichts, sein Blick hatte sich auf einen Punkt hinter mir geheftet. Ich drehte mich um. Dort stand Eleonora. Die Anziehungskraft zwischen den beiden war physisch zu spüren. Sie unterhielten sich in einer Sprache, die ich nicht verstand. Am Ende warf sie sich ihm schluchzend an den Hals.

Am nächsten Tag waren sie weg.

P. ~~PESTOVA, ELEONORA~~ TOT

Es war leer und einsam ohne Nora. Es gab niemanden, mit dem ich lachen konnte, niemanden, mit dem ich mich ins Nachtleben stürzen konnte. Die Bücher wurden wieder meine einzige Gesellschaft, und jetzt hatte ich genug Geld, um mir eigene zu kaufen. An meinen freien Tagen nahm ich sie mit in den Park und las sie in der Sonne. Ich las viele moderne Schriftsteller: Gertrude Stein, Ernest Hemingway, Ezra Pound und Scott Fitzgerald. Sie hielten mich fern von dem glamourösen Leben, das Nora und ich geführt hatten. Mir gefiel es unter den Bäumen, umgeben von Vögeln, es war viel ruhiger und entspannter. Manchmal nahm ich eine kleine Tüte mit Brotkrumen mit, die ich auf meiner Parkbank verteilte. Dann kamen die kleinen süßen Vögelchen und leisteten mir Gesellschaft. Einige waren so zahm, dass sie mir aus der Hand aßen.

Nora hatte mir eine Adresse gegeben, bevor sie abreiste. Am Anfang schrieb ich ihr noch lange Briefe und erzählte ihr, dass ich sie vermisste. Aber ich bekam nie eine Antwort. Ich malte mir aus, was sie machte, wie ihr Alltag aussah, wie ihr Leben an der Seite des Mannes mit den nussbraunen Augen verlief. Und ich fragte mich, ob ihre Liebe stark genug war, um das Leben zu ersetzen, das sie vorher geführt hatte, mit Geld, Luxus und Bewunderern.

Eines Abends klopfte es an der Tür. Als ich sie öffnete, stand Nora vor mir, aber ich erkannte sie kaum wieder. Sie war braungebrannt und hatte strähniges Haar. Als sie mein Entsetzen sah, schüttelte sie nur den Kopf und schob sich an mir vorbei. Noch bevor ich fragen konnte, flüsterte sie: »Ich will darüber nicht sprechen.«

Ich nahm sie in den Arm. Ich wollte so viele Dinge wissen. Ihre feinen Gesichtszüge verschwanden unter den geschwollenen Wangen. Den rundlichen Bauch konnte aber auch der weite Schal nicht verbergen. Er drückte bei der Umarmung gegen meinen.

»Du bist schwanger!« Ich trat einen Schritt zurück und legte meine Hände auf ihren Bauch.

Sie zuckte zusammen und schob meine Hände weg. Schüttelte den Kopf und wickelte sich den Schal noch enger um den Körper.

»Ich muss wieder arbeiten, wir brauchen das Geld. Die Ernte war schlecht in diesem Jahr, ich habe unser letztes Geld für die Fahrkarte ausgegeben.«

»Du kannst doch nicht arbeiten, wenn du so aussiehst. Monsieur Ponsard wird nur wütend, wenn er dich so sieht«, sagte ich ungläubig.

»Du darfst ihm nichts sagen«, flüsterte sie.

»Ich muss ihm gar nichts sagen, mein Herz. Man sieht es, das kannst du nicht mehr verbergen.«

»Ich hätte niemals mit ihm zurückfahren dürfen!« Sie weinte.

»Liebst du ihn denn?«

Sie zögerte, dann nickte sie.

»Ich helfe dir, das verspreche ich. Du kannst ein paar Tage hierbleiben, dann sorge ich dafür, dass du wieder nach Hause fahren kannst. Zu ihm zurück.«

»Das Leben ist da viel härter als hier«, schluchzte sie.

»Wenn das Kind zur Welt gekommen ist, kannst du jederzeit zurückkommen. Das alles hier wird es immer geben! Auch deine Schönheit, du wirst wieder arbeiten können.«

»Ich *muss* wieder arbeiten können«, flüsterte sie.

In dieser Nacht schlief sie in meinem Bett. Wir lagen eng aneinandergeschmiegt, und ich konnte den schwachen Geruch von Alkohol riechen. Leise schlich ich mich aus dem Bett und wühlte in ihrer Handtasche. Ganz unten fand ich eine Flasche, schraubte den Deckel ab und roch daran. Nora hatte den Champagner gegen billigen Spiritus eingetauscht. Sie hatte mit dem Trinken nicht aufgehört, obwohl es keine Feste mehr zu feiern gab.

Sie vermied es, Monsieur Ponsard zu begegnen. Aber wir verbrachten noch ein paar letzte Tage zusammen. Vertrauliche Gespräche und lange Spaziergänge durch Paris. Eine Woche später fuhr sie wieder zurück. Ich strich ihr noch einmal über den Bauch, als wir uns auf dem Gleis voneinander verabschiedeten. Die schöne, starke Nora – in nur wenigen Monaten war sie ein Schatten ihrer selbst geworden. Kurz bevor der Zug den Bahnhof verließ, lehnte sie sich aus dem Fenster und drückte mir einen kleinen goldenen Porzellanengel in die Hand. Sie sagte nichts, hielt nur die Hand zum Abschied in die Luft und winkte.

Ich rannte neben dem Zug her, aber er wurde immer schneller, und ich geriet ins Stolpern. Ich rief ihr zu, dass sie mir schreiben und von ihrem Kind erzählen sollte. Das tat sie dann auch, ab und zu lag ein kleiner Umschlag in meinem Briefkasten. Sie erzählte von ihrer kleinen Tochter Marguerite, wie hart die Arbeit auf dem Hof war und wie sehr sie Paris vermisste und das Leben, das sie hinter sich gelassen hatte. Aber die Briefe kamen mit der Zeit immer seltener, und am Ende bekam ich einen mit einem anderen Absender. Er bestand nur aus einer kurzen Mitteilung in fehlerhaftem Französisch. *Eleonora et maintenant mort.*

Ich habe nie erfahren, woran sie gestorben ist. Vielleicht hat sie der Alkohol umgebracht. Oder ein zweites Kind. Vielleicht hatte sie einfach keine Kraft mehr weiterzuleben.

Seit diesem Tag muss ich immer an Nora denken, wenn ich einen Engel sehe. Sie erinnern mich alle an den kleinen goldenen, den sie mir in die Hand gedrückt hatte. Sorgfältig strich ich ihren Namen in meinem Adressbuch durch und schrieb das Wort TOT mit einem goldenen Stift dahinter. Golden wie die Sonne, wie Gold.

Das rote Adressbuch

S. SMITH, ALLAN

Erinnerst du dich noch an das Foto von dem Mann in meinem Medaillon, Jenny? Das du bei deinem letzten Besuch in meiner Schreibtischschublade gefunden hast?

Er tauchte eines Tages im Park auf. Ich saß auf der Bank unter einer Linde. Die gleißenden Sonnenstrahlen fanden ihren Weg durch das dichte Blattwerk und ergossen sich auf die weißen Buchseiten. Plötzlich fiel ein Schatten auf mich, und als ich den Kopf hob, sah ich direkt in ein Paar Augen. Sie funkelten, als ob sie lachten. Ich erinnere mich, was er anhatte, als wäre es gestern gewesen: ein weißes, zerknittertes Hemd, einen roten Pullover aus Lammwolle und beige Hosen. Keinen Anzug, keinen gestärkten Kragen, keinen Gürtel mit goldener Schnalle. Keinerlei Anzeichen von Reichtum. Aber er hatte seidige, weiche Haut, und der ernste Mund war so schön und wohlgeformt, dass ich mich am liebsten vorgebeugt und ihn geküsst hätte. Ein sonderbares Gefühl.

Er sah fragend auf den freien Platz neben mir, ich nickte, und er setzte sich. Ich bemühte mich weiterzulesen, aber konnte an nichts anderes denken, spürte eine starke Anziehung zwischen uns. Und sein Duft … Er roch wunderbar. Als würde der Geruch direkt in meine Seele strömen.

»Ich wollte einen kleinen Spaziergang machen«, sagte er und hob dabei seine Füße hoch, an denen ein Paar zerschlissene Schuhe saßen. Ich kicherte in die Buchseiten. Wir lauschten dem Knarzen der Baumkronen und dem Zwitschern der Vögel, die sich umwarben. Er sah mich aus den Augenwinkeln an, ich spürte seine Blicke auf mir.

»Könnte sich das Fräulein unter Umständen vorstellen, mich ein Stück zu begleiten?«

Mein Zögern währte nur einen Augenblick, dann stimmte ich zu. Wir verbrachten den Nachmittag zusammen und gingen spazieren, bis die Sonne hinter den Bäumen verschwand. Die Welt blieb stehen, alles andere wurde unwichtig. Es gab nur noch ihn und mich, ganz selbstverständlich, vom ersten Schritt an, Seite an Seite. Vor meiner Haustür gab er mir einen kurzen Abschiedskuss. Er nahm mein Gesicht in seine Hände und kam ganz nah, es fühlte sich fast an, als würden wir verschmelzen, eins werden. Seine Lippen waren weich und warm. Er atmete tief ein, drückte sein Gesicht an meine Wange. Hielt mich fest im Arm, lange. Dann flüsterte er mir ins Ohr: »Morgen, selbe Zeit, selber Ort.« Dann ließ er mich los, trat zurück, musterte mich noch einmal von oben bis unten, warf mir eine Kusshand zu und verschwand in der lauen Nacht.

Er hieß Allan Smith, kam aus Amerika und besuchte Verwandte, die in Paris lebten. Er hatte große Pläne und war voller Eifer. Studierte Architektur und träumte davon, die Welt zu verändern, die Silhouette der Stadt neu zu entwerfen.

»Paris ist auf dem besten Weg, ein Museum zu werden. Die Moderne muss Einzug halten, das schlichte Funktionelle.«

Ich hörte ihm erstaunt zu, sog diese fremde Welt in mich auf, von der ich noch nie zuvor gehört hatte. Er redete von Häusern, von neuen aufregenden Baumaterialien und wie man sie einsetzen könnte. Aber auch davon, wie die Menschen lebten und wie sie in der Zukunft leben könnten. Eine

Zukunft, in der sowohl Männer als auch Frauen arbeiteten und in der es keine Dienstboten mehr gab. Er ging voll und ganz darin auf, sprang im Park auf die Bank und gestikulierte wild mit den Armen, um seine Gedanken zu unterstreichen. Ich fand sein Verhalten verrückt, aber bewunderte seine Vitalität. Dann nahm er mein Gesicht in seine Hände und drückte seine weichen Lippen auf meine. Er schmeckte nach Sonne. Die Wärme seiner Lippen wanderte über meine bis hinunter in den ganzen Körper. Er verlieh mir eine tiefe Ruhe, ich atmete langsamer, und mein Körper fühlte sich ganz belebt an. Ich wollte für immer so mit ihm stehen bleiben. In seinen Armen.

Geld, Status und die Zukunft hatten keinerlei Bedeutung für mich, damals in diesem französischen Park, an diesem warmen Frühlingstag, auf meinem Spaziergang mit dem Mann in den ausgetretenen Schuhen.

~ *10* ~

»Das ist so schrecklich, dass du immer noch im Krankenhaus liegen musst! Soll ich nicht doch zu dir kommen?«

»Nein, Jenny, was willst du denn bei mir alten Schachtel?
Du bist noch jung, sollst raus und dein Leben genießen und
nicht auf einen Krüppel aufpassen.«

Doris dreht den Laptop um, den ihr der Pfarrer geholt hat,
und winkt die Krankenschwester zu sich.

»Schwester, sagen Sie meiner Jenny Hallo.«

Die Schwester kommt zu ihr ans Bett und stellt sich vor
den Monitor, um Doris' einzige Besucherin kennenzuler-
nen.

»Sie skypen? Sie haben auf jeden Fall keine Angst vor
neuer Technik, was?«

»Nein, Doris nicht. Sie hatte schon immer als Erste jeden
neuen Schrei. Eine hippere Oma als sie findet man nirgends.«
Jenny lacht. »Sie kümmern sich doch gut um sie, oder? Wird
sie wieder gesund?«

»Natürlich tun wir das, wir hegen und pflegen sie so gut
wir können, aber ich kann Ihnen nicht sagen, wie es aussieht. Wollen Sie mit dem Arzt sprechen? Ich könnte für Sie
einen Telefontermin vereinbaren?«

»Ja, sehr gerne. Wenn das für dich in Ordnung ist, Doris?«

»Klar, du glaubst mir ja sowieso nie.« Doris lächelt.
»Wenn er dir sagt, dass ich bald sterben werde, richte ihm
bitte aus, dass ich das schon weiß.«

»Hör auf, so etwas zu sagen! Du wirst nicht sterben. Das hatten wir doch schon besprochen.«

»Naiv warst du schon immer, Jenny, Liebes. Du kannst doch sehen, wie es um mich steht. Der Tod lauert in jeder Falte, er klammert an meinem Körper, bald hat er mich in die Knie gezwungen. So ist das nun einmal. Und weißt du was? Das wird schön.«

Jenny und die Krankenschwester sehen sich an, die eine hebt ihre Augenbraue, die andere holt ganz tief Luft und lässt sie mit einem Seufzer wieder entweichen. Dann schüttelt die Schwester Doris' Kissen auf und verlässt das Zimmer.

»Jetzt hör auf, vom Tod zu reden, Doris, diesen ganzen Unsinn will ich nicht hören. *Jack! Come here, say hi to auntie, she's badly hurt and in hospital.*«

Der hochgewachsene, schlaksige Teenager kommt angeschlurft. Er winkt und lächelt. Dabei entblößt er die Drähte seiner Zahnspange, bis ihm das wieder einfällt und er schnell den Mund schließt.

»Sieh mal, *check this out!*« Er kippt den Laptop, sodass Doris den Fußboden sehen kann. Dann stellt er sich breitbeinig auf sein Skateboard, hebt den vorderen Fuß und das Skateboard an, dreht es unter sich und landet wieder auf allen vier Rädern. Doris applaudiert und ruft Bravo.

»Ich habe dir doch gesagt, dass ich das Skateboard nicht im Haus haben will!«, faucht Jenny im Hintergrund.

Sie klappt den Bildschirm wieder hoch und wendet sich an Doris.

»Er ist total besessen von diesem Ding. Was ist bloß los mit ihm? Ein Holzbrett mit vier Rädern beschäftigt ihn den ganzen Tag. Entweder er schraubt dran rum, oder er muss neue Tricks üben. Du solltest seine Knie sehen, die Narben wird er für den Rest seines Lebens haben.«

»Lass ihn, Jenny. Du kannst ihm doch Knieschoner kaufen?«

»Knieschoner? Für einen Teenager? Das habe ich mal versucht, aber er weigert sich. Das ist nämlich nicht cool mit Knieschonern, verstehst du?« Jenny verdreht die Augen und seufzt.

»Er ist noch so jung. Lass ihn das auch sein. Von ein paar Narben stirbt keiner. Es ist besser, sie auf der Haut zu haben als auf der Seele. Er sieht zumindest froh und zufrieden aus.«

»Ja, das ist er schon immer gewesen. Ich habe Glück gehabt, schätze ich. Es sind echt tolle Kids.«

»Du hast wunderbare Kinder. Ich würde so gerne zu euch kommen und die ganze Bande umarmen. Aber es ist schon toll, dass ich euch sehen kann. Früher war es viel umständlicher, Kontakt zu halten. Habe ich dir mal erzählt, wie jung ich noch war, als ich meine Mutter das letzte Mal gesehen habe?«

»Ja, hast du. Das muss damals ziemlich schwer gewesen sein. Aber wenigstens bist du am Ende ja doch nach Schweden zurückgekommen, wie du es dir immer gewünscht hast.«

»Ja, ich bin zurückgekommen. Aber ich habe mich oft gefragt, ob es nicht besser gewesen wäre, wenn ich bei dir und deiner Mutter geblieben wäre.«

»Nein, komm, sag das nicht. Es hat doch keinen Sinn, es zu bereuen. Du hast gerade schon genug andere Sachen im Kopf. Und wenn du nostalgisch wirst, erinnere dich an die schönen Dinge.« Jenny lächelt. »Magst du zu uns kommen? Soll ich mich nach einem Pflegeheim in San Francisco umsehen?«

»Du bist wirklich die Beste, ich bin so froh, dass ich dich habe, liebe Jenny. Aber vielen Dank, ich bleibe hier, das habe ich so entschieden. Außerdem habe ich auch keine Kraft mehr ... Apropos Kraft, ich muss mich jetzt ein bisschen ausruhen. Ich küsse dich, mein Herz. Grüß Willie von mir. Bis bald, ja?«

»Küsschen, Dossi! Bis bald, nächste Woche, selbe Zeit. Dann bist du schon operiert worden ...«

»Ja«, Doris seufzt, »das bin ich dann.«

»Mach dir keine Sorgen, das wird alles gut gehen. Du bist ratzfatz wieder fit, du wirst sehen.« Jenny nickt ihr mit großen Augen aufmunternd zu.

»Nächste Woche, selbe Zeit«, murmelt Doris und verabschiedet sich mit einer Kusshand. Kaum ist Jenny verschwunden, senkt sich die Stille wieder wie eine schwere, weiche Decke auf sie. Sie starrt den schwarzen Monitor an. Hat keine Kraft, die Hände zu bewegen, um wie beabsichtigt noch ein paar Zeilen zu schreiben. Ihr Atem geht schwer, und sie hat einen furchtbaren Geschmack im Mund. Immer wieder muss sie von der Medizin gegen die Schmerzen aufstoßen, die schlagen ihr auf den Magen. Er ist geschwollen und brennt. Sie schiebt den warmen Laptop auf den Bauch, schließt die Augen und genießt die Wärme.

Eine Krankenschwester kommt ins Zimmer. Sie legt den Laptop auf den Nachttisch, deckt die schlafende Doris zu und löscht das Licht.

Das rote Adressbuch

S. SMITH, ALLAN

Es war, als würde in meinen Adern Kohlensäure fließen. In dieser Nacht konnte ich kaum schlafen, und am nächsten Tag fühlte ich mich wie in Watte gepackt. Als ich fertig war mit arbeiten, stürzte ich aus dem Kaufhaus und sprang die Treppe hinunter, immer drei Stufen auf einmal. Und als ich im Park ankam, saß er bereits dort und wartete auf mich. Mit einem Block in der Hand, in den er zeichnete. Eine Frau mit offenem Haar, das ihr über die Schultern fiel. Er drehte den Block weg, als er meine neugierigen Blicke sah. Lächelte verlegen.

»Ich habe nur versucht, deine Schönheit einzufangen«, murmelte er.

Dann blätterte er weiter und zeigte mir seine anderen Skizzen. Meistens waren es Gebäude und Gärten. Er konnte sehr gut zeichnen, brachte die wichtigen Details mit starken Strichen aufs Papier. Auf eine der Seiten hatte er einen Magnolienbaum gezeichnet, dicke Äste, die mit eleganten, zarten Blüten übersät waren.

»Hast du eine Lieblingsblume?«, fragte er, während er zerstreut daran weiterzeichnete.

Ich dachte nach, erinnerte mich an die Blumen meiner Heimat, die ich so schmerzlich vermisste. Am Ende nannte ich die Rose und erzählte ihm von den weißen Rosen, die vor der Werkstatt meines Vaters geblüht haben. Ich erzählte ihm auch, wie sehr ich meinen Vater vermisste und wie er gestorben war. Allan legte einen Arm um meine Schulter und zog mich an sich. Mein Kopf lag auf seiner Brust. Er strich mir sanft übers Haar. Und ich fühlte mich nicht mehr so einsam.

Langsam senkte sich die Dunkelheit über uns. Über den Park und die Bank, auf der wir saßen. Ich kann mich gut an den Duft von Jasmin erinnern, dass die Vögel verstummten, die Straßenlaternen angingen und sich ihr gedämpftes Licht über den Weg ergoss.

»Spürst du das auch?«, fragte er irgendwann unvermittelt und knöpfte die beiden oberen Knöpfe seines Hemdes auf. »Wie warm es ist?«

Ich nickte. Da nahm er meine Hand und legte sie auf seine Stirn. Die Schweißperlen glitzerten im Haaransatz, er war ganz feucht.

»Deine Hand ist so kühl, meine Liebste.« Er nahm sie in seine und küsste sie. »Wie kannst du so kühl sein, wenn die Wärme so erdrückend ist?«

Dann plötzlich erhellte sich sein Gesicht. So sah er immer aus, wenn er einen Einfall hatte. Als würde ihn seine eigene Fantasie amüsieren. Er zog mich hoch, wirbelte mich herum und zog mich dann ganz nah an sich.

»Komm, ich will dir einen geheimen Ort zeigen«, flüsterte er, seine Wange an meiner.

Wir liefen durch die Nacht, langsam, als wäre Zeit das Einzige, was wir hätten. Es fiel mir so leicht, mit Allan zu sprechen. Ihm konnte ich alles anvertrauen, was mich bewegte. Ihm konnte ich von meiner Sehnsucht erzählen. Von meiner Trauer. Er hörte mir zu. Er verstand mich.

Wir kamen zu dem beeindruckenden Pont Viaduc d' Auteuil. Die Brücke war zweistöckig, auf ihr konnten die Züge den breiten Fluss überqueren. Er führte mich die Treppen hinunter zum Strand, wo die Schiffe für die Nacht befestigt waren.

»Was willst du mir zeigen? Was ist das für ein geheimer Ort?«

Ich zögerte, blieb stehen. Allan drehte sich um und rannte ungeduldig die Stufen wieder zu mir hoch, um mich zu holen.

»Komm, du bist keine echte Pariserin, wenn du nicht in der Seine gebadet hast.«

Entgeistert starrte ich ihn an. Baden? Wie konnte er das nur vorschlagen?

»Bist du nicht ganz bei Verstand? Ich werde mich doch vor dir nicht ausziehen. Das glaubst du doch wohl selbst nicht?«

Ich wollte gehen, aber er ließ meine Hand nicht los. Außerdem war er unwiderstehlich. Und kurz darauf lag ich wieder in seinen Armen.

»Ich mache die Augen zu«, flüsterte er. »Ich werde nicht hinsehen. Versprochen.«

Also kletterten wir über die Schiffe. Sie waren miteinander vertäut, drei hintereinander. Das hinterste hatte am Heck eine kleine Leiter. Allan zog Hemd und Hose aus und sprang mit einem perfekten Kopfsprung ins Wasser. Dann wurde es ganz still, und die Wellen glätteten sich. Zurück blieb nur die schwarze Wasseroberfläche. Ich rief seinen Namen. Da tauchte er plötzlich neben dem Schiff wieder auf. Er zog sich an der Reling hoch und stützte sich ab. Das Wasser tropfte aus seinen dunklen Haaren. Er lächelte, und seine weißen Zähne leuchteten in der Nacht.

»Ich bin untergetaucht, damit das Fräulein unbemerkt ins Wasser kommen kann. Komm, beeil dich«, lachte er und verschwand wieder unter der Wasseroberfläche.

Ich konnte schwimmen. Das hatte ich in Stockholm gelernt. Aber es war dunkel. Ich kann mich gut erinnern, dass ich zögerte und mein Herz vor Angst wild schlug. Aber ich streifte mir die Schuhe ab und ließ meine Kleider fallen. Darunter trug ich ein Korsett, das war damals so üblich. Aus dicker Seide, hautfarben und mit steifen Körbchen. Das behielt ich an. Als ich meinen Fuß ins Wasser hielt, griff Allan danach und zog daran. Ich schrie laut auf und fiel mit einem lauten Platscher in seine Arme. Sein Lachen hallte unter dem Brückenbogen wider.

Das rote Adressbuch

S. SMITH, ALLAN

Allan brachte mich oft zum Lachen. Er stellte mein Weltbild auf den Kopf, und gleichzeitig dachte ich immer wieder, dass er verrückt war. Erst heute, im Nachhinein, begreife ich, dass seine Ansichten auf einer tiefen Menschenkenntnis basierten, und dem Wissen, in welche Richtung sich die Welt entwickelte. Wenn ich die jungen Familien von heute sehe, dann erkenne ich in ihnen die Menschen, von denen er damals gesprochen hatte.

»Dein Zuhause ist deine eigene Welt«, hat er immer gesagt. »Dein eigenes kleines Reich. Darum muss alles in diesem Zuhause deiner Lebensweise angepasst sein. Eine Küche muss sich an dem Essen orientieren, das dort zubereitet wird, an den Menschen, die dort leben. Wer weiß, vielleicht haben die Wohnungen in der Zukunft gar keine Küchen mehr. Wozu benötigen wir Küchen, wenn es Restaurants gibt, in denen das Essen viel besser schmeckt als bei uns zu Hause?«

Mich amüsierte das sehr, dass er in einer Zeit von Wohnungen ohne Küchen sprach, in der die ersten Kühlschränke und Weißwaren auf den Markt kamen. Als alle nur das Ziel hatten, ihre Küchen so modern wie möglich und mit so vielen Geräten wie möglich auszustatten.

»Vielleicht sehen die zukünftigen Küchen ja aus wie die in den Restaurants«, schlug ich lachend vor. »Vielleicht wird es Standard, einen eigenen Koch zu haben und Kellnerinnen im Esszimmer?«

Er ignorierte meine kleinen ironischen Sticheleien und erwiderte mit ernster Miene: »Ich sage, dass nichts Beständigkeit hat. Alte Gebäude werden abgerissen und neue gebaut. Dekoration wird durch Funktion ersetzt. Der Raum bekommt eine neue Bedeutung.«

Ich schüttelte den Kopf, war mir nicht sicher, ob er einen Scherz machte oder es tatsächlich ernst meinte. Ich liebte seine Fantasie, mit der er lebendige, abstrakte Bilder entstehen ließ, die so surrealistisch waren wie die Kunst, die zu dieser Zeit in Paris angesagt war. Für Allan war Architektur die Basis aller menschlichen Beziehungen und damit auch die Antwort auf alle Rätsel des Lebens. Er ging auf in Baumaterialien, Winkel, Fassaden, Wänden und Nischen. Wenn wir spazieren gingen, konnte er unvermittelt stehen bleiben und ein Gebäude anstarren, bis ich ihn mit etwas bewarf, einem Schal oder einem Handschuh. Dann kam er zu mir gerannt und nahm mich in die Arme, hob mich hoch und drehte sich mit mir im Kreis, als wäre ich ein kleines Kind. Ich liebte es, dass er mich so in Beschlag nahm, als wäre ich sein Eigentum, liebte es, dass er mich mitten auf der Straße von Paris einfach küsste.

Manchmal wartete er vor dem Studio auf mich, in dem ich arbeitete. Wenn ich fertig war und aufwendig geschminkt nach draußen kam, legte er stolz einen Arm um mich und führte mich in ein Restaurant. Es ist sonderbar, aber Allan und ich hatten uns so viel zu sagen, dass nie eine peinliche Stille entstand. Wir schlenderten durch Paris, ohne den Trubel um uns herum zu bemerken, weil wir so voneinander erfüllt waren.

Er hatte nicht viel Geld. Und er konnte sich auch nicht in einer feineren Gesellschaft bewegen. Genau genommen kam er gar nicht erst in solche Kreise, und die einzige Garnitur angemessener Kleidung, die er besaß, war unmodern und viel zu groß. Er sah aus wie ein Teenager, der sich den alten Anzug seines Vaters geliehen hatte. Wenn er mich bei unserer ersten Begegnung auf der Parkbank nicht mit seinem Charme und seiner Ausstrahlung erobert hätte, wäre ich wahrscheinlich niemals mit ihm ins Gespräch gekommen. Die Erinnerung daran hat meinen Blick für das Äußere eines Menschen bis heute geprägt.

Manchmal benötigt man weder dieselben Interessen noch denselben Stil, Jenny. Es genügt, wenn man sich gegenseitig zum Lachen bringt.

Das rote Adressbuch

S. SMITH, ALLAN

So vergingen die Tage. Ich lächelte mit blutroten Lippen, posierte, wie mir befohlen wurde, erfreute die Pariser Damen mit meinem Aussehen und neigte meinen Kopf vor dem viereckigen Kasten der Fotografen. Aber meine Gedanken waren erfüllt von Liebe und Sehnsucht. Wenn ich nicht mit Allan zusammen war, dachte ich nur an ihn. Ich saß stundenlang neben ihm auf der Parkbank. Er zeichnete seinen Notizblock voll, aus ein paar Strichen wurden ganze Gebäude. Er hatte eine ganze Stadt in seinem kleinen Block, und wir malten uns aus, in welchem der Häuser wir wohnen würden.

Ab und zu musste ich auch außerhalb von Paris arbeiten. Das gefiel uns beiden überhaupt nicht. Einmal holte er mich mit einem Wagen ab, den er geliehen hatte. Ich weiß noch ganz genau, welche Marke es war: ein schwarzer Citroën Traction Avant. Er wollte mich persönlich bis zu dem Schloss in der Provence fahren, wo ich auf einem Laufsteg Kleider und Schmuck präsentieren sollte. Er war ein unerfahrener Fahrer, vielleicht war es sogar seine erste Fahrt. Es holperte und ruckelte, und am Anfang ging ihm mehrmals der Motor aus. Ich lachte, bis ich keine Luft mehr bekam.

»Wir werden niemals dort ankommen, wenn wir so durch die Gegend springen!«

»Meine Schöne, ich würde dich mit dem Fahrrad zum Mond und wieder zurück fahren, wenn ich müsste. Natürlich schaffen wir das. Halt dich fest, jetzt gebe ich Gas!«

Und dann drückte er das Gaspedal durch, und wir schossen davon in einer großen Wolke aus Abgasen. Als wir mit mehreren Stunden Verspätung endlich in die Allee einbogen, die zum Schloss führte, war ich ganz staubig und verschwitzt. Als wir uns zum Abschied küssten, riss Monsieur Ponsard plötzlich die Tür auf und starrte Allan wütend an. Es war ein Riesenskandal, dass ich einen Mann küsste, mit dem ich nicht verheiratet war, und das wurde Allan unmissverständlich zum Ausdruck gebracht. Er floh den Kiesweg hinunter, um nicht verprügelt zu werden. Obwohl es eine durchaus ernste Angelegenheit war, konnte ich mich vor Lachen kaum halten. Allan drehte sich auf seiner Flucht um und warf mir Kusshände zu.

Als die Veranstaltung vorbei war, schlich ich mich nach draußen und fand Allan auf dem Rasen liegend. Er schlief. Ich weckte ihn, und wir liefen schnell zurück zum Auto, bevor uns Monsieur Ponsard entdecken konnte. Die warme Nacht verbrachten wir unter freiem Himmel, eng aneinandergeschmiegt. Wir zählten Sternschnuppen und dachten uns aus, dass jede für ein Kind stand, das wir zusammen bekommen würden.

»Sieh mal, ein Junge«, sagte Allan und zeigte auf die erste Sternschnuppe.

»Und da, ein Mädchen«, rief ich ausgelassen, als ich die nächste sah.

»Und noch ein Junge«, lachte Allan.

Nach der siebten Sternschnuppe küsste er mich und sagte, das wären jetzt genug. Ich streichelte ihm zärtlich über den Nacken, vergrub meine Finger in seinen Haaren, sog seinen Duft in mir auf und ließ diesen ein Teil von mir werden.

Das rote Adressbuch

S. SMITH, ALLAN

Wir hatten uns etwas mehr als vier Monate gekannt, als er plötzlich und vollkommen unerwartet wieder aus meinem Leben verschwand. Er war einfach weg. Niemand mehr, der an meine Tür klopfte. Niemand, der mit Küssen und einem Lächeln auf mich wartete und mich von der Arbeit abholte. Ich wusste nicht, wo er wohnte, ich kannte keine seiner Verwandten, ich hatte niemanden, den ich fragen konnte, was geschehen war. Er hatte sich in letzter Zeit verändert, war bedrückter und nicht mehr so ausgelassen und sprudelnd gewesen. Außerdem hatte er sich ordentlicher angezogen. Zuerst hatte ich gedacht, er hätte sich meinetwegen neu eingekleidet, sich ein neues Jackett und glänzende Lederschuhe gekauft. Aber vielleicht hatte es dafür einen anderen Grund gegeben? Meine Verzweiflung wuchs mit jedem Tag mehr.

Ich ging zu unserer Bank im Park, auf der er immer gezeichnet hatte. Aber sie war menschenleer, nur eine einbeinige Taube hüpfte auf der Jagd nach Krumen herum. Jeden Tag ging ich dorthin, saß stundenlang auf der Bank, aber er kam nicht. Wenn ich dort wartete, war es manchmal, als würde ich ihn fast spüren, als würde er doch neben mir sitzen.

Die Tage vergingen. Ich lief unsere gemeinsamen Wege ab, allein, hoffte, dass er plötzlich auftauchen und diesen Albtraum beenden würde. Aber nach und nach glitt meine Erinnerung an ihn in die Welt meiner Träume. Ich verfluchte mich für meine Naivität, meine selbstgefällige Verliebtheit. Warum hatte ich so wenige Fragen gestellt und ihn nicht gedrängt, mehr über sich zu erzählen?

Wohin war er verschwunden? Warum hatte er mich einfach so verlassen? Wir wollten doch für immer zusammenbleiben...

Das rote Adressbuch

A. ALM, AGNES

In den Wochen nach Allans plötzlichem Verschwinden lief ich herum wie ein wandelndes Gespenst. Ich hatte dunkle, geschwollene Tränensäcke, und meine Haut war von den schlaflosen Nächten und den salzigen Tränen ganz fahl und schuppig. Ich konnte nichts essen und wurde schwach und mager. Jede Minute des Tages, bewusst oder unbewusst, dachte ich an ihn.

Trennungen sind das Schlimmste, was es gibt auf der Welt, Jenny. Noch heute hasse ich es, Abschied zu nehmen. Die Trennung von einem geliebten Menschen fühlt sich immer an wie eine Wunde auf der Seele.

Der Gedanke schmerzt mich, aber ich muss eingestehen, dass die Erinnerung an die meisten Menschen im Laufe der Zeit verblasst. Man vergisst sie nicht, und auch ihre Bedeutung geht nicht verloren. Aber die erste panische Angst lässt nach und wird von einem nüchternen, neutralen Gefühl abgelöst, mit dem man irgendwie leben kann. In einigen Fällen will man die alte Freundschaft gar nicht wiederaufleben lassen, und die verbleibende Verbindung besteht mehr aus Pflichtgefühl als aus Lust. Das sind die Menschen, mit denen man Kontakt halten soll; die Briefe, die geschrieben und gelesen werden müssen, ehe man die Erinnerung an diese Menschen wieder zusammenfaltet und zurück in den Umschlag steckt und vergisst.

Nach so vielen Jahren in Paris war auch meine Erinnerung an meine Mutter verblasst. Die Erinnerung daran, dass sie mich im Stich gelassen hatte, mich in ein Leben geworfen hatte, von dem ich keine Vorstellung besaß, und meine Schwester bei sich behalten hatte... Das Gefühl hatte an Kraft gewonnen. Sie hatte eine Wahl getroffen und sich gegen eines ihrer Kinder entschieden. Ab und zu dachte ich an sie, das schon. Aber meine Sehnsucht nach ihr verschwand im Laufe der Zeit.

Die Erinnerung an Allan aber verblasste nie, nicht ein bisschen. Er war immer in meinen Gedanken. Der Schmerz ließ etwas nach, aber meine Liebe nicht. Es war überwältigend.

Ich schleppte mich durchs Leben, Tag für Tag, am Anfang eher Stunde für Stunde. Ich suchte den Fehler bei mir, suchte nach einer Erklärung dafür, dass er mich sitzen gelassen hatte. Irgendwann konzentrierte ich mich darauf, meine Energie mehr in Dinge zu stecken wie meine Augenbrauen zu zupfen und den Bauch einzuziehen, als über die Zukunft nachzudenken. Seit ich Schweden verlassen hatte, waren sieben Jahre vergangen. Ich hatte genug Geld und war unabhängig, was nur wenigen Frauen damals vergönnt war. Mein Leben bestand aus Mode und Schminke, die mich in eine andere verwandelte, eine Frau, die von allen bewundert wurde. Eine, die gut genug war. Meine Tage bestanden aus der Jagd nach Perfektion.

Darum war ich an dem Tag, als ein verhängnisvolles Telegramm eintraf, mit der Suche nach einem Paar Schuhe in genau der gleichen Farbe meines neuen roten Kleides beschäftigt. Ich war von einem Geschäft zum nächsten gelaufen, hatte die Farbe der Schuhe mit der des Stoffes verglichen, hatte den Verkäufer gebeten, den Schuh glänzend zu putzen, um ihn dann zu verwerfen, weil mir die Schnalle nicht gefiel. Es war ein unbekümmertes Leben, und wenn ich jetzt daran denke, schäme ich mich. Junge Frauen in egozentrische, selbstgefällige Hexen zu verwandeln ist leicht. Damals wie heute. Viele werden von dem Glitzern des Goldes angelockt, die wenigsten halten inne und denken nach. Die meisten Mannequins zu meiner Zeit stammten aus reichen, aristokratischen Familien. Ihnen ist zu verdanken, dass ein Mannequin so einen Status erhielt und zu einem Menschen wurde, zu dem man aufsah. Wusstest du das?

Nun ja, zurück zum Telegramm. Es war von der Nachbarin meiner Mutter und beendete schlagartig mein destruktives Leben.

Liebe Doris,
mit großer Trauer muss ich dir leider mitteilen, dass deine Mutter nach langer Krankheit verstorben ist. Zusammen mit ihren Arbeitskollegen und Freunden haben wir Geld gesammelt, um eine Bahnfahrkarte für die kleine Agnes zu kaufen. Sie wird am 23. April um 13:00 in Paris ankommen. Ich übergebe sie hiermit in deine Obhut. Die Habseligkeiten deiner Mutter sind bis auf Weiteres in einer Dachkammer untergebracht.
Möge das Glück euch immer hold sein.
In herzlicher Verbundenheit,
Anna Christina

Eine tote Mutter, die mir schon vor langer Zeit fremd geworden war. Eine kleine Schwester, die plötzlich in meinem Leben landete wie ein falsch adressiertes Paket. Sie war sieben Jahre alt, als ich sie das letzte Mal gesehen hatte. Ein Kind. Jetzt war sie eine schlaksige Jugendliche, die verloren aussah, als sie mir auf dem Bahnsteig entgegenkam. Sie trug einen zerschlissenen Koffer, der mit einem breiten Ledergürtel zusammengehalten wurde. Es war einer von Vaters alten Gürteln, voller weißer Farbflecken. Ihr Blick irrte über die Menschenmenge, auf der Suche nach mir, ihrer Schwester.

Als sie mich entdeckte, blieb sie abrupt stehen und starrte mich an, während die Leute an ihr vorbeidrängten. Sie stießen sie hin und her, aber sie sah mich einfach nur unverwandt an.

»Agnes?« Meine Frage war vollkommen überflüssig, sie war ein Abbild meiner selbst mit vierzehn. Etwas kräftiger vielleicht und mit dunkleren Haaren. Sie sah mich mit geöffnetem Mund und weit aufgerissenen Augen an. Als wäre ich ein Gespenst.

»Ich bin es, deine Schwester. Erkennst du mich?«

Ich streckte ihr meine Hand hin, und sie ergriff sie. Da begann ihr ganzer Körper zu beben, sie ließ den Koffer fallen, meine Hand los und schlang ihre Arme um mich. Vergrub ihr Gesicht an meiner Brust, die Schultern bis zu den Ohren gezogen.

»Komm her, meine Kleine.« Ich legte einen Arm um sie und spürte, wie sich ihr Zittern auf meinen Körper übertrug. Ich versuchte, ruhig und gleichmäßig zu atmen, sog ihren Duft ein, der mir immer noch so vertraut war.

»Hattest du große Angst?«, flüsterte ich. »Und bist du sehr traurig? Das kann ich mir vorstellen. Es muss schwer für dich gewesen sein, als sie starb.«

»Du siehst aus wie sie. Du siehst genauso aus wie sie«, stammelte sie.

»Tue ich das? Es ist alles so lange her, ich erinnere mich nicht mehr an sie. Ich habe nicht einmal ein Foto von ihr. Hast du eins?«

Ich strich Agnes zärtlich über den Rücken, und auch ihr Atem beruhigte sich langsam. Schließlich ließ sie mich los und trat einen Schritt zurück. Dann zog sie ein abgegriffenes Foto aus der Tasche und streckte es mir hin. Meine Mutter saß auf einem Klavierhocker und trug ihr langes blaues Kleid, das feine, das sie immer nur zu Geburtstagen anzog.

»Wann ist das aufgenommen worden?«

Agnes antwortete nicht, vielleicht wusste sie es nicht mehr. Die Augen meiner Mutter waren so voller Leben. Erst da begriff ich, dass sie für immer weg war, dass ich sie nie wiedersehen würde. Mich überkam eine ungeheure Beklommenheit. Sie war in dem Glauben gestorben, dass sie mir gleichgültig war. Und jetzt würde ich keine zweite Chance mehr bekommen.

»Vielleicht treffen wir sie eines Tages im Himmel wieder«, versuchte ich, aber die Worte brachten Agnes nur zum Weinen. Meine Tränen flossen nach innen. Ich spürte, wie meine Brust kalt wurde und dass mir ein Schauer über den Rücken lief und den ganzen Körper erfasste.

»Schschsch, nicht weinen, Agnes.« Ich zog sie wieder an mich und sah erst jetzt, wie müde sie war. Ihre Lider waren ganz schwer, und sie hatte ganz dunkle Augenringe.

»Wusstest du eigentlich, dass es hier in Paris den besten Kakao der Welt gibt?«

Agnes wischte sich die Tränen aus dem Gesicht.

»Und wusstest du auch, dass Schokolade die beste Medizin gegen Tränen ist? Hier um die Ecke ist das feinste Café der Stadt«, sagte ich. »Wollen wir dorthin gehen?«

Ich nahm sie an die Hand, und wir verließen den Bahnhof. Wir gingen denselben Weg, den ich vor sieben Jahren an der Seite von Madame gegangen war. Keine Träne hatte ich damals geweint. Aber meine Schwester weinte. Meine kleine Schwester, die genau wie ich unfreiwillig in die große weite Welt geworfen worden war. Und es war meine Aufgabe, mich um sie zu kümmern. Das machte mir Angst.

Agnes stellte mein Leben auf den Kopf. Ich musste jetzt wie eine Mutter denken und wurde mit einem Schlag von einer großen, immerwährenden Sorge gepackt. Sie benötigte eine gute Schule, sie musste Französisch lernen. Sie sollte niemals als Putzfrau oder Dienstmädchen arbeiten müssen. Und ich würde ihr auch niemals erlauben, vor einer Kamera zu stehen und falsch zu lächeln. Agnes sollte alles bekommen, wovon ich geträumt hatte, eine Ausbildung, Möglichkeiten, und vor allem: eine Kindheit, die länger währte als meine.

Einen Tag später kündigte ich mein Zimmer in der Wohnung, die ich mit zwei anderen Mannequins teilte. Ich prüfte meine Aufträge sorgfältiger. Mittlerweile hatte ich meine festen Arbeitgeber. Die Vorführungen im Kaufhaus und die Aufnahmen für Lanvin und Chanel. Was am Anfang mit Angst und Panik besetzt war, war zu meinem Alltag geworden.

Meine Bewunderer gaben nicht auf. Ich traf sie, wenn sich die Möglichkeit dazu bot, nahm ihre Geschenke an und unterhielt mich mit ihnen. Aber keiner von ihnen konnte Allans Platz in meinem Herzen einnehmen. Keiner hatte seinen Blick auf die Welt, keiner konnte so in meine Seele sehen, wie er es gekonnt hatte. Bei keinem fühlte ich mich so geborgen wie bei ihm.

Auch Agnes' Platz hätte niemand einnehmen können. Seit dem Tag ihrer Ankunft verkaufte ich alle Geschenke, die ich bekam, und verwendete das Geld für ihre Schulbücher. Und ich verbrachte meine Freizeit nicht mehr damit, Schuhe zu finden, die farblich exakt zu meiner Kleidung passten.

~ *11* ~

»Ich hoffe, Sie verstehen das?«

Sie wendet sich ab, starrt aus dem Fenster und betrachtet die Wolken. Der Wind spielt mit ihnen und bringt die kleinen weißen Häufchen dazu, sich mit unterschiedlicher Geschwindigkeit zu bewegen: die obere Schicht steht still, während die unteren schnell vorbeiziehen und nicht mehr zu sehen sind.

Der Mann, der neben ihr sitzt, räuspert sich. Ein Tropfen Spucke fliegt aus dem Mund und landet in dem kurz geschnittenen Bart. Er sagt ihren Namen. Sie dreht den Kopf und starrt ihn an, als er weiterspricht.

»Sie können nicht alleine wohnen, nicht jetzt, Sie können doch kaum gehen. Wie soll das funktionieren? Sie werden nicht einmal ohne Hilfe aufs Klo gehen können. Das konnten Sie ja eigentlich schon vorher kaum noch, steht in Ihrer Akte. Doris, vertrauen Sie mir. Sie werden es gut haben im Pflegeheim. Das ist ja nicht für immer, und Sie dürfen sogar ein paar eigene Möbel mitnehmen.«

Zum dritten Mal sitzt der Krankenhausfürsorger mit seinen Papieren bei ihr. Zum dritten Mal muss sie sein Gerede darüber anhören, dass sie doch ihre Wohnung verkaufen solle und die Möbel und Erinnerungen, die im Pflegeheim keinen Platz haben, in einem Lager verstauen. Zum dritten Mal kämpft sie gegen den Impuls, ihm einen harten Gegenstand auf den Schädel zu hauen. Nie im Leben wird sie die Bastugatan verlassen. Er wird auch ein drittes Mal ohne Unterschrift von hier fortgehen müssen.

Aber noch sitzt er da, wo er sitzt. Das Trommeln seiner Finger auf den Unterlagen hallt in ihren Ohren wider. Sie wendet den Kopf ab und trotzt den Schmerzen, die diese Bewegung verursacht.

»Nur über meine Leiche«, zischt sie. »Vergessen Sie es, ich werde nicht unterschreiben, das habe ich Ihnen schon gesagt, und ich bleibe dabei.«

Er seufzt und schlägt mit einem der Papiere auf den Nachttisch. Zumindest versucht er es: Ein lächerliches Blatt Papier erzeugt kein besonders lautes Geräusch.

»Aber Doris, wie wollen Sie denn alleine zurechtkommen? Sagen Sie mir das mal.«

Sie sieht ihn an. Durchdringend. »Ich bin wunderbar zurechtgekommen, bevor das hier passiert ist. Und das werde ich auch wieder tun. Es ist nur ein Hüftbruch. Ich bin nicht gelähmt! Und auch nicht tot, zumindest noch nicht. Und wenn ich sterbe, dann wird dies weder hier noch im Blåklockan geschehen. Übrigens sollten Sie mir viel lieber Glück bei der Reha wünschen, anstatt hier zu sitzen und unser beider Zeit zu vergeuden. Geben Sie mir ein paar Wochen, dann werden Sie sehen, dass ich wieder gehen kann. Oder probieren Sie es selbst einmal aus, sich die Hüfte zu brechen und ein neues Gelenk verpasst zu bekommen, dann werden wir sehen, wie munter Sie in den Wochen danach herumhüpfen!«

»Es gibt schlimmere Orte als das Blåklockan. Ich musste den Leiter überreden, Sie aufzunehmen, normalerweise nehmen sie keine Patienten in Ihrem Zustand auf. Nutzen Sie diese Gelegenheit, Doris. Beim nächsten Mal haben Sie vielleicht nicht so viel Glück, dann werden Sie zwangseingewiesen.«

»Drohungen bringen nichts bei alten Leuten, das sollten Sie doch inzwischen am besten wissen, so oft wie Sie hier gewesen sind. Falls dem nicht so ist, dann haben Sie heute immerhin etwas Neues gelernt. Jetzt dürfen Sie gehen und jemand anderen belästigen. Ich will jetzt schlafen.«

»So sehen Sie das?« Seine Augenbrauen sind hochgezogen, der Mund ist nur ein schmaler Strich. »Dass ich Sie belästige? Ich will Ihnen wirklich nur helfen. Sie müssen verstehen, dass das nur zu Ihrem Besten ist. Dass Sie nicht alleine wohnen können. Sie haben niemanden, der Ihnen helfen kann.«

Als er endlich den Raum verlässt, laufen ihr die Tränen herunter, sie fließen in die Falten und suchen sich ihren Weg bis zum Mund. Sie schmeckt Salz auf ihren trockenen Lippen. Ihr Herz pocht noch immer heftig vor Wut. Sie hebt die Hand, die ganz blau ist von der Kanüle, und fährt sich damit übers Kinn. Dann starrt sie zur Wand. Sie wippt entschlossen mit dem Fuß, zehnmal vor und zurück. Genau wie die Krankengymnastin es ihr gezeigt hat. Dann versucht sie mit aller Kraft, den Fuß ein paar Millimeter anzuheben. Sie starrt auf den Oberschenkel, visualisiert die Ferse in der Luft. Einen kurzen Augenblick schafft sie es, dann liegt der Fuß wieder auf dem Kissen. Die Bewegung fordert ihre ganze Energie. Sie gestattet sich eine kleine Pause, dann macht sie mit der dritten Übung weiter. Sie presst das Kniegelenk aufs Bett, sodass sich der Muskel im Oberschenkel anspannt, lässt nach und wiederholt das Ganze. Die OP-Wunde schmerzt, aber die Hüfte bewältigt jetzt kleine Bewegungen, ohne zu sehr wehzutun.

»Wie geht es Ihnen, Doris? Wie fühlt sich das Bein an?« Eine Krankenschwester setzt sich auf die Bettkante und nimmt ihre Hand.

»Ganz gut. Keine Schmerzen«, lügt sie. »Morgen will ich aufstehen und ein bisschen laufen, zumindest will ich es versuchen. Kleine Schritte werde ich schon schaffen.«

»Das hören wir gerne«, sagt die Krankenschwester und streicht ihr über die Wange. Doris weicht der Berührung aus.

»Ich schreibe das in die Krankenakte, damit meine Kollegin morgen früh weiß, was Sie vorhaben.«

Und damit wird Doris wieder allein gelassen. Die Betten gegenüber bleiben in dieser Nacht leer. Sie fragt sich, wer wohl morgen kommen wird. Dann ist es Montag. Montag, Dienstag, Mittwoch. Sie rechnet mit den Fingern. Nur noch drei Tage, bis sie wieder mit Jenny sprechen kann.

Das rote Adressbuch

A. ALM, AGNES

Eine Wohnung in der Nähe der großen Markthallen. Ein Zimmer mit Küchennische. Bad und Toilette draußen auf dem Hof. Es war nicht das beste Wohnviertel, aber es war unsere Wohnung, in der wir ganz für uns sein konnten. Agnes und ich. Wir schliefen zusammen in einem kleinen Bett. Das Knarren, wenn sich eine von uns nachts umdrehte, wurde mit der Zeit zu einer Melodie. Ich kann sie noch immer hören, wenn ich die Augen schließe. Sogar kleinste Bewegungen brachten die rostigen Federn und den schiefen Eisenrahmen zum Schaukeln. Manchmal fürchtete ich sogar, dass das Ganze zusammenbrach.

Agnes war entzückend. Dieses Wort beschreibt sie am besten. Immer hilfsbereit und verständnisvoll. Aber auch schweigsam und mitunter ein wenig traurig. Nachts wälzte sie sich im Schlaf hin und her und wimmerte, während ihr die Tränen über die Wangen liefen, ohne dass sie davon aufwachte. Sie schmiegte sich dann nur ganz eng an mich. Wenn ich auswich, rutschte sie hinterher, bis ich nur noch auf einem schmalen Streifen lag.

An einem Morgen, wir saßen zusammen mit einem Becher Tee auf unserem Bett, begann Agnes ihre Geschichte zu erzählen. Und ich verstand auf einmal viel mehr. Sie hatte ein furchtbares Leben hinter sich gelassen. Ein Leben, das auch ich hätte führen müssen, wenn ich geblieben wäre. Sie waren so arm gewesen, dass sie nichts zu essen hatten. Agnes konnte auch nicht zur Schule gehen. Schließlich wurden sie aus der Wohnung geworfen und mussten die letzten Monate bei der Nachbarin, bei Anna Christina verbringen.

»Mama hat fürchterlich gehustet«, erzählte sie. Ihre Stimme war so leise, dass sie kaum zu hören war. »Sie hat Blut gehustet, dunkles, schleimiges Blut. Wir haben zusammen in der Küche geschlafen, und ich konnte spüren, wie sich ihr Körper bei jedem Hustenanfall vor Schmerzen gekrümmt hat.«

»Warst du bei ihr, als sie starb?«, fragte ich.

Sie nickte.

»Was hat sie gesagt? Hat sie noch etwas gesagt?«

»Ich wünsche dir von allem genug...« Agnes verstummte.

Ich nahm ihre Hand, wir schlangen unsere Finger ineinander.

»Das haben wir jetzt. Von jedem Mist genug. Findest du nicht auch?«

Darüber konnten wir lachen. Vertraut, wie das nur Schwestern können. Obwohl wir einander kaum kannten.

Den ersten Sommer mit Agnes werde ich nie vergessen. Jenny, wenn du einen Menschen richtig gut kennenlernen willst, musst du mit ihm das Bett teilen. Es gibt nichts Entwaffnenderes, als sich spätnachts eng aneinanderzukuscheln. Dann bist du der, der du bist, ohne Ausreden, ohne Entschuldigungen. Ich danke dem rostigen Eisenbett dafür, dass wir dadurch wieder zu Schwestern wurden. Schwestern, die alles teilten.

An den Tagen, an denen ich nicht arbeitete, liefen wir durch die Straßen von Paris. Wir trugen Hüte und Handschuhe zum Schutz gegen die Sonne. Wir sprachen französisch miteinander. Die Worte, die sie lernte, fanden wir in den Straßen. *Auto, Fahrrad, Kleid, Hut, Bordstein, Buch, Café*. Es wurde ein Spiel. Ich zeigte auf etwas und sagte das Wort auf Französisch, und sie wiederholte es. Wir suchten überall nach neuen Wörtern. Sie lernte schnell und freute sich auf die Schule. Und ich durfte ein paar wunderbare Schritte durch die Kindheit mitlaufen, nachdem ich sie selbst viel zu früh verloren hatte.

Dann erhob sich der Sturm. Das Drohgespenst namens Krieg, von dem in jedem Café geflüstert wurde, nahm Gestalt an, und im September 1939 wurde es Realität. Der Zweite Weltkrieg brach aus. Die Hitze hing so schwer über Paris wie die Sorge darüber, was folgen würde. Frankreich wurde zuerst verschont, das Leben in der Stadt ging weiter, als wäre nichts geschehen, aber es war, als hätte jemand das Lächeln der Menschen gestohlen. *Soldat* und *Gewehr* waren zwei der neuen Wörter, die Agnes und ich auf den Straßen fanden. Plötzlich gab es auch weniger Arbeit für mich. Die Modehäuser sparten, was für uns zu einer ökonomischen Katastrophe führte. Sogar die Kaufhäuser beschäftigten keine Mannequins mehr. Agnes ging weiterhin jeden Tag zur Schule, während ich darauf wartete, dass das Telefon wieder anfing zu klingeln; dass die Aufträge kamen, an die ich mich gewöhnt hatte. Schließlich fing ich an, mich nach anderen Jobs umzusehen, aber niemand wollte mich einstellen. Weder der Metzger noch der Bäcker noch die aristokratischen Familien. Ich hatte noch etwas an Erspartem, aber es schmolz immer mehr dahin.

Wir besaßen ein altes Radio aus dunklem Holz mit goldenem Stoff und goldgefärbten Knöpfen. Das schalteten wir jeden Abend ein. Die Beiträge wurden immer brutaler, die Rede war von Hunderten von Todesfällen. Der Krieg war so nah und fühlte sich doch so fern an. Agnes hielt sich die

Ohren zu, aber ich zwang sie zuzuhören. Sie sollte wissen, was vor sich ging.

»Bitte, liebe Doris, schalt das aus, ich bekomme so schreckliche Bilder davon im Kopf, die ich nicht wieder loswerde«, sagte sie.

Einmal sprang sie auf und rannte aus der Wohnung. Da hatte der Nachrichtensprecher mitgeteilt, dass die Deutschen Warschau eingenommen und den polnischen Widerstand gebrochen hatten.

Ich fand sie im Hinterhof, sie hatte sich beim Feuerholz verkrochen. Die Arme um die Beine geschlungen, starrte sie vor sich auf den Boden. Vom Dach gurrten die Tauben. Sie waren überall und färbten mit ihrem Kot die Steine weiß.

»Für dich sind es vielleicht nur Zahlen«, fauchte sie. »Aber die reden von Menschen. Menschen, die gelebt haben und jetzt tot sind. Begreifst du das überhaupt?«

Die letzten Worte hatte sie vorwurfsvoll geschrien, als würde ich das Ausmaß des Wortes *tot* nicht kennen. Ich hockte mich neben sie.

»Ich will nicht sterben«, schluchzte sie und legte ihren Kopf auf meine Schulter. »Ich will nicht sterben. Ich will nicht, dass die Deutschen nach Paris kommen.«

Das rote Adressbuch

S. SMITH, ALLAN

Eines Tages kam Agnes mit einem Umschlag nach Hause. Er war einmal weiß gewesen, aber inzwischen war er ganz vergilbt, schmutzig und voller Stempel, Briefmarken, Aufklebern und durchgestrichenen Adressen. In dem Umschlag steckte ein Brief aus Amerika.

Es war über ein Jahr her, dass er Paris überstürzt verlassen hatte. Aber jetzt, mitten in der großen Angst vor dem Krieg, hatte er einen Brief geschrieben. Als habe er endlich meine Trauer darüber gespürt, ihn verloren zu haben. In dem Umschlag befanden sich eine Broschüre über Reisemöglichkeiten nach New York und ein Bündel Dollarscheine. Und dann die Worte, die sich für immer in mein Gedächtnis brannten.

Darling Doris, meine schönste Rose.
Ich musste Paris überstürzt verlassen und konnte mich nicht mehr von dir verabschieden. Verzeih mir. Mein Vater kam und holte mich, weil meine Mutter mich brauchte. Ich hatte keine Wahl.
Komm zu mir. Ich brauche dich. Komm über den Atlantik, damit ich dich wieder in meinen Armen halten kann. Ich werde dich für immer lieben. Komm so schnell du kannst. Ich schicke dir alles, was du brauchst. Ich werde für dich da sein, wenn du ankommst.
Bald sehen wir uns wieder. Ich vermisse dich so sehr.

Der Absender war Allan Smith.

Ich las den Brief wieder und wieder. Zuerst wurde ich wütend, darüber, dass er so lange gewartet hatte, bis er mir schrieb. Aber dann kam die Freude. Es fühlte sich an, als hätte ich mein Leben zurückgewonnen. Die Traurigkeit ließ mich aus ihren Fängen. Er lebte, es war nicht meine Schuld, er liebte mich.

Ich las Agnes die Zeilen vor.

»Wir fahren!«, rief sie mit ernstem Blick und einer tiefen Falte zwischen den Augenbrauen. »Warum sollen wir hierbleiben und auf den Krieg warten?«

Es ging das Gerücht um, dass die Deutschen Gefangene nahmen. Sie von zu Hause abholten und ihnen alles nahmen, was von Wert war. Wir wussten nicht, was dann mit ihnen geschah, aber Agnes hatte Angst. Die vielen schrecklichen Geschichten, die sie in der Schule hörte, erschreckten sie.

An den Abenden darauf saßen wir in der Küche und planten unsere Reise. Agnes war fest entschlossen. Sie wollte Paris verlassen. War überwältigt von ihrer Angst. Der Beschluss war schnell gefasst. Wir wollten beide fort. Meine Triebkraft war allerdings die Sehnsucht und nicht die Angst. Ich verkaufte den Großteil meiner Kleider, Hüte und Schuhe und alle Möbel und Gemälde. Was noch übrig war, packten wir in zwei Koffer, zusammen mit Briefen, Fotos und Schmuck. Ich leerte mein Konto und sammelte eine hohe Summe in Scheinen in einer Pralinendose aus Blech, die mir Allan geschenkt hatte. Die hatte ich immer in meiner Handtasche.

Wieder einmal hatte ich mein ganzes Leben zusammengepackt, aber diesmal war ich erwachsen. Ich fühlte mich sicher und war voller Hoffnung. Meine Familie war bei mir, und Allan und ich würden bald wieder vereint sein.

Das rote Adressbuch

J. JENNING, ELAINE

Es war ein regnerischer und grauer Novembertag im Jahr 1939. Ich trug meinen roten Mantel, den weichen aus Kaschmir. Er hob sich von den zahllosen schwarzen, grauen und braunen Mänteln ab. Um den Kopf hatte ich einen grauen Schal gewickelt, und als ich die Landebrücke hochging, verließ ich Europa und meine Karriere mit Anmut. Ich war noch immer das Mannequin Doris. Der Kai war voll von Menschen mit und ohne Fahrschein. Einige von ihnen erkannten mich von den farbigen Bildern in den Zeitschriften, sie flüsterten miteinander und zeigten auf mich. Andere waren vollauf damit beschäftigt, sich tränenreich von ihren Geliebten zu verabschieden. Fast oben angekommen drehte ich mich um und winkte der Welt zu, als wäre ich ein Filmstar. Es winkte niemand zurück. Agnes stieg auf das Schiff, ohne sich einmal umzudrehen. Für sie war Paris eine Zwischenstation gewesen, die schnell zu einer vagen Erinnerung verblassen würde. Für mich war Paris eine Zeit, die ich für immer in mir tragen würde. Als unser Schiff Genua verließ, als eines der letzten, die von dort auslaufen durften, betrachtete ich traurig die Küste durch das runde Fenster der Kabine.

Die *SS Washington* war ein langes, schönes Schiff. Wir bekamen eine große Kabine mit Salon und Doppelbett. Das Bett knarrte nicht, und die Matratze hing nicht in der Mitte durch, sodass wir beide Platz hatten. Trotzdem konnten wir beide in der ersten Nacht nicht schlafen.

»Sag mir, dass er gut aussieht. Und reich ist. Erzähl mir alles! Oh, das ist so romantisch ...«, flüsterte Agnes.

Ich wusste nicht, was ich antworten sollte. Ich konnte sein Gesicht vor mir sehen, wenn ich die Augen schloss. Ich erinnerte mich genau an seinen Geruch, den ich bei jeder Umarmung eingeatmet hatte. Aber ich wusste eigentlich fast nichts über ihn. Es war viel zu viel Zeit verstrichen.

»Er ist Architekt und Visionär. Er hat so viele merkwürdige Ideen, aber du wirst ihn mögen, denn er lacht viel.«

»Aber sieht er denn gut aus?« Agnes kicherte, und ich warf ihr mein Kissen ins Gesicht. Sie bestürmte mich mit Fragen. Ich erzählte alles, an das ich mich erinnern konnte. Davon, wie wir uns kennengelernt hatten, von seiner Impulsivität, von seiner Freude, von seiner Leidenschaft. Von seinen grünen Augen. Von seinem Lächeln.

Ich fragte mich selbst, warum er mir schließlich doch geschrieben hatte. Warum erst jetzt und nicht früher? Hatte er von dem aufkommenden Krieg gehört? Aber obwohl ich nach seinem plötzlichen Verschwinden so viele Tränen geweint hatte, empfand ich nun nur noch Hoffnung und Liebe, weil ich wusste, dass er noch immer an mich dachte. Ich war von einer tiefen Sehnsucht erfüllt.

Bevor wir auf das Schiff gingen, steckte ich zwei Briefe ein. Einen Abschiedsbrief an Gösta mit einer letzten intensiven Momentaufnahme von Paris und einen an Allan mit Einzelheiten zu unserer Ankunft. Bald würden wir uns wiedersehen. Ich malte mir die ganze Szene aus wie in einem Film. Er würde am Kai stehen und warten, wenn wir an Land gingen, würde seine dicke Jacke tragen, und seine Haare würden vom Wind zerzaust sein. Ich trug meinen eleganten roten Mantel. Sobald er mich entdeckte, würde er übers ganze Gesicht lachen und winken. Ich würde auf ihn zurennen, mich ihm in die Arme werfen und ihn küssen. Meine Fantasie wuchs mit jeder wogenden Nacht. Genau wie meine Nervosität.

Die Tage auf dem Meer waren gefüllt mit Aktivitäten, geplant bis ins kleinste Detail von einer begeisterten Besatzung: Tontaubenschießen, Bowling, Tanz, Rätselraten. Wir lernten viele neue Freunde kennen. Vor unserer Abfahrt hatte ich der englischen Sprache keine Beachtung geschenkt; bei der impulsiven Entscheidung war es nur um die Liebe gegangen, überhaupt nicht um Sprache. Ich konnte nur wenige Worte auf Englisch und Agnes kein einziges. Zum Glück begegneten wir Elaine Jenning, einer älteren amerikanischen Dame, die französisch sprach, sie war unser rettender Engel. Sie gab uns jeden Tag Sprachlektionen im Speisesaal. Wir spielten mit Elaine dieselben Wortspiele wie Agnes und ich zuvor in den Straßen von Paris. Wir zeigten auf Dinge, sie sagte das Wort auf Englisch, und wir sprachen es nach. Bald konnten wir die englischen Begriffe für alle Gegenstände auf dem Schiff. Sie genoss es, jemandem ihre Muttersprache beizubringen, wog jedes Wort auf der Zunge und sprach es sehr deutlich aus, damit wir ihr leichter folgen konnten.

Elaine war frischgebackene Witwe. Ihr Mann hatte als Vertreter gearbeitet, und gemeinsam hatten sie überall auf der Welt gelebt, die letzten zehn Jahre in Frankreich. Wie ich hatte sie Erfahrung mit dem Flair des Pariser Lebens gesammelt. Sie trug maßgeschneiderte Kleider und Perlenketten. Manchmal redete ich mir ein, sie im Kaufhaus gesehen zu haben; dass sie eine der Damen gewesen war, die an meinen Kleidern gezupft hatten, auf der Suche nach etwas, das sie noch eleganter aussehen ließ. Der weiße Puder klumpte in ihren Falten, wenn sie schwitzte, und sie benutzte ein besticktes Taschentuch, um ihn wegzuwischen, was dafür sorgte, dass ihre Haut ständig gestreift war. Ihr Haar war sorgfältig zu einem glatten silbergrauen Knoten im Nacken zusammengesteckt. Ab und zu schob sie mit einer Hand die Haarnadeln zurück, die dem Gewicht nachzugeben drohten. Wir waren sehr gern mit ihr zusammen. Sie gab uns Sicherheit auf dem Ozean, unterwegs vom Vertrauten ins Unbekannte.

Die meisten Passagiere waren auf dieser Reise, weil sie vor etwas flohen. Elaines Reise führte sie nach Hause. In ein Leben, das sie vor über dreißig Jahren hinter sich gelassen hatte.

Das rote Adressbuch

S. SMITH, ALLAN

Agnes und ich standen unter einem schwarzen Regenschirm auf dem Deck und starrten staunend auf die Wolkenkratzer, die sich in den grauen Himmel reckten. Es herrschte Nebel, und es regnete, die feinen Tropfen fielen dicht und stoben mithilfe des Windes unter den Schirm. Ich zog den Kragen des roten Mantels enger, bohrte das Kinn in den Schal. Neigte den Regenschirm leicht, um uns zu schützen, aber Agnes richtete ihn entschieden wieder gerade. Wir durften nicht das kleinste Detail bei unserer Einfahrt in den Hafen verpassen. Sie schrie auf, als sie die Freiheitsstatue erblickte, das mächtige Geschenk von Frankreich. Die Statue sah zu uns herüber, die Fackel hoch in die Luft gereckt, und in diesem Augenblick war ich mir ganz sicher, dass wir ein gutes Leben in Amerika haben würden. Trotzdem musste ich mehrmals auf die Toilette. Agnes lachte mich aus, als ich nach dem vierten Besuch zurückkam.

»Du bist nervös, hm?«, lachte sie, ohne den Blick von der Küste zu wenden.

Ihr Kommentar machte es kaum besser, und ich schnaubte. »Natürlich bin ich nervös, ich habe ihn so lange nicht gesehen. Was, wenn ich ihn nicht wiedererkenne?«

»Geh einfach ganz langsam. Und lächle. Tu so, als wüsstest du, wohin du musst. Dann wird sich alles von selbst regeln.«

»Indem ich langsam gehe und lächle? Hast du das von Mama gelernt? Sie hatte ja immer so komische Ideen.«

Agnes lachte. »Ja, das und ›sei stark‹. Das war ihr Lieblingsspruch.«

Ich lachte auch, aber als wir endlich das Schiff verlassen durften, tat ich genau das, was sie mir geraten hatte. Wir verabschiedeten uns von Elaine und umarmten sie lange. Sie drückte mir einen Zettel in die Hand, auf dem in schnörkeligen Buchstaben eine Adresse stand.

»Wenn ihr je Hilfe braucht, wisst ihr, wo ihr mich findet«, flüsterte sie uns zu.

Nachdem wir uns auch von den anderen Passagieren, die wir kennengelernt hatten, mit Wangenküssen verabschiedet hatten, schritt ich die schmale Landebrücke langsam in meinem roten Mantel hinab. Er würde mich sofort sehen können. Ich lächelte, wohl wissend, dass ich beobachtet wurde.

Wir blieben kurz stehen, nachdem wir den Zoll durchquert hatten. Überall standen Menschen, die auf jemanden warteten. Die Minuten, die dann folgten, fühlten sich wie Stunden an. Von allen Seiten waren Worte und Satzfragmente in Sprachen zu hören, die wir nicht verstanden. Wir setzten uns auf unsere Koffer, die ein Träger vom Schiff gebracht hatte. Eisig kalte Windböen fuhren durch unsere Nylonstrumpfhose und unter unsere Röcke. Ich zitterte. Agnes starrte jeden Menschen an, der an uns vorbeiging. Sie hatte Hoffnung in ihren blauen Augen. Ich hatte Tränen in meinen. Keiner von ihnen war Allan.

Es war fast eine Stunde verstrichen, als ein Mann in einem dunklen Anzug auf uns zukam. Er trug eine Schirmmütze, die er abnahm, als er uns ansprach.

»*Miss Alm? Miss Doris Alm?*«, fragte er. Ich sprang vom Koffer auf.

»*Yes, yes*«, antwortete ich eifrig. Ich hielt ihm das einzige

Foto hin, das ich von Allan hatte; das Bild im Medaillon. Ich trug es oft um den Hals, hatte es aber noch nie jemandem gezeigt. Agnes beugte sich neugierig vor.

»Warum hast du mir nicht gesagt, dass du ein Foto von ihm hast?! Aber das hier ist nicht Allan«, sie deutete auf den Mann, der vor uns stand, »wer ist das?«

Er murmelte etwas auf Englisch. Aus der inneren Tasche seines Anzugs fischte er ein Kuvert, das er mir hinhielt. Ein paar Zeilen auf Französisch.

Liebe Doris.
Mit Bestürzung habe ich deinen Brief erhalten. Ich weiß nicht, was dich hierherführt, nachdem über ein Jahr vergangen ist. Meine liebe Doris, warum kommst du erst jetzt? Ich habe monatelang auf dich gewartet. Vergeblich. Ich war gezwungen hierzubleiben, meine Mutter war schwer krank, und ich konnte sie nicht zurücklassen.
Irgendwann habe ich die Hoffnung aufgegeben. Ich dachte, du hättest mich vergessen. Ich bin jetzt verheiratet und kann dich leider nicht treffen. Mein Chauffeur wird dich zu einem Hotel bringen, in dem auf deinen Namen ein Zimmer reserviert ist. Dort kannst du zwei Wochen lang auf meine Kosten wohnen. Wir können uns nicht sehen. Es tut mir so furchtbar leid. A.

Ich wurde ohnmächtig.

Agnes schlug mir mit der flachen Hand auf die Wangen.

»Doris, du musst dich zusammenreißen! Wir brauchen ihn nicht. Wir sind vorher zurechtgekommen, und du hast dich in all den Jahren auch allein durchgeschlagen. Lass deinen Traum ziehen, und steh auf.«

Ich bekam keine Luft und spürte einen schweren Druck auf der Brust. War das alles, was er jetzt noch für mich war? Ein Traum? Agnes half mir auf. Sie musste mich auf dem Weg zum Wagen des Mannes stützen. Ich erinnere mich nicht an die Fahrt. An keine Straßenbilder, keine Menschen, keine Gerüche und keine Worte. Ein ganzes Jahr war vergangen, seit er den Brief geschickt hatte. Ich hätte das sofort sehen müssen, an dem vergilbten Papier und den durchgestrichenen Adressen. Wenn ich früher gekommen wäre, wäre ich jetzt mit ihm verheiratet. Nun gab es eine andere Frau an seiner Seite. Ich spürte, wie sich mein Magen zusammenzog. Ich wollte mich übergeben.

Agnes und ich lagen eng aneinandergeschmiegt in dem großen, weichen Hotelbett und versteckten uns vor der furchteinflößenden Welt dort draußen. Wir waren erneut in einem Land mit einer fremden Sprache. Wir hatten keine Pläne und viel zu wenig Geld. Wir konnten auch nicht zurück. Wir hatten ein Europa im Krieg hinter uns gelassen.

Vor dem Fenster des Hotelzimmers, nur dreißig Zentimeter entfernt, befand sich die aus Ziegeln bestehende Fassade des Nachbarhauses. Ich starrte darauf, bis die Ränder verschwammen. Am vierten Tag stand ich auf. Ich wusch mich und puderte mein Gesicht, trug roten Lippenstift auf und zog mein schönstes Kleid an. Dann trat ich hinaus auf die Straßen der Stadt, in denen es vor Leben und Stimmen nur so wimmelte. Mit meinem gebrochenen Englisch brachte ich in Erfahrung, wo die Kaufhäuser der umliegenden Viertel lagen. Ich stattete einem nach dem anderen einen Besuch ab, aber die Mannequins waren anders dort. Sie hatten eher die Funktion von Animierdamen, unterhielten sich mit den

Kunden, führten sie herum. In Paris hatte niemand von uns etwas sagen müssen, genau genommen hatten wir nicht einmal die Erlaubnis zu reden. Hier wurde von den Mannequins erwartet, die Kleider nicht nur zu zeigen, sondern auch zu verkaufen.

Nachdem ich straßauf, straßab herumgewandert war, gelang es mir schließlich, mir eine Stelle auf Probe zu ergattern, zumindest für einen Tag, bei Bloomingdale's. Ich landete im Lager. Dort sollte das gefeierte Pariser Mannequin Waren auspacken und mit seinen feinen Fingern und roten Nägeln Kleider bügeln. Aber ich war fest entschlossen, die Arbeit zu behalten und bleiben zu dürfen. Jetzt fehlte nur noch eine Wohnung.

~ 12 ~

Der Mann ist zurück an ihrer Seite und ihr Gesicht weiterhin genauso stur zur Wand gerichtet wie zuvor.

»Sie können hier nicht länger liegen bleiben, Doris. Und Sie können nicht nach Hause fahren. Deshalb müssen wir Sie in einem Pflegeheim unterbringen. Meinetwegen erst einmal vorübergehend, aber in Ihrem jetzigen Zustand kommen Sie allein nicht zurecht. Die Krankenschwester hat mir berichtet, dass Sie heute versucht haben zu laufen, aber dass es nicht geklappt hat. Wie wollen Sie dann in Ihrer Wohnung leben? Ganz alleine?«

Sie starrt weiter stumm an die Wand. Man hört nur das schwache Piepen eines Alarms draußen im Flur und die gedämpften Geräusche von den Schritten der Krankenschwestern.

»Es würde sich viel besser anfühlen, wenn wir über das alles reden könnten, Doris. Wenn Sie versuchen würden, mich zu verstehen. Ich weiß, dass Sie es gewohnt sind, alleine zurechtzukommen, aber jetzt hat Ihr Körper aufgegeben. Das ist schwer, ich verstehe das.«

Sie dreht den Kopf langsam herum und funkelt ihn an.

»Sie verstehen das? Was genau verstehen Sie? Wie trübselig es ist, in diesem Bett zu liegen? Wie es sich anfühlt, sich nach Hause zu sehnen? Wie groß die Schmerzen in meiner Hüfte sind? Oder verstehen Sie vielleicht, was ich will und was ich nicht will? Ich finde, es würde sich viel besser anfühlen, wenn Sie weggehen würden. Einfach weg. Pfff«, faucht sie wütend. Die Lippen sind zusammengepresst, sie spürt, wie sich die Haut am Kinn spannt. Die Bettdecke hat sich um ihren Körper gewickelt, sie unternimmt einen Versuch, sie über die Beine zu ziehen, aber der Schmerz gebietet ihren Bewegungen Einhalt. Der Mann erhebt sich und betrachtet sie schweigend. Sie spürt seinen Blick und weiß, was er denkt. Dass sie eine sture alte Ziege ist, die nie wieder alleine zurechtkommen wird. Dann soll er das doch denken. Aber er kann sie zu nichts zwingen, das wissen sie beide. Sie will, dass er verschwindet, und als hätte er ihre Gedanken gelesen, geht er wortlos. Sie hört das Geräusch von Papier, das zerrissen wird. Das Formular landet erneut im Papierkorb, das Ergebnis seines Zorns. Sie lächelt. Ein vierter kleiner Sieg.

S. SMITH, ALLAN

Es war Tag fünf in New York. Wir mussten an unsere Zukunft denken, aber wir hatten keine Idee, wie wir in dem neuen Land überleben sollten. Uns beide überfiel großes Heimweh. Ich sehnte mich nach den vertrauten Straßen von Paris, und Agnes sehnte sich nach Stockholm. Wir vermissten all die Menschen, die wir zurückgelassen hatten. Ich schrieb an Gösta. Klagte, wie ich nur ihm gegenüber klagen konnte. Bat ihn um Hilfe, obwohl ich wusste, dass er uns diese nicht würde geben können.

Ich machte mich auf zu Bloomingdale's und meinem ersten Arbeitstag im Lager. Ich war vorbereitet auf einen scharfen Kontrast zu der Arbeit, die in Paris für mich Alltag gewesen war. Hier konnte ich nicht über die Dinge hinweglächeln. Ich ließ Agnes in Gesellschaft von einigen Ermahnungen in dem kleinen Raum zurück: *Verlass das Zimmer nicht, mach die Tür nicht auf, sprich mit niemandem.*

Von überall drangen Geräusche auf mich ein. Und fremde Worte. Menschen schrien, Autos hupten. Es gab viel mehr Autos als in Paris. Dampf stieg aus den Gullys auf, als ich die wenigen Blöcke bis zum Kaufhaus zurücklegte. Ich ging um sie herum, traute mich nicht daraufzutreten.

Der Mann, der mich empfing, sprach sehr schnell. Er zeigte, gestikulierte, nickte, lächelte, redete. Und runzelte die Stirn, als ihm schließlich aufging, dass ich ihn nicht verstand. Seine Aussprache war meilenweit von Elaines deutlicher Artikulation entfernt. Wenn man eine Sprache nicht beherrscht, wird man ganz unten in der Hierarchie eingeordnet, und dort war ich gelandet. Ich entschuldigte mich für mein Unwissen, indem ich den Kopf senkte.

Vor meiner ersten Schicht war ich stark und zuversichtlich gewesen, aber im Laufe der Tage wurden meine Schritte schwerer, und meine Schultern schmerzten höllisch vom vielen Heben. Ich durfte ein paar Tage weitermachen, aber dann schüttelte der Chef den Kopf und zahlte mir den Lohn in bar aus. Die sprachlichen Mängel waren zu eklatant, ich verstand die Arbeitsaufgaben falsch. Ich protestierte, aber er schüttelte nur den Kopf und zeigte auf die Tür. Wo sollten wir jetzt hin? Uns blieben nur noch drei Nächte. Auf dem Rückweg zum Hotel wurde ich immer verzweifelter. Wo sollten wir wohnen, wie sollten wir es schaffen, uns ein Leben in diesem neuen Land aufzubauen?

Ich erkannte das zerzauste braune Haar schon von Weitem. Ich blieb wie angewurzelt stehen und starrte ihn an, ließ die Menschen an mir vorbeihasten. Er saß auch vollkommen reglos da, obwohl er mich schon längst gesehen hatte. Die Nähe zwischen uns war so stark, es war, als würde mich ein Magnet zu ihm ziehen. Als er sich schließlich von den Stufen vor dem Hotel erhob, fing ich an zu laufen. Ich warf mich ihm in seine Arme und weinte wie ein verlassenes Kind. Er erwiderte meine Umarmung und küsste alle Tränen weg. Doch dann wich die große Freude dem Zorn. Ich fing an, ihm mit geballten Fäusten auf die Brust zu schlagen.

»Wo bist du gewesen?! Warum hast du mich verlassen?! Warum bist du fortgegangen?!«

Er stoppte mich, indem er mich an den Handgelenken

packte. »Beruhige dich«, sagte er, und sein Französisch war Musik in meinen Ohren, »beruhige dich, ma chérie. Meine Mutter ist krank geworden, das habe ich dir doch geschrieben.« Er flüsterte in mein Haar. »Ich musste bei ihr bleiben und habe dir sofort geschrieben, als ich hier ankam.« Er hielt mich eng umschlungen.

»Es tut mir leid, oh, es tut mir so leid, Allan... Geliebter. Ich habe den Brief erst vor Kurzem bekommen...«

Er strich mir beruhigend mit der Hand über den Kopf. Ich vergrub mein Gesicht in seinem Jackett, atmete seinen Geruch ein. Es war genau wie damals. So viele Erinnerungen. So viel Geborgenheit.

Er war nur anders gekleidet, als ich es gewohnt war. Sein Nadelstreifenanzug hatte die passende Größe. Gar nicht wie seine Kleidung in Paris. Ich strich mit der Hand über das Jackett.

»Nimm mich mit hoch auf dein Zimmer«, flüsterte er.

»Ich kann nicht, ich habe meine Schwester dabei. Sie kam zu mir nach Paris, nachdem du gefahren bist, und sie ist jetzt da oben.«

»Wir nehmen ein anderes Zimmer. Komm!«

Er nahm mich bei der Hand und zog mich durch die Eingangstür. Der Portier nickte uns zu, als er mich erkannte, und widmete Allan seine volle Aufmerksamkeit. Er bekam einen Schlüssel in die Hand gedrückt, und wir taumelten in den Aufzug. Als wir darin standen, nahm er meinen Kopf zwischen seine warmen Hände, und unsere Lippen trafen sich. Es war einer dieser Küsse, bei denen die Zeit stehen bleibt. Davon habe ich in meinem Leben nicht viele erlebt. Als wir ins Zimmer kamen, trug er mich zum Bett, ließ mich vorsichtig darauf sinken und drückte sich gegen mich. Er knöpfte meine Bluse auf und strich sanft über meine nackte

Haut, küsste mich. Wir liebten uns, und es fühlte sich an, als würden wir eins werden.

Danach lagen wir still da und atmeten im Gleichtakt. Wir waren einander so nah. Noch heute schlägt mein Herz besonders stark, wenn ich daran denke, wie ich mich fühlte. Wie glücklich ich war, als ich dort in seinen Armen einschlief.

Als ich schließlich aufwachte, war es dunkel. Er lag wach neben mir, die Hände hinter dem Kopf verschränkt. Ich schob mich näher heran, legte meinen Kopf auf seine Brust.

»Ich fahre morgen früh zurück nach Europa«, flüsterte er, streichelte langsam meinen Rücken und küsste mich zärtlich auf die Stirn.

Ich schaltete die Lampe ein und sah ihn an.

»Entschuldige, was hast du gesagt? Nach Europa? Aber das geht nicht, dort herrscht Krieg. Weißt du das nicht?«

»Ich fahre wegen des Krieges. Ich bin hier aufgewachsen, aber ich bin französischer Bürger, es ist meine Pflicht, dort zu sein. Meine Mutter war Französin, und ich wurde dort geboren, ich habe meine Wurzeln dort. Ich kann meine Familie nicht im Stich lassen, mein eigenes Blut. Sie zählen auf mich.«

Er starrte düster an die Wand. Der intensive Blick, den seine Augen sonst ausstrahlten, war erloschen, jetzt sah ich nur noch Traurigkeit.

Flüsternd stieß ich hervor: »Aber ich liebe dich doch.«

Er stieß einen tiefen Seufzer aus, setzte sich auf die Bettkante, legte die Ellbogen auf die Knie und stützte die Stirn auf seine Hände. Ich kroch zu ihm und küsste ihn auf den Nacken. Schlang meine Beine um seine Hüfte.

»Du musst ohne mich zurechtkommen, Doris. Wenn ich zurückkomme, werde ich noch immer verheiratet sein.«

Ich lehnte mein Gesicht gegen seinen Rücken. Küsste die warme Haut. »Aber ich liebe dich, hörst du nicht? Ich bin deinetwegen hierhergekommen. Ich wäre früher gekommen, aber der Brief hat mich zu spät erreicht. Ich dachte, du hättest mir wegen des Krieges geschrieben. Agnes und ich sind so schnell aufgebrochen, wie wir konnten.«

Er löste sich aus meiner Umarmung, stand auf und begann, sein Hemd zuzuknöpfen. Ich streckte die Hände nach ihm aus und flehte ihn an, wieder zu mir zu kommen. Er beugte sich vor und küsste mich. Ich konnte sehen, wie sich seine Augen mit Tränen füllten. Dann ließ er mich los und zog seine restlichen Sachen an.

»Du wirst immer in meinem Herzen sein, geliebte Doris.«

Ich stieg aus dem Bett und versuchte, ihn festzuhalten. Ich war ganz nackt, und ich erinnere mich, dass er erst meine eine Brust küsste und danach die andere, sich dann aber abwandte. Er holte ein Bündel Geldscheine aus seinem Portemonnaie. Ich schüttelte entsetzt den Kopf.

»Bist du verrückt? Ich will dein Geld nicht. Ich will dich!«

»Nimm das Geld, du wirst es brauchen.« Seine Stimme klang entschlossen, aber ich konnte hören, wie er seine Tränen unterdrückte.

»Wann musst du los?«

»Jetzt. Ich muss fort. Pass auf dich auf, mein Schatz. Meine schönste Rose. Lass dich nie vom Leben oder von den Umständen unterkriegen. Du bist stark. Steh gerade, sei stolz.«

»Wir sehen uns doch wieder? Bitte, sag mir, dass wir uns bald wiedersehen.«

Er antwortete nicht auf meine Frage, und ich habe all die Jahre, die seitdem vergangen sind, darüber nachgedacht, was ihm in diesem Moment durch den Kopf ging. Wie schaffte er es, so kühl zu bleiben? Wie konnte er gehen? Wie brachte es seine Hand fertig, die Tür hinter sich zu schließen?

Ich blieb zurück. In einem zerwühlten Bett, das nach Schweiß und Liebe roch.

Das rote Adressbuch

J. JENNING, ELAINE

Jeder Mensch erfährt Rückschläge in seinem Leben. Sie verändern uns. Manchmal merken wir es, andere Male geschieht es, ohne dass wir uns dessen bewusst sind. Aber der Schmerz ist die ganze Zeit da, ganz tief im Herzen verborgen, wie geballte Fäuste, stets bereit auszubrechen. In Tränen und Zorn. Oder im schlimmsten Fall in Gefühlskälte und Abweisung.

Noch heute ist es so, dass ich mir jedes Mal, wenn ich ein Fernsehprogramm sehe oder jemanden über den Zweiten Weltkrieg reden höre, vorstelle, wie er starb. Ich habe vor meinem inneren Auge gesehen, wie er von Kugeln durchsiebt wurde, habe das Blut in alle Richtungen spritzen und ihn vor Verzweiflung und Schrecken schreien sehen. Ich habe ihn über Felder rennen sehen, auf der Flucht vor einem Panzer, der ihn schließlich überfuhr und im Schlamm liegend zurückließ. Ich habe gesehen, wie er über Bord gestoßen wurde und ertrank. Wie er erfror, einsam und verängstigt, tief unten in einem Schützengraben. Wie er in einer dunklen Gasse von SS-Soldaten erstochen wurde. Ich weiß, dass es eine sehr sonderbare Angewohnheit ist, aber diese Bilder kommen immer wieder. Ich kann es nicht verhindern. Sein Schatten hat mich mein ganzes Leben lang verfolgt.

Diese Nacht hat sich auf ewig in mein Gedächtnis gegraben.

Mein Geliebter... Wir waren füreinander bestimmt, und doch nicht. Dieser Gedanke bringt mich noch heute zur Verzweiflung.

Nachdem Allan die Tür hinter sich zugezogen hatte, saß ich noch lange auf dem Boden, den Rücken gegen die Bettkante gelehnt, seine Dollarnoten um mich herum verstreut. Ich konnte mich nicht aufraffen. Ich konnte nicht weinen. Und ich konnte mir nicht vorstellen, dass er mich zum letzten Mal in seinen Armen gehalten hatte. Aber irgendwann drangen die Strahlen der Sonne durch die Ritzen der Jalousien und rissen mich aus meinen Gedanken. Ich ließ den Geruch von Allan, von uns, hinter der Tür mit den Ziffern 225 aus goldenem Metall zurück. Ich versuchte mit aller Macht, die Erinnerung an ihn in diesem Hotelzimmer zu begraben, während er sich auf einem Schiff mit dem Ziel Europa und Krieg befand.

Agnes war außer sich und schrie mich an, als ich zurückkam. Sie war blass und erschöpft nach einer schlaflosen Nacht in einem fremden Land.

»Wo bist du gewesen? Antworte mir! Was ist passiert?«

Ich fand keine Worte, und sie schrie weiter auf mich ein. Mir fiel es schwer, ihr zu erklären, was ich selbst kaum begreifen konnte. Stattdessen wühlte ich in unserem Gepäck, um den kleinen Zettel mit Elaines Adresse zu finden. Ich warf mit allen Sachen um mich, schleuderte sie aufs Bett, zu Boden, aber obwohl ich sämtliche Taschen durchsuchte und alles ausschüttelte, fand ich ihn nicht.

»Wonach suchst du? Antworte mir!« Agnes' Stimme wurde immer schriller, als würde sich meine Panik auf sie übertragen. Schließlich packte sie mich hart am Arm und zwang mich zu sich aufs Bett.

»Was ist passiert? Wo bist du gewesen?«, sagte sie sanft.

Ich schüttelte den Kopf. Tränen ließen meinen Blick verschwimmen. Sie legte vorsichtig den Arm um meine Schultern.

»Erzähl es mir, bitte, erzähl mir, was passiert ist. Du machst mir solche Angst.«

Ich sah sie an und brachte nur ein einziges Wort heraus, seinen Namen.

»A... Allan... Allan.«

»Doris, du musst ihn vergessen...«

»Ich war mit ihm zusammen. Die ganze Nacht, hier im Hotel. Entschuldige, ich wollte nicht... Ich habe vergessen... Aber er hat vor dem Hotel auf mich gewartet.«

Agnes' Griff wurde fester. Ich ließ den Kopf auf ihre Schulter sinken, tränenschwer.

»Wo ist er jetzt?«

Ihr Pullover war ganz nass von meinen Tränen.

»Er ist fort... Hat mich wieder verlassen. Er fährt nach Europa. In den Krieg.«

Ich schluchzte hemmungslos. Agnes hielt mich fest, und wir sagten ganz lange kein Wort. Schließlich hob ich den Kopf und sah ihr in die Augen. Das beruhigte mich, und ich konnte wieder sprechen.

»Das ist unsere letzte Nacht im Hotel«, sagte ich matt. »Wir haben noch Geld für ein paar weitere Nächte, aber dann wäre unsere Reserve aufgebraucht. Wir müssen einen Ort finden, wo wir unterkommen können. Ich hatte von Elaine einen Zettel mit ihrem Namen und ihrer Adresse bekommen, aber ich kann ihn nicht finden.«

»Ich weiß den Namen noch. Sie heißt Jenning.«

Ich schwieg eine Weile und versuchte, Ordnung in das Durcheinander meiner Gedanken zu bringen.

»Hat sie gesagt, wo sie wohnt?«

»Nein. Aber ihr Sohn ist Fischer, und er lebt irgendwo an der Küste. Auf einer Halbinsel, glaube ich. Sie meinte, dass er weit draußen auf einer Spitze wohnt mit Sicht aufs Meer.«

»Oh Gott, das kann ja überall sein. Amerika ist ein riesiges Land, es muss Hunderte von Halbinseln geben. Wo ist dieser Zettel?«

Agnes sah mich mit ihren großen Augen an. Niemand von uns sagte etwas. Wir setzten unsere Suche fort.

Plötzlich rief meine Schwester: »Aber Doris! Als wir uns verabschiedet haben, meinte sie, dass sie es kaum erwarten kann, nach Hause zu kommen, dass es nur ein paar Stunden zu fahren sind ... Das muss doch bedeuten, dass es irgendwo in der Nähe von New York ist, oder?«

Ich schwieg. Mein Kopf war voller trauriger Gedanken. Aber Agnes gab nicht auf.

»Was heißt *Fisch* auf Englisch?«, fragte sie.

Ich erinnere mich, wie Elaine im Speisesaal immer auf die Lebensmittel gezeigt hatte.

»*Fish.*«

Agnes stürzte zur Tür hinaus. Ein paar Minuten darauf kam sie mit einer Karte zurück. Sie hielt sie mir aufgeregt hin. Drei Stellen am Meer waren eingekreist.

»Sieh mal, da könnte es sein! Der Portier hat sich erkundigt, aber nur eine davon ist eine Halbinsel. Ganz weit draußen auf einer Halbinsel, hat sie gesagt! Dann muss es hier sein, in Montauk.«

An diesem Tag hatte ich keine andere Wahl, als meiner kleinen Schwester zu folgen und meine Trauer von ihrer Begeisterung übertönen zu lassen. Wir packten zusammen, stellten die Koffer an die Tür und verbrachten eine letzte Nacht im Hotel. Ich erinnere mich noch an die Ritzen in der Decke, wie ich dem Muster mit dem Blick folgte und neue Wege durch den braungrauen Himmel suchte, unter dem ich gelandet war. Agnes erzählte mir später einmal, dass auch sie wach gelegen hatte. Wir lachten darüber, dass wir nicht miteinander gesprochen hatten, dass wir uns beide bemüht hatten, so reglos wie möglich dazuliegen, um die andere nicht zu wecken. Hätten wir miteinander gesprochen, wären die Sorgen und die Einsamkeit vielleicht weniger schwer gewesen.

Der Rock, den ich mir am Morgen anzog, saß sehr locker um die Taille. Ich erinnere mich, dass ich den unteren Rand der Bluse zweimal hochrollen musste, um ihn auszufüllen. Aber es half nichts, er rutschte trotzdem. In den wenigen Wochen in Amerika war ich stark abgemagert.

Wir trugen die Koffer zusammen. Der schwerere hatte nur einen Griff. Wir trugen ihn abwechselnd über kurze Strecken, erst ich, dann sie. Wir bekamen Krämpfe in den Händen, Armen und Schultern, aber was hatten wir für eine Wahl? Irgendwie schafften wir es zum Bahnhof. Mithilfe der Karte und Agnes' Zeichensprache kauften wir uns Bustickets nach Montauk. Was wir tun würden, wenn Elaine dort gar nicht lebte, wussten wir nicht – daran wagten wir nicht einmal zu denken. Als der Bus vom Bahnhof losfuhr, saßen wir hintereinander in zwei Reihen, dicht am Fenster, und sahen hinaus. Fasziniert von den hohen Häusern, von denen wir die Spitzen kaum erkennen konnten, von den Straßenlaternen und Stromleitungen, die kreuz und quer über die Straßen verliefen, vom Gewimmel aus Menschen und Autos.

~ *13* ~

Der Laptop liegt auf ihrem Bauch und bewegt sich jedes Mal, wenn sie atmet. Sie hatte ihn den ganzen Vormittag da liegen, war immer wieder weggenickt. Die schmerzstillenden Medikamente machen sie müde, aber sie kämpft, um die Augen offen zu halten. Wenn sie jetzt schläft, wird die Nacht umso unruhiger. Der größte Teil des Bildschirms wird von einem Worddokument ausgefüllt, in der rechten Ecke hat sie ein wenig Platz gelassen, um das Skype-Feld zu sehen. Sie wartet auf Jenny; zählt ungeduldig die Stunden, weil es in San Francisco noch Nacht ist.

Sie schreibt ein paar Zeilen, sortiert ihre Erinnerungen und überlegt, ob die Reihenfolge stimmt und ob sie darüber schon in einem anderen Abschnitt geschrieben hat. Sie muss so viele Ereignisse berücksichtigen, so viele inzwischen verstorbene Personen, die ihr viel bedeutet haben. Die Namen im Adressbuch, diese Menschen, die vorübergehend an ihrer Seite waren und Abdrücke hinterlassen haben, sie haucht ihnen wieder Leben ein. Nur wenige durften so lange am Leben bleiben wie sie selbst. Ein Schauer fährt durch ihren Körper, und die Einsamkeit in dem kahlen Raum ist erdrückender als sonst.

Das Frühstück steht noch auf dem Nachttisch. Sie streckt die Hand nach dem halbvollen Glas mit dem braunen Apfelsaft aus. Von dem Käsebrot, das in einer Schüssel daneben liegt, hat sie nur einen Bissen genommen. Das Brot schmeckt wie Gummi. Sie hat sich mit dem schwedischen Brot nie anfreunden können: Es krümelt nicht, knuspert nicht, schmeckt einfach nicht nach Brot. Ihre Zunge ist steif und trocken, und sie führt sie mehrmals am Gaumen entlang, bevor sie das Glas zum Mund hebt und ein bisschen von dem Apfelsaft trinkt. Sie fühlt, wie die Flüssigkeit den Hals hinunterläuft und den Durst löscht. Gierig nimmt sie einen weiteren Schluck und noch einen. Sie schielt zur Uhr. Bald ist es endlich Tag in Kalifornien, bald wachen Jenny und die Kinder auf, dann drängen sie sich in der lindgrünen Küche, schlingen ihr Frühstück hinunter und rennen hinaus, zu den Abenteuern des neuen Tages. Doris weiß, dass Jenny sich immer an den Computer setzt, wenn nur noch sie und die Kleine zu Hause sind. In ein paar Minuten wird es so weit sein.

»Sie müssen sich jetzt ausruhen, Doris. Legen Sie den Computer weg.« Die Krankenschwester sieht sie streng an und klappt den Laptop zu. Doris hält ihn fest und macht ihn wieder auf.

»Nein, das geht nicht. Lassen Sie das, ich warte auf jemanden«, sagt sie und fingert an dem mobilen Internet-Stick herum, der aus einem der USB-Anschlüsse ragt. »Es ist wichtig.«

»Nein, Sie müssen sich ausruhen. Das können Sie nicht, wenn Sie ständig am Computer hängen. Und Sie sehen jetzt wirklich müde aus. Ihr Körper braucht so viel Ruhe wie möglich, damit Sie wieder gesund werden können. Damit Sie wieder Kraft haben, laufen zu lernen.«

Es ist schwer, alt und krank in einem Bett zu liegen und nicht entscheiden zu dürfen, wann man ausgeruht, müde oder etwas dazwischen ist, und was man dafür oder dagegen tun möchte. Doris gibt nach, lässt den Computer los und lässt zu, dass die Krankenschwester ihn auf den Nachttisch stellt.

»Lassen Sie ihn bitte wenigstens an und aufgeklappt. Damit ich sehen kann, wenn jemand mich anruft.«

»Einverstanden.« Die Krankenschwester dreht den Bildschirm in Doris' Richtung und hält ihr dann den Becher mit den Tabletten hin. »Hier, Sie müssen Ihre Tabletten nehmen, bevor Sie schlafen.«

Doris schluckt sie gehorsam mit dem letzten Rest vom Apfelsaft hinunter.

»So, sind Sie jetzt zufrieden?« Sie lächelt der Krankenschwester zu.

»Haben Sie sehr starke Schmerzen?«, fragt die Krankenschwester behutsam.

»Es geht«, antwortet Doris und winkt mit der Hand leicht ab. Sie blinzelt und wehrt sich gegen die einschläfernde Wirkung der Medikamente.

»Schlafen Sie jetzt ein wenig. Sie brauchen das.«

Sie nickt und lässt den Kopf zur Seite fallen, sodass ihr Kinn die knochige Schulter berührt. Den Blick richtet sie auf den Computerbildschirm, aber er verschwimmt nach und nach. Sie atmet ihren eigenen Duft durch die Nase ein. Alles riecht nach Krankenhaus. Nicht nach ihrem eigenen Waschmittel, nicht nach ihrem Parfüm. Nur ein schwacher Geruch von billigem Waschmittel und Schweiß. Sie schließt die Augen. Das Letzte, was sie sieht, ist ein orangefarbener Vorhang, der flattert.

Das rote Adressbuch

J. JENNING, ELAINE

Das ovale Fenster des Busses wurde fast komplett von einem kurzen Vorhang aus dickem orangefarbenem Stoff bedeckt. Er flatterte hin und her, während der Bus die unebene Straße entlangfuhr. Ich sah aus dem Fenster und konnte nicht aufhören, dem hinterherzusehen, was wir hinter uns ließen. Die hohen Häuser, die Manhattans Skyline bildeten. Die Autos. Die Vororte mit den schönen Villen. Das stürmende Meer. Ich schlief ein.

Die Haltestelle, an der wir ein paar Stunden später ausstiegen, bestand aus einem einfachen Schild am Rande der Landstraße neben einer windschiefen Bank. Es roch nach Meer und Seetang. Der starke Wind peitschte kleine Sandkörner in die Luft, die sich wie kleine, spitze Nadeln in die Haut bohrten. Gebeugt kämpften wir uns langsam die verlassene Straße entlang, während im Hintergrund die Wellen auf den Sandstrand donnerten. Der Wind war so stark, dass wir uns weit nach rechts neigen mussten, um das Gleichgewicht zu halten.

»Sind wir hier wirklich richtig?« Agnes flüsterte die Worte, als wagte sie es nicht, sie laut auszusprechen. Ich schüttelte den Kopf und zuckte mit den Achseln, machte ihr aber keine Vorwürfe, obwohl ich es am liebsten getan hätte. Eigentlich änderte sich ja nichts an unserer Lage, versuchte ich mich selbst zu trösten, sie war weder schlechter noch besser – wir waren noch immer in einem fremden Land verloren und brauchten dringend Hilfe. Wir brauchten ein Dach über dem Kopf und irgendein Einkommen. Die Blechdose war leer, das Geld, das uns noch blieb, hatte ich zusammengerollt und in meinen Büstenhalter gesteckt. Da war es sicherer. Unsere letzten Scheine hatten Gesellschaft von denen Allans bekommen. So wurde ein dickes Bündel daraus, und das Gewicht an meiner Brust erinnerte mich ständig daran. Wenn wir Elaine nicht finden sollten, mussten wir nach einer anderen Unterkunft suchen, ein paar Nächte würden wir noch über die Runden kommen.

Aber wir waren verlorener als je zuvor. Das wurde uns klar, als wir die verrammelten Fenster sahen. Die Holzhäuser türmten sich auf wie hohle Schatten, ohne Badegäste, Lachen und Leben.

»Hier ist niemand. Das ist eine Geisterstadt«, murmelte Agnes und blieb stehen. Wir setzten uns dicht nebeneinander auf die Koffer. Ich nahm ein paar Sandkörner vom Boden, ließ sie zwischen meinen Fingern hindurchrieseln. Von einer blühenden Modelkarriere in Paris mit hochhackigen Schuhen und zahllosen Kleidern im Schrank zu Blasen an den Füßen und verschwitzter Bluse auf einer Landstraße in Amerika. Und das in nur wenigen Wochen. Ich konnte die Tränen nicht zurückhalten. Sie liefen wie eine Sintflut über meine weiß gepuderten Wangen.

»Wir fahren zurück nach Manhattan. Du kannst weiter nach einem Job suchen. Ich kann auch arbeiten.« Agnes lehnte den Kopf mit einem tiefen Seufzer gegen meine Schulter.

»Nein, wir gehen noch ein Stück weiter.« Langsam kamen meine Lebensgeister zurück, ich wischte mir die Tränen mit dem Mantelärmel weg. »Es fahren Busse hierher, also muss es hier etwas geben. Hier wohnen Leute. Wenn Elaine in dieser Gegend ist, werden wir sie finden.«

Der Koffer, den wir gemeinsam trugen, schwankte hin und her, als wir unsere Wanderung fortsetzten. Die untere Kante schlug schmerzhaft gegen das Schienbein, wenn wir aus dem Gleichgewicht gerieten, aber wir gingen weiter auf das Ende der Straße zu. Die Kieselsteine auf dem Weg bohrten sich in die Sohlen, es war fast so schmerzhaft, als ob man barfuß gelaufen wäre. Aber schließlich wurde die Besiedelung dichter, Gott sei Dank, und aus dem Schotter unter den Füßen wurde Asphalt. Auf den Gehwegen marschierten ein paar Menschen mit gesenkten Köpfen, sie trugen dicke Wolljacken und Strickmützen.

»Bleib hier, und pass auf die Koffer auf«, sagte ich, als wir bei einem vermeintlichen Ortszentrum ankamen. Auf einer Bank saßen ein paar Männer. Als ich zu ihnen trat und lächelte, wurde ich von einem langen Redeschwall empfangen, von dem ich kein Wort verstand. Der Mann, der sprach, hatte einen dichten weißen Bart und Augen, die dank einer Unmenge kleiner Falten lächelten. Ich antwortete ihm automatisch auf Schwedisch, aber darauf schüttelte er verständnislos den Kopf. Ich wechselte in mein gebrochenes Englisch.

»*Know Elaine Jenning?*«

Er sah mich an.

»*Look Elaine Jenning*«, fuhr ich fort.

»*Aha, you're looking for Elaine Jenning*«, sagte er und fügte dann noch mehr Worte hinzu, die ich nicht verstehen konnte. Ich lächelte ihn verlegen an. Er hielt inne, nahm meine Hand und zeigte damit in eine Richtung.

»*There. Elaine Jenning lives there*«, sagte er langsam und überdeutlich und zeigte auf eines der Häuser weiter die Straße hinunter. Ein weißes Holzhaus mit einer kornblumenblauen Tür. Das Gebäude war schmal und mündete an einem Ende in einen runden Turm, wodurch es eher wie ein Schiff aussah als wie ein Haus. Die Farbe blätterte an der Front ab, was die Fassade fleckig aussehen ließ. Weiß gestrichene Läden schützten die Fenster vor dem starken Wind. Ich nickte und machte zum Dank einen Knicks, lächelte, drehte mich um und lief zu Agnes zurück.

»Dort«, rief ich ihr zu und zeigte auf das Haus, »sie wohnt dort! Elaine wohnt dort!«

Die französischen Worte, die aus Elaines Mund sprudelten, als sie die Tür öffnete und uns sah, fühlten sich wie eine wunderbare, warme Umarmung an. Sie schob uns ins Haus, holte Decken und heißen Tee und ließ uns in Ruhe erzählen, was geschehen war, seit wir uns nach der Ankunft in New York getrennt hatten. Von Allan. Von dem Brief, der mit einem Jahr Verspätung gekommen war. Von den Tagen im Hotel in Manhattan. Sie seufzte und brummte ab und zu, sagte aber nichts.

»Können wir ein paar Wochen bei dir bleiben? Um mehr Englisch zu lernen?«

Elaine erhob sich und fing an, die Teetassen wegzuräumen. Ich wartete auf ihre Antwort.

»Wir müssen uns irgendwie ein Leben in Amerika aufbauen, und ich weiß nicht, wie«, fuhr ich nach einer Weile fort.

Sie nickte und faltete die Spitzendeckchen auf dem Tisch zusammen.

»Ich werde versuchen, euch zu helfen. Erst die Sprache, dann eine Arbeit und dann eine Bleibe. Ihr könnt hierbleiben, aber wir müssen vorsichtig sein. Mein Sohn kann ein wenig speziell sein.«

»Wir wollen euch nicht zur Last fallen.«

»Er mag keine Fremden. Ihr müsst euch verstecken, wenn ihr hierbleiben wollt. Anders geht es nicht.«

Betretenes Schweigen. Wir hatten Hilfe erhalten, aber nicht ganz so, wie wir sie uns vorgestellt hatten.

Plötzlich erhob Elaine sich und holte eine viereckige Schachtel, die sie auf den Tisch stellte.

»Jetzt lassen wir mal kurz den Ernst beiseite. Wollen wir Monopoly spielen?«, rief sie. »Habt ihr das schon einmal gespielt? Es gibt nichts, was Sorgen und Trübsal besser beseitigt als eine Partie Monopoly. Ich habe es als Willkommensgeschenk von einem Nachbarn bekommen, als ich hier ankam.«

Ihre Hände zitterten, als sie das Spielbrett ausbreitete und die Spielfiguren verteilte. Dazu stellte sie eine kleine Kristallflasche auf den Tisch, die mit einer dunkelroten Flüssigkeit gefüllt war. Sie reichte Agnes eine kleine Figur, die wie ein Hund aussah.

»Du nimmst doch bestimmt gern den Hund, Agnes, oder? Auf Englisch heißt das *dog*.«

Agnes wiederholte das Wort und nahm die Spielfigur aus Zinn. Sie erntete ein wohlwollendes Nicken von Elaine.

Selbst griff ich nach kurzem Zögern zu einem Stiefel.

»*Boot*«, sagte Elaine, aber ich saß in Gedanken versunken da. »Sprich mir nach, *boot*.«

Ich zuckte zusammen. »Aber ich will jetzt nicht spielen, Elaine!« Ich ließ meinen *boot* los, sodass er über das Spielfeld rollte und zu Boden fiel. »Ich will wissen, ob wir bleiben können. Was meinst du mit verstecken, wo sollen wir uns verstecken? Warum?«

»Oh, darauf brauchen wir einen kleinen Sherry«, sagte sie und versuchte zu lächeln.

Sie stand auf. Wir beobachteten schweigend, wie sie die Gläser aus der kleinen Küche holte.

»Auf dem Dachboden ist ein Zimmer, dort könnt ihr wohnen. Ihr dürft bloß nicht runterkommen, wenn mein Sohn zu Hause ist, nur tagsüber. Er ist nur ein bisschen kontaktscheu, *that's all.*«

Sie zeigte uns den kleinen Raum auf dem Dachboden. Darin lehnte eine schmale Matratze an der Wand. Elaine legte sie auf den Boden. Wir sahen, wie der Staub aufwirbelte, während sie zwei Decken und Kissen holte. Wir halfen, die beiden Koffer hochzutragen. Sobald alles fertig war, gab sie uns einen Nachttopf und schloss die Tür ab.

»Wir sehen uns morgen. Versucht, leise zu sein«, sagte sie noch, bevor sie die Tür hinter sich zuzog.

In dieser Nacht schliefen wir eng aneinandergeschmiegt unter den dicken Wolldecken. Der Wind heulte vor dem Fenster. Eiskalte Luft drang durch die Ritzen, und wir wickelten uns enger ein, zogen die Decken bis zu den Ohren hoch, über das Kinn und schließlich ganz über den Kopf.

Das rote Adressbuch

N. NILSSON, GÖSTA

Wir gewöhnten uns schnell an die Abläufe in dem kleinen weißen Haus am Meer. Jeder Tag folgte exakt demselben Schema. Wenn Elaines Sohn morgens die Haustür hinter sich zumachte, kam sie direkt die Treppe zum Dachboden hoch und schloss unsere Tür auf. Wir leerten den Nachttopf im Plumpsklo im Garten und setzten uns dann an den Küchentisch, wo wir eine Tasse dampfend heißen Tee und ein Stück Brot ohne Aufstrich bekamen. Danach begann die Englischlektion des Tages. Elaine deutete auf Gegenstände und redete, während wir ihr bei der Hausarbeit halfen. Wir putzten, backten, nähten, stopften Strümpfe und webten Teppiche, während Elaines Stimme im Hintergrund erklang und unsere eigenen Stimmen alles wiederholten. Bereits in der zweiten Woche konnte sie aufhören, mit uns französisch zu sprechen. Wir achteten genau auf die Nuancen in ihrer Aussprache, und einzelne Worte wurden zu einfachen Sätzen zusammengesetzt. Sie bat uns, Dinge zu holen oder verschiedene Aufgaben auszuführen. Manchmal verstanden wir nicht, was sie meinte, aber sie gab niemals auf. Sie vereinfachte ab und zu, benutzte weniger Worte oder gestikulierte und machte lustige Scharaden, bis wir laut lachten. Dann erst erklärte sie mit einem Zwinkern, was sie gemeint hatte. Die Lektionen mit Elaine wurden zu einer willkommenen Unterbrechung unserer Wirklichkeit.

Wenn die Dunkelheit hereinbrach, scheuchte sie uns wieder auf den Dachboden. Wir hörten das Rasseln des Schlüssels, der sich im Schloss drehte, gefolgt von ihren trippelnden Schritten, wenn sie die Treppe wieder hinunterging. Sie wartete jeden Abend auf der Veranda auf ihren Sohn Robert, bei jedem Wetter. Durch das Fenster unseres Zimmers im Dach konnten wir sie durch einen Spalt in dem dünnen weißen Vorhang sehen. Sie erhob sich immer von ihrem Stuhl und lächelte herzlich, aber Robert grüßte sie nie, stapfte nur grimmig an ihr vorbei, den Blick zu Boden gerichtet. Tagein, tagaus sahen wir, wie er sie mit Schweigen strafte, Abend für Abend sahen wir, wie sie ignoriert wurde.

Agnes konnte sich schließlich nicht mehr beherrschen. »Redet ihr nie miteinander?«

Elaine schüttelte traurig den Kopf. »Ich habe ihn damals verlassen. Mein zweiter Mann bekam Arbeit in Europa, und ich konnte nicht anders, als ihm zu folgen. Robert hat mir das nie verziehen. Sobald ich die Möglichkeit hatte, bin ich zurückgekehrt, aber da waren schon zu viele Jahre vergangen. Es ist zu spät. Er hasst mich.«

Er ließ seinen Zorn an ihr aus. Wir konnten hören, wie er brüllte, wenn ihm etwas nicht passte. Wir hörten, wie sie sich allem fügte, wie sie sich für vieles entschuldigte. Ihre Liebe beteuerte und ihren Sohn um Vergebung bat, den sie für immer verloren hatte. Sie war in genau derselben Lage wie wir. Sie war einsam und neu in einem Land, das sie nicht mehr kannte, bei einer Person, die nichts mehr von ihr wissen wollte.

Die Stunden auf dem Dachboden vergingen immer langsamer als die Stunden in Elaines Gesellschaft. An die Gedanken in der stickigen Luft dort oben erinnere ich mich noch heute. An meine Trauer und meine Sehnsucht nach Allan. Er war dort genauso eine feste Konstante in meinen Gedanken wie immer. Ich konnte einfach nicht verstehen, wie er mich wieder verlassen konnte. Wie er sich so schnell einer anderen Frau hatte zuwenden können, wie er hatte heiraten können. Ich dachte darüber nach, wer sie war und ob die Zeit auch stehen blieb, wenn sie zusammen waren.

Die Unruhe hatte leichtes Spiel in dieser Enge, und ich versuchte, mich davon abzulenken, indem ich Kontakt mit Gösta aufnahm. Jeden Abend schrieb ich ihm lange Briefe im Schein einer kleinen Petroleumlampe und erzählte ihm von unserem neuen Zuhause. Vom Meer und vom Sand, den wir vom Haus aus sahen, vom Wind, der mir ins Gesicht peitschte, wenn ich in den Garten hinausging, um frische Luft zu schnappen. Von der englischen Sprache und wie sie in meinen Ohren klang, wie alles zu einem Brei zusammenfloss, wenn die Leute zu schnell redeten, was Amerikaner ständig taten. Mit Französisch war es mir am Anfang haargenau so gegangen, als ich nach Paris gekommen war. Ich erzählte von Elaine und ihrem merkwürdigen Sohn. Elaine brachte die Briefe jeden Tag für mich zur Post, und ebenso oft wartete ich geduldig auf eine Antwort. Aber er schrieb nicht zurück, und in mir wuchs die Sorge, dass ihm etwas zugestoßen sein musste. Ich wusste, dass der Krieg noch immer in Europa wütete, aber es war schwer, mehr Informationen als das zu bekommen. In Amerika ging der Alltag weiter, als wäre nichts geschehen, als würde Europa nicht lichterloh brennen.

Dann, eines Tages kam ein Brief. In dem Umschlag lag ein Zettel mit ein paar handgeschriebenen Zeilen und eine Seite, die aus einer Tageszeitung gerissen worden war. Der Artikel handelte von Gösta und seinen Gemälden. Der Ton war kritisch, und der Text endete mit dem Satz, dass es vermutlich eine der letzten Ausstellungen gewesen sei, die man von diesem Künstler sehen würde. Ich hatte die Gemälde, die Gösta malte, nie richtig verstanden, deshalb wunderte ich mich eigentlich nicht über die negative Rezension. Für mich waren das immer abstrakte und verzerrte Farbexplosionen gewesen, surrealistisch in all ihrer geometrischen Perfektion. Der Artikel erklärte jedoch sein Schweigen, und die kurzen Zeilen verrieten seine Stimmung. Ich verstand, warum er nur kurz höflich fragte, wie es uns ging, warum er nur nebenbei einfließen ließ, dass er froh sei, dass wir am Leben waren.

Ich erinnere mich, dass er mir schrecklich leidtat. Er hielt stur an etwas fest, wofür er offensichtlich nicht genug Talent hatte und was ihn nur unglücklich machte. Er fehlte mir mehr als je zuvor. Unsere Gespräche fehlten mir. Neun Jahre waren vergangen, seit ich ihn das letzte Mal gesehen hatte. In dem Artikel war ein Foto von ihm. Ich riss es heraus und befestigte es mit einer Nadel an einem Balken neben dem Bett. Mit ernster Miene und traurigem Blick sah er mich von dort aus an. Jeden Abend, wenn ich das schwache Licht der Petroleumlampe ausblies, fragte ich mich, ob ich ihn jemals wiedersehen würde. Ob ich Schweden jemals wiedersehen würde.

J. ~~JENNING, ELAINE~~ TOT

Das Ende unserer sonderbaren Wohngemeinschaft musste irgendwann kommen, das war uns von Anfang an klar gewesen. Und so kam es dann auch, eines frühen Morgens wurden wir entdeckt. Agnes hatte ihr Halstuch auf einem Stuhl im Salon vergessen, und wir hörten, wie Robert schrie: »Wem gehört dieses Halstuch? Wer war hier?!«

»Eine Freundin, sie war gestern Nachmittag zum Tee hier«, sagte Elaine mit schwacher Stimme.

»Ich habe dir doch gesagt, dass du niemanden ins Haus lassen sollst! Keine Menschenseele kommt über meine Schwelle! Verstehst du das?«

Agnes kroch näher an mich heran. Der Boden knarrte. Die Stimmen unter uns verstummten schlagartig. Harte Schritte auf der Treppe folgten, und die Tür wurde aufgetreten. Sein Blick, als er uns aneinandergedrängt auf der Matratze sitzen sah, hätte töten können. Wir sprangen auf und tasteten im Halbdunkel nach unseren Klamotten. Halb bekleidet rannten wir an ihm vorbei und hinaus auf die Straße. Er kam hinterher und warf die Koffer aus dem Haus. Der große schlitterte quer über die Straße. Dann kamen die Kleider. Feine Röcke aus Paris landeten im Schlamm auf dem Schotterweg. Wir rissen sie an uns und stopften sie in die Koffer. Aber am deutlichsten erinnere ich mich daran, wie schnell mein Herz klopfte. Hinter dem neuen Spitzenvorhang, den Agnes in den stillen Stunden auf dem Dachboden gehäkelt hatte, sah ich Elaine hervorlugen. Sie hielt die Handfläche hoch, winkte aber nicht. Sie hatte uns so viel gegeben. Nicht zuletzt ihre Sprache. Das war ihr schönstes Geschenk. Ihr erschrockener Blick hinter dem Vorhang war das Letzte, das ich von ihr gesehen habe. Robert stand auf der Treppe, die Hände in die Hüften gestemmt, während wir unsere Koffer nahmen und das Grundstück verließen. Erst als er den Bus zur Haltestelle kommen sah, drehte er sich um und ging ins Haus zurück.

Die glänzend graue Seite des Busses reflektierte die ersten Sonnenstrahlen des Morgens und blendete uns, als wir einstiegen. Die rot-weißen Sitze waren weich und warm. Wir setzten uns ganz nach hinten und sahen durch die Scheibe, während der Bus langsam losfuhr. Wir wussten nicht, was in dem weißen Haus vor sich ging. Dennoch spürten wir eine gewisse Erleichterung. Die Sprache, in der die anderen Passagiere sich unterhielten, war uns nicht mehr fremd. Wir konnten mit dem Busfahrer reden und ihm mitteilen, wohin wir wollten. Zurück nach Manhattan wollten wir. Die Monate in Elaines Haus hatten uns abgehärtet und auf ein Leben in Freiheit vorbereitet. Agnes fing sogar an zu lachen. Ganz plötzlich überkam sie das Lachen wie eine Welle aus dem unendlichen Meer, und ich ließ mich anstecken.

»Worüber lachen wir eigentlich?«, fragte ich schließlich.

Auch Agnes wurde wieder ernst. »Es fühlt sich an, als wären wir gerade aus dem Gefängnis geflohen.«

»Ja, auf dem Dachboden hat es sich am Ende wirklich so angefühlt. Vielleicht ist es ganz gut, dass es so gekommen ist, wer weiß?«

Es war bereits Vormittag. Bei unserer Ankunft in Manhattan würde es fast Abend sein, und wir wussten nicht, wohin. Als der Bus schließlich hielt, schlief Agnes, den Kopf gegen meine Schulter gelehnt. Wir sammelten unsere Sachen zusammen und gingen in die beleuchtete Ankunftshalle.

Als wir die Koffer in eine Ecke stellten, fragte Agnes niedergeschlagen: »Wo sollen wir jetzt hin? Wo sollen wir schlafen?«

»Wir müssen heute Nacht wach bleiben, wenn wir keine Unterkunft finden. Du musst bei den Koffern bleiben, dann gehe ich los und suche nach einem günstigen Hotel.«

Agnes setzte sich hin. Mit dem Rücken zur Wand.

Da tauchte plötzlich ein hellblonder Mann auf. »Entschuldigt, aber seid ihr aus Schweden?«

Er hatte auch im Bus gesessen. Er trug einen einfachen schwarzen Anzug mit einem weißen Hemd darunter. Agnes antwortete auf Schwedisch, aber er schüttelte den Kopf und sagte *no, no.* Er sei kein Schwede, aber seine Mutter käme von dort. Wir unterhielten uns eine Weile, und er bot uns Hilfe an. Eine Unterkunft, bis wir etwas Eigenes fänden.

»Ich bin sicher, dass sich meine Mutter freuen wird, wenn sie ein bisschen Schwedisch sprechen kann«, sagte er.

Wir sahen uns unsicher an. Mit einem Unbekannten mitzugehen war nicht selbstverständlich. Aber er sah nett aus und schien ehrlich zu sein. Agnes nickte schließlich, und ich nahm die Einladung an. Der Mann hob den schweren Koffer hoch, und wir folgten ihm.

Wie es Elaine erging, nachdem wir Montauk verlassen hatten, erfuhren wir erst Monate später, als wir zurückkehrten, um sie zu besuchen. Die Fenster und Türen des Hauses waren verrammelt, und wir fragten eine Nachbarin. Kurz nachdem wir das Haus verlassen hatten, war ihr Herz plötzlich stehen geblieben, erzählte diese, mitten in einem Streit mit Robert. Er war am Boden zerstört gewesen. Erst da konnte er der Trauer um seine verlorene Mutter freien Lauf lassen. Die Nachbarin meinte, dass er in derselben Woche das Haus verlassen hatte und aufs Meer hinausgefahren war. Seitdem hatte ihn niemand mehr wiedergesehen.

~ *14* ~

Hinter einem Vorhang hustet die Frau, die gestern Abend gekommen ist. Das Geräusch hallt durch den Raum. Sie hat eine Lungenentzündung und sollte nicht auf dieser Station sein, aber sie konnte nicht in der Infektionsabteilung bleiben, weil sie sich wundgelegen hatte. Wenn sie hustet, hört es sich an, als ob der ganze Mageninhalt hochkommt. Doris ekelt das, und sie legt sich die Hände auf die Ohren.

»Könnte ich meinen Computer haben?« Doris ruft in den Raum hinein. Dann wiederholt sie die Frage mit einer Stimme, die kaum wahrnehmbar ist. Ihr Hals ist zu trocken. Es bleibt still in dem kahlen Krankenzimmer, keine Schritte einer helfenden Krankenschwester.

»Drücken Sie doch auf den Knopf«, keucht die Frau mit dem Husten, als Doris erneut nach Hilfe ruft.

»Danke, aber es ist nicht so wichtig.«

»Offenbar aber so wichtig, dass Sie immer wieder nach der Schwester rufen. Drücken Sie auf den Knopf«, wiederholt die Frau gereizt.

Doris antwortet nicht. Wenn sie keine Hilfe will, sind die Krankenschwestern ständig da und gehen ihr auf die Nerven, aber wenn sie sie wirklich braucht, kommen sie nicht? Soll sie es selbst versuchen? Sie sieht den Computer auf dem Tisch, wo ihn eine Krankenschwester abgestellt hat, er ist zugeklappt. Sie hatte ihr gesagt, dass sie ihn auflassen soll, warum konnte sie nicht einfach das tun, worum sie sie bat? Aber sie schafft die Strecke bis zu dem Tisch bestimmt und kann ihn sich selbst holen, oder? Es ist nicht weit. Wenn sie wieder nach Hause will, muss sie ohnehin trainieren. Sie nimmt die Fernbedienung für das Bett und drückt auf einen der Knöpfe. Das Bett macht einen Ruck, und das Fußende hebt sich. Sie versucht, die Bewegung zu stoppen, indem sie auf alle Knöpfe gleichzeitig drückt. Nun bewegt sich auch das Kopfende, und das Fußende biegt sich auf Höhe ihrer Knie. Panisch presst sie den roten Alarmknopf, schüttelt die Fernbedienung und drückt auf alle Knöpfe, die sie erreicht. Endlich hält das Bett an.

»Hoppla, was ist denn hier passiert?«, sagt die herbeieilende Krankenschwester lachend. Doris sitzt aufrecht da, die Beine hoch, wie ein Klappmesser. Sie lacht nicht und blinzelt die Tränen weg, die ihr die Schmerzen in die Augen treiben.

»Ich wollte den Computer holen.« Sie zeigt darauf, während ihre Beine langsam wieder nach unten sinken und die Schmerzen in ihrem Rücken nachlassen.

»Warum haben Sie uns nicht gerufen? Wir kommen dann so schnell es geht und helfen Ihnen. Das wissen Sie doch, Doris.«

»Ich wollte üben. Ich will weg von hier. Die Krankengymnastik reicht nicht, es geht viel zu langsam.«

»Geduld, Doris. Sie müssen Ihre Grenzen ernst nehmen. Sie sind sechsundneunzig Jahre alt, keine Jugendliche mehr«, sagt die Krankenschwester sehr langsam und einen Tick zu laut.

»Geduld und Dickköpfigkeit«, murmelt sie. »Wenn Sie wüssten, wie dickköpfig ich bin.«

»Das habe ich schon gehört. Wollen wir es probieren?«

Doris nickt, und die Krankenschwester schiebt vorsichtig ihre Beine über die Bettkante und hebt zugleich ihren Oberkörper an, bis sie sitzt. Doris kneift die Augen zusammen.

»Ging das zu schnell? Ist Ihnen schwindlig?« Die Krankenschwester sieht sie mitleidig an und streicht ihr leicht übers Haar.

Sie schüttelt den Kopf. »Geduld und Dickköpfigkeit«, sagt sie und presst die Hände auf die weiche Matratze.

»Eins, zwei, drei, hopp«, sagt die Krankenschwester und zieht sie hoch. Dabei bohrt sie ihr die Hände unter die Achseln. Der Schmerz strahlt von der Hüfte bis ins Bein.

»Einen Schritt nach dem anderen, okay?«

Doris erwidert nichts und schiebt den Fuß des kranken Beines ein paar Millimeter vorwärts. Und dann den anderen, ein paar Millimeter. Der Computer liegt da, fast in Reichweite. Sie richtet den Blick auf die schwarze Tasche. Es sind nur zwei Meter bis dorthin, aber in diesem Moment fühlt es sich an wie ein unüberwindbarer Abgrund.

»Müssen Sie sich ausruhen? Sich kurz hinsetzen?« Die Krankenschwester zieht einen Hocker heran, aber Doris schüttelt den Kopf und bewegt sich mit mühsamen Millimeterschritten in Richtung Tisch. Als sie endlich dort angelangt ist, stützt sie sich mit beiden Händen auf den Computer und atmet aus. Lässt den Kopf auf die Brust sinken.

»Himmel, Sie sind wirklich dickköpfig.« Die Krankenschwester lächelt und legt ihr einen Arm um die Schultern. Doris atmet schwer. Sie spürt ihre Beine nicht mehr und bewegt die Zehen vor und zurück, um sie wieder zu wecken. Sie hebt den Kopf und sieht die Krankenschwester an. Dann bricht sie zusammen.

Das rote Adressbuch

N. NILSSON, GÖSTA

Carl führte uns durch den Bahnhof und hinaus auf die Straße. Dabei plauderte er unaufhörlich. Wir trugen den kleinen Koffer, er den großen. Er meinte, dass er uns im Bus hatte reden hören und er ein paar Brocken Schwedisch verstand. Gelbe Taxis, *checkers*, standen in einer langen Reihe vor dem Bahnhof, aber er ging daran vorbei, obwohl die Fahrer ihm hinterherriefen. Er lief mit großen Schritten und war bald ein paar Meter voraus.

»Was ist, wenn er uns reinlegen will? Was ist, wenn er gefährlich ist?«, flüsterte Agnes und zog am Koffer, um mich zum Anhalten zu bewegen. Ich zog in die andere Richtung, sah ihr fest in die Augen und bedeutete ihr mit einem Kopfnicken, dass sie weitergehen sollte. Sie brummte, bevor sie sich widerwillig wieder in Bewegung setzte. Wir liefen hinter dem blonden Schopf her, der die anderen Häupter auf der Straße um zehn Zentimeter überragte. Er sah schwedisch aus, vielleicht war das der Grund dafür, dass ich beschloss, ihm zu vertrauen.

Wir liefen und liefen. Ab und zu sah Carl sich zu uns um, vergewisserte sich, dass wir noch mithielten. Ich hatte Blasen an den Händen, als er endlich vor einem schmalen Backsteinhaus stehen blieb. Zwei gusseiserne Blumentöpfe mit gelben Narzissen standen vor einer roten Tür. Er nickte.

»Hier ist es. Ihr geht es nicht so gut«, erklärte er, bevor er die Tür öffnete.

Das Haus hatte drei Stockwerke, aber es gab nur einen Raum pro Etage. Wir gelangten direkt in die Küche. Dort saß eine ältere Frau in einem Schaukelstuhl, sie hatte die Hände in den Schoß gelegt und starrte ins Leere.

»Mom, schau mal, wen ich mitgebracht habe. Zwei Mädchen aus Schweden.« Er nickte uns zu. Sie sah nicht auf, schien überhaupt nicht bemerkt zu haben, dass jemand hereingekommen war.

»Mom, sie können schwedisch mit dir sprechen.« Er strich ihr über die Wange. Der Blick in ihren blauen Augen war glasig, die Pupillen ganz klein. Das Haar hing ihr schlaff über die Schultern, ein paar Strähnen hatten sich in ihr Gesicht verirrt und bedeckten ein Auge. Um die Schultern und um den Hals trug sie einen dicken gestrickten Schal. Er sah ungewaschen aus.

»Sie heißt Kristina. Sie hat nicht mehr gesprochen, seit mein Vater verschwunden ist. Manchmal sagt sie ein paar Worte auf Schwedisch, und ich dachte, dass ...« Er drehte uns den Rücken zu, um seine Trauer zu verbergen, räusperte sich und fuhr fort: »Ich dachte, dass eure Anwesenheit sie vielleicht dazu bringen könnte, wieder zu sprechen. Und außerdem bräuchte ich jemanden, der mir im Haushalt hilft.«

»Lassen Sie mich mal versuchen.« Agnes näherte sich vorsichtig dem Schaukelstuhl. Sie setzte sich vor sie auf den Boden, wandte ihr aber den Rücken zu.

»Ich sitze nur ein bisschen hier«, sagte sie auf Schwedisch. »Ich kann die ganze Nacht hier sitzen, wenn es nötig ist. Wenn Sie etwas sagen wollen, ich höre zu.«

Die Frau antwortete nicht. Aber nach einer Weile begann der Schaukelstuhl, sich sachte vor und zurück zu bewegen. Ich setzte mich auch hin. Es war still im Haus, kein Geräusch, bis auf das leise Knarren des Schaukelstuhls und das ferne Brummen von der Straße. Wir einigten uns, dass wir ein paar Tage bleiben würden, und Carl bezog eine Matratze für uns im Wohnzimmer im ersten Stock. Er holte auch eine Matratze für Kristina und bettete sie fürsorglich darauf. Sie war zu schwer für ihn, er konnte sie nicht die zwei Stockwerke hoch ins Schlafzimmer tragen.

Carl kam oft zu uns ins Wohnzimmer und unterhielt sich mit uns. Niemals über Kristina. Stattdessen erzählte er kleine Anekdoten von seinem Alltag in der Bank, in der er arbeitete. Und von Europa und dem Krieg. Die Lage hatte sich in den letzten Monaten, die wir bei Elaine verbracht hatten, verschlimmert, und Carl hielt uns auf dem Laufenden, wusste aber nicht, ob Schweden ins Kriegsgeschehen verwickelt war. In Amerika redete man von Europa, als wäre es ein einziges Land.

Anfangs wollten wir nicht fragen, wohin sein Vater verschwunden war. Aber die Gespräche wurden mit der Zeit immer persönlicher. Nach einigen Wochen fassten wir Mut. Die Antwort war keine Überraschung.

Alles war sehr schnell gegangen. Eines Tages waren sie nach Hause gekommen, und sein Vater stand da mit gepackten Koffern. Er sagte nur wenige Worte zum Abschied und ging. Er ließ ihnen kein Geld da, aber das Haus.

»Er hat meine Mutter für eine andere verlassen. Als er ging, starb etwas in ihr. Sie ist immer so verloren in New York gewesen, er hatte ihr Sicherheit gegeben. Er hatte sich um alles gekümmert, hat ihr sogar das Sprechen abgenommen.«

Wir lauschten stumm.

»Drei Jahre sind seitdem vergangen. Er fehlt mir nicht. Auch seine Launen fehlen mir nicht, genauso wenig sein dominantes Wesen. Wir haben es ohne ihn eigentlich viel besser, ich wünschte nur, dass meine Mutter das erkennen könnte. Aber sie wurde im Laufe der Zeit immer deprimierter. Sie traf keine Leute mehr und hörte auf, sich um das Haus und um ihr Aussehen zu kümmern. Irgendwann hat sie sich in den Schaukelstuhl gesetzt und ist seitdem nicht mehr aufgestanden. Hat kaum ein Wort gesprochen.«

Wir setzten uns abwechselnd zu Kristina und redeten mit ihr. Sie verließ ihren Stuhl nur ungern, und manchmal fürchtete ich, sie würde dort versteinern. Wie lange war es eigentlich möglich für einen Menschen, still dazusitzen und zu schweigen, ohne für immer in dieser Stellung gefangen zu bleiben? Die Tage vergingen und wurden zu Wochen. An einem frühen Morgen, als wir gerade Teewasser aufsetzten, geschah es.

»Erzählt mir von Schweden«, sagte sie leise. Es war ein herrliches Gefühl, diese schwedischen Worte zu hören.

Wir rannten zu ihr, setzten uns zu beiden Seiten des Schaukelstuhls und fingen an zu erzählen. Von den Schneehaufen, in denen wir immer gespielt hatten. Von den Kartoffeln und dem Hering. Vom Duft eines sanften Frühlingsregens. Vom sprießenden Huflattich. Von den grasenden Lämmern im Djurgården. Von den Fahrrädern, die in lauen Sommernächten über den Strandvägen fuhren. Mit jedem Detail, das wir ihr schilderten, leuchtete etwas in ihren Augen auf. Sie sagte zwar nichts weiter, sah uns aber immer öfter an. Wenn wir verstummten, hob sie die Augenbrauen und gab uns mit einem Nicken zu verstehen, dass wir weiterreden sollten.

Die Tage vergingen, und wir bemühten uns, Kristina aufzuheitern. Als Carl eines Tages nach Hause kam, traf er auf einen leeren Schaukelstuhl.

»Er ist leer«, sagte er und sah uns an. »Er ist leer! Wo ist sie? Wo ist meine Mutter?«

Wir lachten und zeigten zur Spüle. Da stand sie und wusch die Teller vom Mittagessen ab. Sie war blass und mager, aber sie stand, und ihre Hände konnten arbeiten. Als Carl zu ihr ging, lächelte sie zaghaft. Er umarmte sie lange und sah uns über ihre Schulter hinweg an. In seinen Augen schimmerten Tränen.

Wir suchten vergeblich nach Informationen über Schweden, niemand konnte uns Antworten geben. Die Nachrichten berichteten von Hitler und seinen Erfolgen, von Franzosen, die weinten, als die deutschen Soldaten in Paris einmarschierten und die Stadt okkupierten. Wir starrten auf die schwarzweißen Bilder, es war kaum zu begreifen, was in der Stadt geschah, die ich liebte und vermisste. Inzwischen war sie überhaupt nicht mehr so wie vor unserer Abreise, alles hatte sich verändert. Ich schrieb ein paar Zeilen an Gösta, aber wie so oft zuvor kam keine Antwort.

Wir blieben bei Carl und Kristina wohnen. Wir mussten keine Miete bezahlen, halfen aber beim Kochen und Aufräumen. Es war Carls Art und Weise, uns zu danken. Wenn er im Büro war, unterhielten wir uns mit Kristina. Sie konnte uns nicht erklären, warum sie so lange geschwiegen hatte, sie meinte, dass es sich anfühlte, als habe sie monatelang geschlafen. Es ging ihr von Tag zu Tag besser, und ich fing an, mir wieder Gedanken über unsere Zukunft zu machen. Wir mussten uns Arbeit besorgen und eine eigene Wohnung finden. Wir mussten nach fast einem Jahr im Exil wieder in die Welt hinaus.

Agnes unterstützte mich überhaupt nicht in meinen Plänen, was mich irritierte. Sie hörte auf, mich in ihre Gedanken einzuweihen, und wenn ich etwas sagte, war sie abgelenkt, abwesend. Sie fing an, mir auf Englisch zu antworten, auch wenn ich sie auf Schwedisch ansprach. Bald bemerkte ich, dass sie sich mehr für Carl interessierte als für mich. Sie blieben abends noch lange auf dem Sofa in der Küche sitzen und flüsterten stundenlang bis tief in die Nacht. Wie Allan und ich damals.

Dann, eines Abends... Es war schon spät. Kristina saß in ihrem Schaukelstuhl und nähte an einem Tischtuch. Ich las die Tageszeitung und suchte wie üblich nach Informationen über den Krieg. Sah Allan in jedem toten Soldaten, von dem berichtet wurde. Ich war so in die Lektüre versunken, dass ich nicht einmal bemerkte, dass sie Hand in Hand vor mir standen. Agnes musste wiederholen, was sie gesagt hatte.

»Carl und ich. Wir werden heiraten.«

Ich starrte sie an. Starrte ihn an. Begriff nichts. Sie war doch noch so jung, viel zu jung, um zu heiraten. Und Carl?

»Freust du dich gar nicht?«, rief Agnes und streckte mir die Hand mit dem glatten goldenen Ring hin. »Du freust dich doch für uns, oder? Es ist so romantisch! Wir wollen im Frühjahr in der Svenska Kyrkan heiraten. Und du sollst meine Trauzeugin sein.«

So kam es. Die Kirschbäume fingen gerade an zu blühen, und Agnes' Brautstrauß hatte dieselbe Farbe: verspielt mit rosa Rosen, Efeu und weißen Mimosen. Ich hielt ihn krampfhaft in beiden Händen, als Carl einen zweiten glatten Goldring auf ihren linken Ringfinger schob. Der Ring blieb am Gelenk stecken, aber er drehte ihn hin und her, bis er richtig saß. Sie hatte mein weißes Chanelkleid an, ich hatte es oft in Paris getragen. Es war wie gemacht für ihren Körper, und sie war schöner als je zuvor. Das schulterlange goldfarbene Haar wellte sich in großen Locken, zwei Strähnen waren mit einer Haarspange nach oben gesteckt, die mit weißen Perlen bestückt war.

Ich hätte mich für sie freuen müssen, aber ich spürte nur meine Sehnsucht nach Allan. Du findest sicher, dass ich zu viel jammere, Jenny. Aber es ist schwer. Manche Erinnerungen wird man nicht los. Sie sitzen da wie ein eitriges Geschwür, manchmal platzen sie auf und tun weh, so unglaublich weh.

Das rote Adressbuch

A. ANDERSSON, CARL

Im Laufe der kommenden Monate wurde deutlich, wer die neue Frau im Haus war. Agnes gab den Ton an und erwartete, dass mich ihre Ideen begeisterten und ich das tat, was sie sagte. Wie ein Kind, das Erwachsensein spielte. Das machte mich wütend.

Eines Morgens lief ich im Flur auf und ab. Die breiten Holzdielen knarrten an zwei Stellen. Ich mied sie, um kein Geräusch zu machen, marschierte aber weiter auf und ab. Es war kurz vor acht, und Carl würde gleich zur Arbeit gehen. Als er schließlich auftauchte, blieb ich stehen und nickte ihm zum Abschied zu. Die vielen Geräusche der Stadt drängten ins Haus, als er die Tür öffnete und verschwand. Dann wurde es wieder still, und ich setzte meinen Weg fort. Die Nägel an meiner linken Hand waren so abgekaut, dass die Haut brannte, aber ich konnte nicht aufhören, darauf herumzukauen. Ich ging in die Küche.

»Ich will nicht mehr länger hierbleiben. Ich habe nicht vor, für den Rest meines Lebens eure Haushälterin zu sein.«

Agnes starrte mich an, als die wütenden französischen Worte aus meinem Mund strömten. Es war die Sprache, die hier niemand anders als sie verstand, darum benutzte ich sie häufig. Ich wiederholte die Sätze, bis sie nickte und versuchte, mich zu beruhigen. Ich hatte bereits meine Sachen gepackt, alles lag in dem großen Koffer, den wir aus Paris mitgenommen hatten, und ich hatte ein strenges Kostüm gewählt. Meine Haare waren hochgesteckt und die Lippen rot. Ich war bereit, in die Welt da draußen hinauszugehen und meinen Platz in der Hierarchie zurückzuerobern. Als das gefeierte Mannequin. Das Mannequin, das viel zu lange aus dem Rampenlicht verschwunden war.

»Aber wo willst du hin? Wo willst du wohnen? Ist es nicht besser, wenn wir dir erst etwas besorgen?«

Ich schnaubte.

»Stell jetzt den Koffer hin. Sei nicht albern.« Agnes war ganz ruhig. Sie strich mit der Hand über das Kleid, das sie kurz zuvor von Carl bekommen hatte. Er kaufte ihr sogar Kleider, formte sie nach seinem Geschmack.

»Lass dir noch ein paar Tage Zeit. Bitte, bleib hier. Carl kennt doch viele Leute, er kann dir helfen.«

»Carl, Carl, Carl. Das ist das Einzige, woran du denkst. Glaubst du wirklich, dass er die Lösung für alles ist? Ich bin in Paris gut ohne dich und ihn zurechtgekommen. Ich werde auch in New York zurechtkommen!«

»Carl, Carl, Carl. Habe ich meinen Namen gehört? Worüber sprecht ihr? Gibt es Probleme?« Carl war zurückgekommen, um seinen Regenschirm zu holen. Er legte den Arm um Agnes und küsste sie auf die Wange.

»Nein, keine Probleme«, murmelte sie.

Er sah mich fragend an.

»*Pas de problème*«, sagte ich und ging. Agnes lief mir hinterher.

»Bitte, lass mich nicht im Stich«, flehte sie. »Wir sind Schwestern. Wir gehören zusammen. Das hier ist doch dein Zuhause, bei uns. Wir brauchen dich. Warte wenigstens, bis du eine Wohnung und einen Job gefunden hast. Carl, er und ich, wir können dir helfen.«

Sie trug den Koffer zurück zu meinem Bett, ich hatte keine

Kraft zu protestieren. Später am Abend betrachtete ich mein Gesicht in dem fleckigen, zersprungenen Badezimmerspiegel. Die Reise und die erste Zeit in Amerika hatten ihre Spuren hinterlassen. Die früher so glatte Haut unter den Augen war angeschwollen, weich und gräulich. Ich hob vorsichtig die Augenbrauen, zog sie immer weiter nach oben. Da erwachten die Augen wieder zum Leben, und ich sah, wie ich einmal ausgesehen hatte. Jünger, schöner. Ich lächelte das Spiegelbild an, aber das Lächeln, auf das ich einst so stolz gewesen war, hatte keine Energie mehr. Ich schüttelte den Kopf, und mein Mund wurde wieder zu einem schmalen Strich.

Das Make-up, das ich aus Paris mitgenommen hatte, war nahezu unbenutzt geblieben. Ich schraubte den Verschluss der Puderdose auf und tupfte mein Gesicht mit dem Puderkissen ab. Die roten Flecken verschwanden unter der dicken weißen Schicht, und die Sommersprossen wurden verdeckt. Dann malte ich mir die Wangen rosa, erst nur einen Hauch, dann mehr und mehr, bis sie kirschrot waren. Ich konnte nicht aufhören. Ich malte mir schwarze Linien um die Augen, die sich bis zu den Schläfen zogen. Ich malte mir breite Augenbrauen. Ließ dunkelgrauen Lidschatten das Lid ganz ausfüllen. Malte die Lippen rot, bis sie zu ihrer doppelten Größe anwuchsen. Ich betrachtete mein groteskes Abbild. Während mir die Tränen übers Gesicht liefen, malte ich am Ende ein großes, dickes schwarzes Kreuz quer über mein Spiegelbild.

Das rote Adressbuch

P. POWERS, JOHN ROBERT

Ich hielt es noch eine Weile bei ihnen aus, aber ich empfand das Leben in dem kleinen Haus als zunehmend klaustrophobisch. Beim nächsten Mal plante ich meinen Auszug ein wenig besser. Als ich meine Sachen packte und ging, war Carl bei der Arbeit, und Kristina lag noch im Bett und schlief. Ich fand, dass es so besser war. Auf diese Weise konnten wir Schwestern uns ordentlich verabschieden. Agnes weinte und gab mir alle Scheine, die sie in ihrer Haushaltskasse hatte.

»Wir sehen uns bald wieder, das verspreche ich«, flüsterte ich, als wir einander umarmten.

Ich schob sie von mir und ging, ohne mich umzudrehen, es war viel zu schmerzhaft, ihre Tränen zu sehen. Die darauffolgenden Nächte verbrachte ich in einem kleinen Hotel in der Seventh Street. In meinem Zimmer war kaum Platz, ein Bett und ein kleiner Nachttisch nahmen den ganzen Raum in Anspruch. An einem der ersten Tage setzte ich mich hin und schrieb einen Brief an Gösta. Ich schrieb ganz ehrlich, wie es mir ging und was passiert war. Diesmal dauerte es nur zwei Wochen, bis ich eine Antwort bekam, adressiert postlagernd an das Postamt am Grand Central. Ich ging jeden Tag vergebens dorthin, und als die Postbeamtin mir dann endlich einen Brief aushändigte, riss ich ihn sofort auf. Er war mit krakeliger Tinte geschrieben, ich lächelte, als ich die Handschrift sah. Ich hatte gehofft, dass er ein Ticket für die Rückreise nach Stockholm enthielt, oder Geld. Aber er enthielt nur Worte. Er habe kein Geld, schrieb er, das Leben in Stockholm sei hart. Der Krieg mache alles noch viel schwieriger. Er würde nur überleben, weil er Gemälde gegen Essen und Wein eintauschte.

Wenn ich könnte, würde ich dir ein Schiff schicken, um dich holen zu lassen, liebe Doris. Ein Schiff, das dich schnell über den Ozean bringen würde, nach Hause in den schönen Hafen von Stockholm. Ich würde mit einem Fernglas an meinem Fenster sitzen und beobachten, wie die Matrosen es am Kai vertäuen. Und sobald ich dich erblicken würde, käme ich zum Wasser gerannt und würde mit ausgebreiteten Armen auf dich warten. Das wäre wundervoll, meine kleine Doris. Eine liebe Freundin nach so vielen Jahren der Trennung endlich wiederzusehen! Du bist jederzeit willkommen. Das weißt du. Meine Tür steht dir immer offen. Denn das kleine hübsche Mädchen, das mir in der Bastugatan 5 Wein einschenkte, werde ich nie vergessen.
Dein Gösta

Der Brief war mit zierlichen roten, lilafarbenen und grünen Blumen geschmückt. Sie schlängelten sich über die ganze rechte Seite, bogen sich in den Ecken und umrahmten den Text. Ich fuhr vorsichtig mit dem Zeigefinger über die schönen Blumen, die Göstas Zuneigung zu der jungen Haushaltshilfe ausdrückten, die er vor vielen Jahren kennengelernt hatte. Die Struktur der Farbe war grob, und ich spürte jeden Pinselstrich auf dem dicken Briefpapier. Die Blumen waren schöner als alle seltsamen Gemälde, die er je gemalt hatte.

Den Brief gibt es noch, Jenny, er liegt bei den anderen

in der Blechdose. Vielleicht ist er sogar etwas wert, schließlich wurde er am Ende doch berühmt. Lange nach seinem Tod.

Ich stand lange mit dem Brief in der einen Hand und dem Umschlag in der anderen. Es war, als wäre meine letzte Rettungsleine gekappt worden, und die Welt um mich herum zerfiel. Schließlich faltete ich den Brief zusammen und steckte ihn in meinen Büstenhalter, ganz nah ans Herz. Die Enttäuschung wurde von dem unbändigen Willen verdrängt, so schnell wie möglich nach Stockholm zu gelangen. Ich lief auf die Toilette. Dort kniff ich mir fest in die Wangen und malte die Lippen rot an. Zupfte mein beigefarbenes Jäckchen zurecht und zog den Rock hoch, den meine Hüften immer noch nicht ausfüllten. Dann ging ich zur John Robert Powers Modelagentur. Es war eine Agentur für schöne Mädchen, hatte Carl erzählt. Dort wurden den Mannequins Aufträge in New York vermittelt, nicht durch Kaufhäuser oder Modeschöpfer wie in Paris. Mein Herz pochte wie wild, als ich die Hand auf den Türgriff legte. Ich wusste nichts über Agenturen, aber ich war bereit, ins kalte Wasser zu springen. Meine Schönheit war mein einziger Trumpf.

»Hello«, sagte ich schwach, als ich vor einem großen Schreibtisch stand, hinter dem eine kleine Frau saß. Sie trug ein enges, rot und schwarz kariertes Kostüm. Sie musterte mich kritisch über den Rand ihrer Brille hinweg, von Kopf bis Fuß.

»Ich bin hier, um John Robert Powers zu treffen«, stammelte ich in unsicherem Englisch.

»Haben Sie einen Termin?«

Ich schüttelte den Kopf und erntete ein herablassendes Lächeln.

»Miss, dies ist die John Robert Powers Agentur. Sie können nicht einfach hier hereinspazieren und glauben, dass Sie ihn treffen können.«

»Ich dachte nur, dass er mich vielleicht kennenlernen möchte. Ich komme aus Paris, wo ich für die großen europäischen Modeschöpfer gearbeitet habe, Chanel, zum Beispiel. Kennen Sie Chanel?«

»Chanel?« Sie erhob sich von ihrem Platz und deutete auf einen der dunkelgrauen Stühle an der Wand.

»Nehmen Sie dort Platz. Ich bin gleich zurück.«

Ich wartete gefühlt eine Ewigkeit. Schließlich kam sie in Gesellschaft eines klein gewachsenen Mannes zurück. Er trug einen grauen Anzug. Darunter war eine Weste zu erkennen, eine dünne Goldkette hing aus einer Tasche. Wie die Dame an der Rezeption musterte auch er mich von oben bis unten, bevor er den Mund öffnete.

»Sie haben also für Chanel gearbeitet?« Sein Blick schweifte noch immer an mir auf und ab. Vermied Augenkontakt. »Drehen Sie sich einmal.« Er unterstrich seine Worte, indem er die Hand hob und in der Luft drehte.

Ich beschrieb eine halbe Drehung und sah ihn über die Schulter an.

»Das muss lange her sein«, schnaubte er, machte kehrt und ging. Ich sah die Dame verständnislos an.

»Das bedeutet, dass Sie jetzt gehen können.« Sie deutete mit einer Kopfbewegung in Richtung Tür.

»Aber soll ich denn keine Kleider anprobieren?«

»Miss, Sie waren sicherlich einmal ein schönes Model. Aber jetzt sind diese Tage vorbei. Wir haben nur Platz für junge Mädchen.«

Sie sah beinahe zufrieden aus. Vielleicht war jedes Mädchen, das von Mister Powers absербiert wurde, ein persönlicher Triumph für sie.

Ich strich mir mit der Hand über die Wange. Sie war noch immer glatt. Noch immer weich wie die eines Kindes. Ich räusperte mich.

»Könnte ich vielleicht einen Termin vereinbaren? Für einen Tag, an dem Mister Powers ein wenig mehr Zeit hat?«

Sie schüttelte entschieden den Kopf. »Das kommt leider nicht infrage. Es ist besser, wenn Sie sich eine andere Arbeit suchen.«

~ *15* ~

»Was ist mit deinem Gesicht passiert?« Jenny kommt näher an den Bildschirm heran und hebt den Finger. Doris' Wange ist mit einem großen weißen Pflaster bedeckt.

»Nichts. Ich bin gefallen und habe mich ein wenig gestoßen, aber es ist nichts Schlimmes. Nur eine Schürfwunde.«

»Aber wie ist das passiert? Hilft man dir nicht, wenn du aufstehen und gehen musst?«

»Ach, es war so dumm. Ich habe mich überanstrengt, und die Krankenschwester konnte mich nicht halten. Ich muss üben, um bald wieder selbst gehen zu können, sonst schicken sie mich ins Pflegeheim.«

»Ins Pflegeheim? Wer hat das gesagt?«

»Der Krankenhausfürsorger. Ich wollte dir nichts sagen, aber er kommt manchmal mit einem Formular vorbei. Er will, dass ich unterschreibe und freiwillig ins Heim umziehe.«

»Was denkst du darüber?«

»Lieber sterbe ich.«

»Das müssen wir verhindern. Wenn er das nächste Mal kommt, rufst du mich an.«

»Und was willst du ihm dann sagen, Liebes? Dass ich zu Hause wohnen kann? Das kann ich nicht. Nicht jetzt, in gewisser Weise hat er also recht. Ich bin im Moment zu nicht viel zu gebrauchen. Aber ich werde ihm das Vergnügen nicht gönnen und das zugeben.«

»Ich werde mit ihm reden«, sagt Jenny besänftigend. »Aber wie verbringst du deine Tage? Hast du etwas zu lesen? Soll ich dir ein paar neue Bücher schicken?«

»Danke, aber ich habe noch ein paar von dem Stapel, den du mir letztes Mal geschickt hast. Don DeLillo mag ich sehr, dieses Buch über den elften September.«

»*Falling Man*. Das mochte ich auch. Dann werde ich sehen, ob ich etwas an ... Doris? Doris! Hallo!«

Doris' Gesicht ist in einem schmerzerfüllten Ausdruck erstarrt. Sie drückt die rechte Hand auf die Brust und fuchtelt kräftig mit der linken.

»Doris!« Jenny schreit in dem kleinen Fenster auf dem Bildschirm »Doris, was ist? Antworte mir, was ist los?«

Ein schwaches Keuchen ist zu hören. Doris starrt Jenny resigniert an und wird immer grauer im Gesicht. Jenny schreit laut, aus voller Kraft.

»Schwester, kommen Sie! Kommen Sie! Halloooo!« Dann brüllt sie unartikuliert los. Das Volumen des Computers ist auf leise gestellt, um die anderen Patienten nicht zu stören, aber die Frau im Nebenbett hört, dass etwas nicht stimmt. Sie betätigt den Alarm. Jenny schreit und schreit. Schließlich kommt eine Krankenschwester rein. Die Zimmernachbarin zeigt auf Doris' Bett. Die Krankenschwester hebt den Computer von Doris' Bauch und stellt ihn auf den Nachttisch.

»Sie hat einen Herzinfarkt!«, schreit Jenny. Die Krankenschwester zuckt zusammen.

»Himmel, haben Sie mich erschreckt!«

»Kümmern Sie sich um Doris! Sie bekam keine Luft mehr und fasste sich mit der Hand ans Herz. Dann hat sie das Bewusstsein verloren!«

»Was sagen Sie da?« Die Krankenschwester betätigt sofort noch mal den Alarmknopf und fühlt am Handgelenk nach Doris' Puls. Als sie keinen findet, geht sie zur Mund-zu-Mund-Beatmung über. Zwischendurch ruft sie immer wieder nach Hilfe. Jenny beobachtet das alles von ihrer lindgrünen Küche in Kalifornien aus. Drei weitere Personen kommen angerannt, ein Arzt und zwei Krankenschwestern. Der Arzt schaltet den Defibrillator ein und drückt die beiden Sonden auf den Brustkorb. Die Stromstöße lassen Doris' Körper aufbäumen und wieder zusammenfallen. Er legt sie erneut auf und verpasst ihr einen weiteren Stromstoß.

»Ich spüre Puls!«, ruft die Krankenschwester.

»Lebt sie noch?«, schreit Jenny. »Antworten Sie mir, lebt sie noch?«

Der Arzt dreht sich überrascht um, hebt dann die Augenbrauen und sieht die Krankenschwester an. Jenny hört ihn murmeln: »Warum hat niemand den Computer ausgemacht?«

Er sieht wieder zu ihr und nickt.

»Es tut mir leid, dass Sie das mit ansehen mussten. Sind Sie ein Mitglied der Familie?«

Jenny nickt und schnappt nach Luft.

»Ich bin ihre einzige Verwandte. Wie geht es ihr?«

»Sie ist schwach und alt. Wir tun natürlich alles, um sie so lange wie möglich am Leben zu halten, aber das Herz verträgt nicht mehr so viel, wenn man so alt ist wie Doris. Hatte sie schon vorher Herzinfarkte?«

Jenny schüttelt den Kopf. »Nicht, soweit ich weiß. Sie war immer gesund und stark. Bitte, helfen Sie ihr, ich kann mir ein Leben ohne sie nicht vorstellen.«

»Ich verstehe. Ihr Herz schlägt wieder. Wir bringen sie jetzt auf die Intensivstation, sie wird die Nacht dort verbringen. Ist es in Ordnung für Sie, wenn wir die Verbindung zu Ihnen jetzt trennen?«

»Kann ich nicht dabeibleiben?«

»Ich denke, es ist gut, wenn Sie auch eine Pause bekommen.« Er deutet mit einem Nicken auf Tyra, die hinter ihr quengelt. Jenny beugt sich vor und hebt sie auf ihren Schoß. Sie summt kurz, und das Kind verstummt.

»Das geht schon. Ich möchte ein wenig bei Doris bleiben, wenn das okay ist.«

Der Arzt schüttelt bedauernd den Kopf.

»Es tut mir leid. Auf der Intensivstation dürfen wir keine internetfähigen Geräte einschalten. Das stört die Apparate. Bleiben Sie noch online, eine Schwester wird kommen und Ihre Kontaktdaten aufnehmen. Dann sorgen wir dafür, dass Sie über ihren Zustand unterrichtet werden. Auf Wiedersehen.«

»Nein, warten Sie, ich habe noch ein paar Fra...« Aber der Arzt und die beiden Krankenschwestern sind schon verschwunden.

16

Das Donnern der Wellen, die auf den Strand schlagen, wird von dem ständigen Strom der Autos übertönt. Die Villa hat eine schöne Aussicht, aber sie hatten nicht mit dem Verkehr gerechnet, als sie dort einzogen. Niemand von ihnen sitzt auf der weiß gestrichenen Veranda und sieht auf das Meer.

Außer an diesem Tag.

Als Willie von der Arbeit nach Hause kommt, wird er von Jenny empfangen. Sie sitzt mit Tyra im Schoß auf der Hollywoodschaukel, die sie vor vielen Jahren einmal zusammengeschraubt hatten, als sie frisch verliebt waren und immer dicht beieinander sitzen wollten. Sie schaukelt sachte hin und her, die Ketten knirschen dumpf in den Scharnieren.

»Warum sitzt du hier draußen, mitten in den Abgasen? Das ist nicht gut für das Baby.« Er lächelt sie an, aber Jennys Miene bleibt ernst.

»Hör auf, sie ein Baby zu nennen, sie ist bald zwei Jahre alt.«

»Sie ist anderthalb und hat gerade angefangen zu laufen.«

»Sie ist zwanzig Monate, zwei Wochen und drei Tage alt. Bald zwei.«

»Ja, ja. Dann nenne ich sie halt Tyra.« Willie zuckt mit den Achseln und zieht die Tür auf.

»Ich werde nach Schweden fliegen.«

Die Tür kracht wieder ins Schloss. Tyra wimmert.

»Was? Nach Schweden? Was ist denn passiert?«

»Doris hatte heute einen Herzinfarkt. Sie liegt im Sterben.«

»Herzinfarkt? Ich dachte, sie hat sich das Bein gebrochen?«

»Es geht ihr nicht gut. Ich muss zu ihr fahren. Ich kann sie nicht alleine sterben lassen. Ich werde so lange bleiben … wie notwendig.«

»Und wie soll das bitte gehen? Wer kümmert sich um die Kinder? Wir schaffen das hier nicht ohne dich.«

»Mehr hast du dazu nicht zu sagen?«

»Es tut mir leid für Doris, natürlich. Sie ist schon sehr alt, ich weiß. Aber das Leben findet hier statt, und wir brauchen dich.«

»Ich kann Tyra mitnehmen. Die Jungs sind tagsüber in der Schule, ihr werdet schon klarkommen.«

»Du kannst uns nicht einfach so im Stich lassen.«

»Ich lasse euch doch nicht im Stich? Fühlt sich das so an?«

Willie holt tief Luft und wendet den Kopf zur Seite. Sie steht auf und legt ihm eine Hand auf die Schulter.

»Das wird schon gut gehen. Und ihr werdet zurechtkommen.«

»Ich weiß, dass sie dir viel bedeutet, aber ist sie wichtiger als deine eigene Familie? Du kannst uns doch nicht einfach im Stich lassen? Ich habe einen Job. Einen Job, der uns alle ernährt. Ich kann nicht zu Hause sein, wenn die Jungs von der Schule kommen. Wer soll das denn machen?«

»Es muss eine Lösung geben. Dann müssen wir jemanden dafür einstellen.«

Willie antwortet nicht. Sein Mund wird schmal, und er geht ins Haus und schlägt die Tür so fest zu, dass Tyra zusammenzuckt. Jenny setzt sich wieder auf die Schaukel, lehnt sich zurück, steckt sich das Kissen hinter den Kopf und legt

Tyra auf ihren Bauch. Aber das Kind will nicht, richtet sich sofort wieder auf und quengelt unzufrieden.

»Schsch, leg dich hin. Schlaf ein bisschen«, flüstert sie und zieht das Mädchen an sich.

Willie steckt den Kopf aus der Tür.

»Bitte, sag mir, dass du es nicht ernst meinst.«

Jenny schüttelt den Kopf. Willie verdreht genervt die Augen. Sie starrt ihn stumm an. Ihre Stirn ist gerunzelt, und sie hat Tränen in den Augen.

»Sie liegt im Sterben, begreifst du das nicht?«

»Ich weiß, und das ist furchtbar. Aber ich habe Angst, meinen Job zu verlieren, wenn du weg bist. Nie im Leben kann ich mich um alles hier zu Hause kümmern und nebenher arbeiten.«

Jenny richtet sich auf und lässt Tyra allein am anderen Ende der Schaukel spielen.

Willie kommt wieder nach draußen. Er lehnt sich direkt neben ihr an die Wand und streichelt ihr über die Wange.

»Entschuldige... Erzähl mir, was passiert ist.«

»Wir haben heute miteinander geskypt. Zuerst war alles wie immer. Sie war wie immer. Allerdings war sie gestürzt und hatte ein großes Pflaster auf der Wange, machte aber Witze darüber. Ja, du weißt ja, wie Doris ist. Dann, plötzlich, legte sie die Hand auf die Brust und bekam keine Luft mehr. Es war wie im Fernsehen, wie in einer Folge von *Grey's Anatomy*. Ich habe geschrien, ganz laut, so laut ich konnte. Irgendwann kamen sie mit so einem Elektrogerät angerannt.«

Willie setzt sich neben sie und nimmt ihre Hand. »Es war also wirklich ein Herzinfarkt?«

»Ja. Der Arzt meinte, dass sie anfängt, schwächer zu werden. Die gebrochene Hüfte und die Operation müssen sie sehr mitgenommen haben. Sie mussten eine Angioplastie durchführen, hat mir die Krankenschwester später dann erzählt.«

»Liebling, sie kann damit vielleicht noch lange leben, das weißt du doch nicht. Was willst du dort machen? Dasitzen und auf ihren Tod warten? Ich glaube nicht, dass das gut für dich ist.«

Er streicht ihr über die Hand, aber Jenny zieht sie weg und schiebt ihn von sich.

»Du glaubst, dass das nicht gut ist? Für mich? Du denkst dabei doch nur an dich selbst! Es ist bequemer für dich, wenn ich hierbleibe, darum geht es doch! Aber weißt du was? Sie ist alles, was ich noch habe, meine einzige Verbindung zu Schweden. Mein letztes Bindeglied zu meiner Mutter und Großmutter.«

Willie kann seinen Seufzer nur mit Mühe unterdrücken. »Überlege es dir wenigstens noch einmal. Okay, Liebling? Mir ist klar, dass es gerade schwierig für dich ist. Aber du kannst doch wenigstens abwarten, wie es ihr geht, oder? Vielleicht erholt sie sich wieder.«

Er zieht sie zu sich heran, und die Spannung in ihrem Körper lässt nach. Sie lehnt den Kopf gegen seine Brust und atmet den vertrauten, warmen Geruch ein. Sein Hemd ist feucht, sie macht ein paar Knöpfe auf und schiebt den Stoff beiseite, legt ihre Wange auf seine nackte Haut.

»Warum sitzen wir nie hier draußen?«, flüstert sie und schließt die Augen, als ihr der Meereswind ins Gesicht bläst. Ein Lastwagen donnert vorbei. Sie lachen.

»Deshalb«, flüstert Willie und küsst ihr Haar.

17

»Guten Morgen, Doris.« Die Krankenschwester beugt sich über das Bett und lächelt zaghaft. Mitfühlend.

»Wo bin ich? Bin ich tot?«

»Sie leben. Sie liegen auf der Intensivstation. Sie hatten gestern ein paar Probleme mit dem Herzen, einen kleinen Infarkt.«

»Ich dachte, ich wäre tot.«

»Oh nein, tot sind Sie noch nicht. Ihr Herz schlägt wieder stabil. Der Doktor hat die Gefäßverstopfung beseitigt. Erinnern Sie sich daran, dass Sie operiert wurden?«

Doris nickt schwach. Unsicher.

»Wie fühlen Sie sich?«

Sie fährt mit der Zunge über den Gaumen.

»Ein bisschen durstig.«

»Wollen Sie was trinken?«

Doris schafft es, ein Lächeln in ihr bleiches Gesicht zu zwingen. »Apfelsaft, wenn es geht.«

»Dann hole ich Ihnen einen. Ruhen Sie sich ein bisschen aus, dann werden Sie sich bald wieder besser fühlen.« Die Krankenschwester dreht sich um.

»Alt sein ist einfach beschissen.«

Sie wendet den Kopf. »Was sagen Sie?«

»Alt sein ist einfach beschissen.«

Die Krankenschwester bricht in Lachen aus, verstummt aber schnell wieder, als sie Doris' ernste Miene sieht.

»Im Moment sind Sie vielleicht nicht gut drauf. Aber das wird schon wieder. Es war nur ein kleiner Infarkt, Sie hatten Glück.«

»Ich bin über sechsundneunzig Jahre alt. Mein Glück ist begrenzt.«

»Ja, genau, von der Hundert sind Sie noch weit entfernt!« Die Krankenschwester zwinkert und drückt Doris' Hand.

»Der Tod, der Tod, der Tod«, murmelt sie leise, als sie wieder allein ist. Ein Apparat steht am Kopfende des Bettes, sie verfolgt neugierig die darauf angezeigten Zahlen und Linien. Der Puls, der an dem 80er-Strich auf und ab pendelt, das Zickzackmuster der EKG-Kurve, der Sauerstoffgehalt im Blut.

Das rote Adressbuch

A. ALM, AGNES TOT

Alles stürzte in sich zusammen. Dort, auf der Straße vor der Agentur. Keine Arbeit. Keine Wohnung. Keine Freunde. Nur eine verheiratete Schwester ein paar Blocks entfernt. Ich erinnere mich, dass ich lange dort stehen blieb, den Blick auf die befahrene Straße gerichtet. Ich konnte mich nicht entscheiden, in welche Richtung ich gehen sollte, nach rechts oder links – aber ich brauche kaum erwähnen, in welche Richtung ich am liebsten wollte, Jenny. Gösta hatte mich einmal gebeten, ihm zu versprechen, mir selbst gegenüber treu zu sein und nicht den Umständen des Lebens die Macht über mein Schicksal zu überlassen. Dort, wie so viele andere Male, brach ich dieses Versprechen. Ich konnte nicht erkennen, welche andere Wahl mir blieb. Langsam ging ich zurück zu dem Haus, das ich vor Kurzem verlassen hatte.

Carl war noch nicht nach Hause gekommen. Agnes saß neben Kristina und nähte. Sie sahen auf, als ich zur Tür hereinkam. Agnes sprang auf.

»Du bist zurückgekommen! Ich wusste es!« Sie umarmte mich fest.

»Aber ich werde nicht lange bleiben«, murmelte ich.

»Doch, du wirst bleiben. Du und Kristina, ihr nehmt die Betten im Obergeschoss.« Sie deutete mit einem Nicken zur Treppe. »Carl und ich schlafen hier unten auf dem Sofa.«

Ich schüttelte den Kopf. Das konnte ich nicht annehmen.

»Wir haben schon darüber geredet. Wir haben gehofft,

dass du zurückkommen würdest. Es gibt genug Platz für dich hier. Du kannst mir im Haushalt helfen.«

Sie umarmte mich erneut, und ich fühlte, wie ihr Bauch gegen meinen drückte.

»Jetzt bin ich an der Reihe, dir zu helfen. Du hast mir so viel geholfen, und du wirst hier gebraucht werden.« Sie nahm meine Hände und legte sie auf ihren Bauch. Ich riss die Augen auf, als ich es begriff.

»Du bist schwanger? Aber warum hast du das nicht früher gesagt? Du kriegst ein Kind!«

Sie nickte begeistert. Ihre Mundwinkel zogen sich nach oben, begleitet von einem hellen Gekicher und fuchtelnden Armen.

»Ist das nicht herrlich?«, rief sie. »Wir werden ein kleines Baby im Haus haben!« Sie hielt das Stoffstück hoch, das sie gerade bestickte. Es war eine hellgelbe Babydecke. Ein Stich fuhr durch meine Brust, als ich daran dachte, wie ich mit Allan über unsere zukünftige Kinderschar gesprochen hatte, aber ich schob diese Gedanken schnell wieder beiseite. Es war Agnes' Baby, Agnes' Moment. Ich lächelte sie an.

Ich konnte nicht anders, als zu bleiben. Ich freute mich sehr auf den Nachwuchs. Carl und Agnes, Kristina und ich. Eine komische Familie, die begeistert auf ein neues kleines Leben wartete. Elise, deine Mutter.

Jeden Morgen stellte Agnes sich im Profil in die Küche und strich sich über den Bauch. Und jeden Morgen war er größer. Wir teilten die Freude über die Schwangerschaft, und ich durfte den Bauch so oft berühren und halten, wie ich wollte. Das kleine Kind wuchs, und irgendwann meinte ich die Umrisse der winzigen Füße zu sehen, wenn es um sich trat. Ich versuchte, danach zu greifen, aber dann schlug Agnes meine Hand weg und schrie, dass es kitzele.

Die Tage vergingen schneller, als ich mich gebraucht fühlte. Ich half Agnes beim Einkaufen und Kochen, ich putzte und wusch ab. Sie wurde immer unbeweglicher und magerte ab. Der Bauch sah aus wie ein Ballon im Vergleich zu ihrem ansonsten so schmalen Körper. Ich fragte sie immer wieder, ob sie sich wirklich gut fühle, aber sie wischte meine Sorgen beiseite und meinte, sie sei nur müde. Schließlich sei sie schwanger.

»Es wird so schön, wenn das Kind draußen ist, dann kann ich endlich wieder ich selbst sein«, seufzte sie immer öfter.

Als ich eines Tages nach Hause kam, saß sie auf dem Sofa in der Küche, ihre Lippen waren blauschwarz, ihre Haut bläulich und fleckig. Sie atmete zischend, die Augen weit aufgerissen. Mehr Worte finde ich nicht dafür. Es war ein Erlebnis, das ich lieber vergessen will. Denn es erinnerte mich an den Tod meines Vaters. Nur diesmal war es nicht meine Mutter, die schrie, sondern ich.

Sie konnten die kleine Elise noch retten, bevor deine Großmutter Agnes starb. Im Kindbett, wie es damals hieß. Die Schwangerschaft hatte ihren Körper vergiftet und dafür gesorgt, dass die inneren Organe nicht mehr funktionierten. Von einem Tag auf den anderen war sie weg. Und wir bekamen ein kleines Bündel, das nicht aufhören wollte zu schreien. Es war, als wüsste die Kleine, dass sie der Liebe ihrer Mutter beraubt worden war.

Ich hielt deine Mutter jeden Tag in den Armen, wiegte sie in den Schlaf und versuchte, ihr all meine Liebe zu geben. Wir fütterten sie mit normaler Kuhmilch, die wir auf Körpertemperatur erwärmten, aber diese verursachte bei ihr schreckliche Bauchschmerzen, sie schrie und schrie. Ich erinnere mich, wie es in dem kleinen Bauch blubberte, wenn ich die Hand darauflegte, als trage sie etwas Lebendiges in sich.

Kristina löste mich manchmal ab und versuchte, uns beide zu trösten, aber sie war alt und müde.

Carl ertrug die Schreie und die Trauer nicht. Er verließ das Haus früh am Morgen und kam spätabends zurück. Erst als er eine Amme fand, eine Frau mit einem Säugling, die bereit war, einem anderen Kind von ihrer Milch abzugeben, wurde es wieder ruhiger in dem kleinen Haus.

Langsam normalisierte sich das Leben. Elise wuchs und schenkte uns ihr erstes gurgelndes Lachen. Agnes fehlte mir fürchterlich, aber ich versuchte, mich um der Kleinen willen zusammenzureißen.

Eines Tages aber verließ ich endgültig das Haus. Ich hatte vorgehabt, nur einen kleinen Spaziergang zu machen, um Fleisch und Gemüse zu kaufen. Aber ich lief an der Post vorbei, ich war lange nicht mehr da gewesen, und ich war neugierig, ob Gösta etwas geschrieben hatte. Das hatte er nicht. Aber da lag trotzdem ein Brief für mich, der postlagernd an mich adressiert war. Aus Frankreich.

Doris,
ich kann mit Worten nicht beschreiben, wie sehr du mir fehlst. Der Krieg ist grausam. Viel grausamer, als du dir jemals vorstellen kannst. Ich bete jeden Tag, dass ich überlebe. Damit ich dich wiedersehen kann. Ich habe ein Foto von dir. In meiner Tasche. Darauf siehst du aus wie die schöne Rose, die ich in Paris kennengelernt habe. Mir ist hier einiges klar geworden. Ich trage dein Bild an meinem Herzen und hoffe, dass du meine Liebe auch auf der anderen Seite des Atlantiks spürst.
Dein auf ewig.
Allan

Da stand ich nun. In New York, wo er an meiner Seite hätte sein sollen. Wo wir endlich hätten zusammen sein sollen. Aber er war in Frankreich. Ich wanderte wochenlang wie durch einen Nebel und konnte an nichts anderes denken als an Allan. An uns.

Wenn ich Elise abends ins Bett brachte und sie ganz still schlafen sah, brachte sie mich von dem Gedanken ab, das Land zu verlassen. Sie war so hilflos, so klein und süß. Sie brauchte mich. Trotzdem fing ich an, einen Teil von dem Essensgeld, das Carl mir gab, beiseitezulegen.

Schließlich hielt ich es nicht länger aus. Ich packte einen Koffer, diesmal nur den kleinen, und brach einfach auf. Ich verabschiedete mich nicht von Kristina, obwohl sie sah, wie ich den Koffer nahm und ging. Ich schrieb Carl keinen Zettel. Gab Elise keinen Kuss, das hätte ich niemals geschafft. Ich schloss für ein paar Sekunden die Augen, nachdem ich die Tür hinter mir zugezogen hatte, ging dann aber mit entschlossenen Schritten hinunter zum Hafen. Ich war fertig mit Amerika. Ich wollte zurück nach Europa. Ich musste dort sein, wo Allan war. Meine Liebe trieb mich zu ihm.

~ *18* ~

Der Arzt starrt auf die Akte, die in einer dunkelblauen Klemmmappe steckt.

»Ihre Werte sehen wieder besser aus.« Er blättert zwischen den ersten drei Blättern hin und her, liest die Aufzeichnungen und Testergebnisse durch. Schließlich nimmt er seine Brille ab, steckt sie in seine Manteltasche und sieht ihr zum ersten Mal in die Augen, seit er den Raum betreten hat.

»Wie fühlen Sie sich?«

Sie schüttelt den Kopf.

»Müde. Schwer«, flüstert sie.

»Ja, es kostet Kraft, wenn das Herz streikt. Aber ich glaube nicht, dass Sie eine größere Operation benötigen. Sie sind noch stark, und die Angioplastie verlief gut. Sie schaffen das.«

Er streckt die Hand aus und tätschelt sie am Kopf, als wäre sie ein Kind. Doris schiebt seine Hand weg.

»Stark? Finden Sie, ich sehe stark aus?« Sie hebt langsam die Hand mit der Kanüle. Ein blauer Fleck hat sich unter dem Pflaster gebildet, und die Haut strafft sich an der Einstichstelle, wenn sie die Hand bewegt.

»Ja, für Ihr Alter definitiv. Das muss ich schon sagen. Für Ihr Alter sind Ihre Werte gut. Sie müssen sich nur ein wenig ausruhen.« Mit diesen Worten dreht er sich um und geht.

Nicht eine Sekunde zu früh.

Sie friert. Zieht die Decke bis zum Kinn hoch. Ihre Finger sind steif und kalt, sie hält sie dicht vor den Mund und wärmt sie mit ihrem Atem. Draußen im Flur hört sie, wie der Arzt mit einer Krankenschwester spricht. Der Arzt flüstert zwar, aber nicht leise genug.

»Bringt sie wieder in die Abteilung hoch, sie muss nicht hier sein.«

»Aber schafft sie das wirklich? Ist sie stabil genug?«

»Sie ist sechsundneunzig Jahre alt. Sie wird wahrscheinlich nicht mehr so lange leben, und eine weitere Operation übersteht sie auf keinen Fall.«

Wahrscheinlich nicht mehr so lange leben, und eine weitere Operation übersteht sie auf keinen Fall.

Als die Krankenschwester hereinkommt und ihre Sachen auf dem Nachttisch zusammenpackt, schweigt sie, während ihr kalte Schauer über den Rücken laufen.

»Sie können jetzt wieder auf Ihre Abteilung zurück, das ist doch in Ordnung, oder? Ich nehme Ihnen nur die Elektroden ab.« Die Krankenschwester öffnet vorsichtig Doris' Hemd und entfernt die festgeklebten Pads. Doris fängt an zu zittern, ihr Rücken schmerzt.

»Sie Arme, frieren Sie? Einen Moment, ich hole Ihnen noch eine Decke.« Die Krankenschwester verschwindet, kommt aber gleich mit einer dicken, grün-weiß gestreiften Decke zurück, die sie über dem Bett ausbreitet. Doris lächelt dankbar.

»Ich hätte auch gern meinen Computer wieder.«

»Sie haben einen Computer? Den habe ich nicht gesehen, er muss noch in der Abteilung stehen. Wir sehen sofort nach, wenn wir dort sind. Sie kriegen ihn bestimmt bald zurück, keine Sorge.«

»Danke. Glauben Sie, dass meine Großnichte mit dem behandelnden Arzt reden dürfte? Ich weiß, dass sie das gern tun würde.«

»Das können wir bestimmt einrichten. Ich werde mit dem Doktor in Ihrer Abteilung sprechen. Jetzt geht es los, sind Sie bereit?« Das Bett ruckt, als die Krankenschwester die Bremse löst und es aus dem Zimmer schiebt. Im Flur richtet sie das Bett aus, und sie durchqueren den leeren Flur langsam in Richtung Aufzug. Die Krankenschwester plaudert vor sich hin, aber Doris hört ihr nicht zu. Die Worte des Arztes hallen in ihrem Kopf wider. Ihre Gedanken schwimmen im Kielwasser seiner Aussage. Hab keine Angst. Hab keine Angst. Hab keine Angst. Sei stark. Das »Pling« im Aufzug ist das Letzte, was sie hört.

»Gibt es jemanden, den wir kontaktieren können, Doris? Verwandte? Einen engen Freund?« Eine neue Krankenschwester sitzt auf einem Stuhl neben dem Bett. Sie ist zurück in der Abteilung. Ein neues Zimmer mit neuen Zimmernachbarn. Die schwarze Tasche mit dem Computer liegt auf dem Nachttisch.

»Ja. Jenny, meine Großnichte. Sie möchte mit dem Arzt sprechen. Wie spät ist es?«, fragt sie.

»Es ist schon fünf Uhr nachmittags. Sie haben geschlafen, seit Sie zurück sind.«

»Perfekt«, sagt sie und deutet auf den Computer. »Können Sie so nett sein und mir den Laptop geben. Ich werde Jenny über Skype anrufen.«

Die Krankenschwester zieht den Computer aus der Tasche und reicht ihn ihr. Doris öffnet das Programm, aber das Icon zeigt an, dass Jenny nicht online ist, und niemand hebt ab, obwohl Skype eine Verbindung herzustellen versucht. Sonderbar. Es ist Vormittag in Kalifornien, normalerweise hat sie den Computer um diese Zeit immer an. Hoffentlich ist nichts passiert. Hoffentlich stirbt sie nicht, bevor sie sich von

Jenny verabschieden konnte. Sie schiebt den Computer weg, lässt das Skypefenster aber offen.

»Sagen Sie Bescheid, wenn ich jemand anders anrufen kann. Es wäre vielleicht schön, wenn jemand aus der Familie oder ein Freund da wäre?«

Sie nickt und lässt den Kopf zur Seite sinken. Das Kissen fühlt sich hart wie Zement an, als sie ihre Wange darauflegt, und die Decke ist schwer. Sie fängt an zu schwitzen.

»Können Sie die Decke ein wenig wegschieben«, flüstert sie, aber die Krankenschwester ist bereits aufgestanden und gegangen. Sie dreht sich so auf die Seite, dass die Decke angehoben wird und ein wenig Luft hereinlässt. Der Computer liegt direkt vor ihr, und sie starrt auf Jennys Icon und wartet, dass es grün wird. Irgendwann fallen ihr die Augen zu, und sie schläft ein.

~ *19* ~

Jenny hat ihn schon lange, er hängt an einem Schlüsselring mit einem grünen Metallfrosch. DORIS steht in Großbuchstaben in Schwarz auf dem glänzenden Froschrücken.
Ein einsamer silberner Schlüssel. Sie lässt Tyra im Flugzeug
damit spielen. Die Kleine schlägt mit ihren kurzen, dicken
Fingerchen darauf, sodass der Frosch sich im Kreis dreht.
Immer und immer wieder. Und dann lacht sie so laut, dass es
unten in der Kehle gurgelt. Sie sind vor Kurzem aufgewacht,
nachdem sie ein paar Stunden in einer unbequemen Position
geschlafen haben. Von ihrem Fensterplatz aus sieht Jenny,
wie sich unten die dichten Wälder wie dunkelgrüne Felder
abzeichnen, als sie in den Sinkflug gehen. Sie hebt Tyra hoch,
damit auch sie alles sehen kann.

»Sieh mal, Tyra, *Sverige*! Schweden.« Sie zeigt nach unten,
aber das Mädchen interessiert sich mehr für den Frosch.
Sie streckt die Hand danach aus und quengelt, als sie den
Schlüsselring nicht zu fassen kriegt. Durch die lange Reise
und den schlechten Schlaf ist sie weinerlicher als sonst. Jenny
gibt ihr den Frosch und ermahnt sie zur Ruhe. Das Mädchen
stopft ihn sich direkt in den Mund.

»Nicht in den Mund, Tyra, gefährlich.« Das Mädchen
schreit laut, als Jenny ihr den Schlüsselring wegnimmt, und
die Passagiere auf den Nebensitzen sehen genervt zu ihnen
herüber. Jenny wühlt in ihrer Tasche und findet eine Schachtel mit ein paar Jelly Beans. Sie gibt Tyra eine nach der an-

215

deren, und das Mädchen verstummt und saugt zufrieden an den Süßigkeiten, bis der Flieger mit einem dumpfen Geräusch landet. Sie sind auf schwedischem Boden. Als sie durch die Ankunftshalle gehen, saugt sie jedes Wort in sich auf. Die Sprache, die sie sprechen und verstehen kann, aber fast nie hört.

»In die Bastugatan 25 bitte.« Sie bemüht sich, damit der Taxifahrer ihren amerikanischen Akzent nicht bemerkt, kann aber selbst hören, dass ihre Aussprache bei Weitem nicht perfekt ist. Aber was macht das schon, er spricht auch mit Akzent.

»Haben Sie guter Reise gehabt?«, fragt er, und Jenny lächelt.

Der Wagen fährt durch eine regnerische Landschaft. Die Scheibenwischer arbeiten auf Hochtouren und quietschen, als die Scheibe plötzlich trocken ist.

Sie unterhält sich, um die Zeit schneller vergehen zu lassen. »Was für ein Wetter das *here* ist.« Der Fahrer nickt, aber als sie ankommen, spricht er englisch mit ihr. Sie bezahlt mit Karte und steigt dann mit Tyra im Arm aus. Sie sieht hoch zum zweiten Stock. Die Jalousien in Doris' Wohnung sind heruntergelassen. Der Fahrer ist so freundlich und hebt den Kinderwagen und die beiden Koffer aus dem Kofferraum, aber als er sich wieder ins Auto setzt, fährt er so schnell los, dass Wasser auf Jennys Hose spritzt.

»Stockholm ist genau wie New York, alle haben es eilig«, murmelt sie leise und versucht, den Kinderwagen aufzuklappen, während sie Tyra mit der anderen Hand hält. Die Kleine versucht begeistert, die Regentropfen zu fangen.

»Ruhig, Tyra, ruhig. Mama muss den Wagen aufklappen.« Sie presst mit dem Knie gegen die Sperre und schafft es schließlich, dass der Wagen stabil steht. Tyra protestiert nicht, als sie hineingesetzt wird. Jenny schnallt sie an und versucht, den Kinderwagen mit der Hüfte zu schieben, während sie die beiden Koffer links und rechts hinter sich herzieht. Aber es geht nicht. Die kleinen Reifen des Kinderwagens verdrehen sich in alle Richtungen und verkeilen sich. Sie stellt das Gepäck auf den Boden und schiebt zuerst den Kinderwagen die Stufen hoch und rein ins Haus. Dort parkt sie Tyra im Eingangsbereich, ermahnt sie zur Ruhe und läuft wieder hinaus, um die Koffer zu holen. Als sie heil vor der Wohnung angekommen sind, Gepäck, Kinderwagen, Kind und alles, ist Jennys Pullover durchgeschwitzt.

Ein stickiger Geruch schlägt ihnen entgegen, als die Tür aufgeht. Im Dunkeln tastet sie nach einem Lichtschalter, bevor sie den Kinderwagen hineinschiebt. Tyra versucht, sich aufzurichten, will raus aus dem Wagen. Sie hustet vor Anstrengung, Jenny legt eine Hand auf ihre Stirn, aber die ist kühl. Tyra ist nur müde und ein bisschen erkältet. Sie setzt die Kleine auf den Küchenboden, zieht dann alle Jalousien hoch und öffnet die Fenster. Als das Tageslicht hereinströmt, bemerkt sie, dass Tyra direkt neben einem dunklen Fleck auf dem hellen Holzboden sitzt. Sie kniet sich daneben, während Tyra vorsichtig mit der Hand über den Fleck streicht. Es muss Blut sein. Von dem Sturz. Doris' Blut. Hastig hebt Jenny Tyra wieder hoch. Sie gehen ins Wohnzimmer. Es sieht alles noch genauso aus wie in ihrer Erinnerung. Das Sofa aus purpurfarbenem Samt, die graublauen und braunen Kissen, der 60er-Jahre-Tisch aus Teakholz, ein Schreibtisch an der Wand, die Engel. Doris hat Engel gesammelt, seit Jenny denken kann. Sie zählt. Acht kleine Porzellanengel aus Keramik allein im Wohnzimmer. Zwei davon sind Geschenke von Jenny. Morgen wird sie ein paar von ihnen mit ins Krankenhaus nehmen, damit Doris sie in ihrer Nähe hat. Sie nimmt einen der Engel in die Hand, er ist niedlich und aus goldenem Porzellan, und drückt ihn sich an die Wange.

»Ach Doris, du und deine Engel«, flüstert sie, während ihr Tränen in die Augen steigen. Sie stellt die Figur vorsichtig wieder auf den Schreibtisch zurück. Dort bleibt ihr Blick an einem Stapel Papiere hängen. Sie nimmt das oberste Blatt und beginnt zu lesen.

20

Unten auf der Straße hupt ein Auto. Es ist das Taxi, das sie bestellt hat. Die Sorge um Doris ist zu groß, und sie hat das starke Bedürfnis, sofort ins Krankenhaus zu fahren, nicht erst am nächsten Tag. Sie legt das Blatt zurück auf den Stapel und streicht mit der Hand darüber. Die Vorstellung, dass Doris all diese Seiten geschrieben hat! Dann nimmt sie sich ein paar Blätter, faltet sie vorsichtig zusammen und steckt sie in ihre Handtasche. Sie ist viel zu neugierig.

Kurz darauf sitzt sie mit Tyra im Arm wieder im Taxi auf dem Weg ins Krankenhaus. Es ist inzwischen Abend und dunkel geworden. Sie gähnt und zieht müde ihr Handy heraus.

»Hallo. Ich bin jetzt da, alles gut gelaufen.« Jenny hält das Handy ein Stück vom Ohr weg und wartet auf das Gebrüll von der anderen Seite des Atlantiks. Doch sie hört nur Schweigen. Und ein Rascheln, als der Hörer weitergegeben wird. Jack spricht zuerst.

»Wie konntest du einfach so wegfahren, Mama? Ohne dich zu verabschieden? Wer macht mir jetzt was zu essen? Wann kommst du wieder nach Hause?«

»Doris braucht mich hier. Sie hat niemanden. Keine Freunde, keine Familie. Niemand will einsam sterben. Und niemand sollte das tun müssen.«

»Aber was ist mit uns? Sind wir dir egal? Sind wir dir nicht wichtig? Wir haben auch niemanden, der uns helfen kann.« Er schreit, schrill und mit der unerschütterlichen Egozentrik eines Teenagers.

»Jack...«

»Einfach abhauen und deine Familie im Stich lassen. Wie kannst du so was machen?«

»Jack, hör mir zu.«

»Komm doch her, wenn du mit mir reden willst.«

»Jack, jetzt hör mal zu!« Sie hebt die Stimme, was sie nur macht, wenn sie richtig wütend ist. Registriert den Blick des Taxifahrers im Rückspiegel. »Ich bin überzeugt, dass du dir selbst ein paar Wochen lang deine Sandwiches schmieren kannst. Es geht um ein paar belegte Brote, nicht um dein Leben. Versuch mal, ein bisschen an Doris zu denken, nicht nur an dich selbst.«

Er gibt den Hörer wortlos an Willie weiter.

»Wie konntest du einfach fahren, ohne etwas zu sagen? Du hast uns nur einen Zettel dagelassen. Kannst du dir nicht vorstellen, dass wir uns Sorgen gemacht haben? Die Jungs sind total durchgedreht. So etwas muss man doch planen, wenn du mehrere Wochen weg sein willst. Planung! Wir brauchen ein Kindermädchen, das sich um die Jungs kümmert. Wie hast du dir das vorgestellt?«

»Wir hatten doch besprochen, dass ich nach Schweden fliege. Und ich habe Tyra mitgenommen, wie versprochen. Mach das Ganze nicht komplizierter, als es ist, Willie. Die Jungs sind groß. Mach ihnen morgens ein paar Sandwiches, leg sie in eine Dose, und sieh zu, dass sie sie mitnehmen. Das ist keine Kernphysik.«

»Und wer soll sich um sie kümmern, wenn sie von der Schule nach Hause kommen? Wer soll die Hausaufgaben mit ihnen machen? Ich muss arbeiten, das weißt du doch. *Gosh*, Jenny, du bist viel zu impulsiv!«

»Du findest, ich handle impulsiv? Als wäre ich eine dumme Teenagerin? Wir haben doch darüber geredet, du wusstest, dass ich fahren würde, um mich von Dossi zu verabschieden. Sie ist das einzige Familienmitglied, das ich noch habe. Sie hat sich um mich gekümmert, als ich klein war, und jetzt liegt sie im Sterben! Was kapierst du daran nicht?«

Er schnaubt, murmelt ein kurzes »Bye« und legt auf.

Jenny lächelt Tyra an, die ihre Mutter stumm beobachtet. »Das war Daddy«, sagt sie und zieht die Kleine zu sich heran. Küsst sie auf die kleinen, runden Wangen.

Wann haben die Dinge angefangen, so schiefzulaufen, fragt sie sich. Es war so angespannt zwischen ihnen in der letzten Zeit, sie stritten über Geld, über den Haushalt, und jetzt das. So war das früher nicht gewesen. Jenny erinnert sich noch gut an die Zeit, wo sie nur sein Gesicht ansehen musste, und schon war sie glücklich. Eine Zeit, in der sie die ganze Nacht wach blieben, Eiscreme im Bett aßen und stundenlang redeten. Ach, wie sie das vermisste.

Endlich sind sie da. Sie folgt den Schildern vom Haupteingang zu den Aufzügen. Das Warten macht ihr Angst. Angst, dass Doris nicht die ist, an die sie sich erinnert. Der Aufzug öffnet sich mit einem »Pling«.

Sie sieht sich unsicher um. Der Geruch von Putzmitteln, die Geräusche von Patienten und piepsenden Apparaten. Eine Krankenschwester bleibt stehen, als sie die beiden sieht.

»Suchen Sie jemanden?«

»Ja, ich suche Doris Alm. Liegt sie hier?«

»Doris, ja, sie liegt dort drüben.« Die Krankenschwester zeigt auf eine Tür. »Aber die Besuchszeit ist vorbei, Sie können jetzt leider nicht zu ihr.«

»Ich komme aus San Francisco! Wir sind vor ein paar Stunden gelandet. Bitte, lassen Sie mich kurz Hallo sagen.«

Die Krankenschwester rollt mit den Augen, doch dann nickt sie und zeigt ihr den Weg.

»Aber bitte seien Sie leise und bleiben Sie nicht zu lange, die anderen Patienten im Zimmer wollen schlafen.« Jenny nickt.

Sie sieht Doris' Körper, der sich unter der Decke abzeichnet. Sie ist mager und viel kleiner als in ihrer Erinnerung. Die Augen sind geschlossen. Jenny setzt sich auf einen der Stühle, zieht den Kinderwagen zu sich heran. Tyra schläft. Endlich hat sie Gelegenheit, die Seiten zu lesen, die Doris für sie geschrieben hat, und wird augenblicklich in die Geschichte von dem roten Adressbuch, Doris' Vater und der Werkstatt hineingezogen.

Ein Wimmern reißt sie aus der Geschichte. Doris bewegt sich unruhig. Jenny stellt sich ans Bett und beugt sich zu ihr hinunter.

»Doris«, flüstert sie und streicht ihr übers Haar. »Dossi, ich bin da.«

Doris öffnet die Augen und blinzelt mehrfach. Betrachtet sie lange.

»Jenny«, sagt sie schließlich. »Meine liebe Jenny, bist du es wirklich?«

»Ja, ich bin es wirklich. Jetzt bin ich da, ich bin bei dir. Jetzt kann ich dich endlich in den Arm nehmen.«

Das rote Adressbuch

P. PARKER, MIKE

Mike Parker. Seinen Namen habe ich lange nicht mehr in den Mund genommen. Es gibt Menschen, deren Namen nicht in einem Adressbuch stehen müssen, um in deinem Gedächtnis zu bleiben. Meine Geschichte wäre, leider, nicht vollständig ohne ihn.

Er hat mich gelehrt, dass manche Kinder, die in diese Welt gesetzt werden, nicht das Ergebnis von Liebe zwischen Mann und Frau sind. Er hat mich gelehrt, dass dazu keine Liebe notwendig ist. Und dass es nicht unbedingt schön sein muss.

Ich traf ihn an einem regnerischen Tag, und er ist wie Regen in meiner Erinnerung geblieben.

Niemand wollte im Frühjahr 1941 freiwillig nach Europa reisen. Die zivile Schifffahrt hatte ihre Dienste eingestellt; das Tontaubenschießen auf den Kreuzern war ersetzt worden durch Lastschiffe mit Raketen und Kampfjets. Ich wusste das alles. Trotzdem war ich entschlossen, diesen Hafen nur auf einem Schiff zu verlassen. Ob ich in England oder Spanien landete, war mir gleich, Hauptsache, ich war näher bei Allan. Und Gösta. Ich spazierte am Kai entlang und sah zu den Schiffen hinüber, die ein Stück weit draußen vor Anker lagen. Ich war barfuß, stieg über Müll und Wasserpfützen und schnappte vor Schmerzen nach Luft, wenn ich mich an spitzen Steinen schnitt. Die Schuhe hatte ich in meine Tasche gepackt, ich wollte das einzige heile Paar nicht zerstören, das ich noch hatte. Ich besaß nur den kleinen Koffer mit ein paar Kleidungsstücken darin. Um den Hals trug ich mein geliebtes Medaillon. Den Rest meiner Habseligkeiten hatte ich in den großen Koffer gepackt und bei Carl auf dem Dachboden untergestellt. Ich hoffte, dass ich sie eines Tages wiedersehen würde.

»Miss! Miss, suchen Sie jemanden?« Ein Mann näherte sich mir von hinten, und ich zuckte erschrocken zusammen. Er war ein wenig kleiner als ich, aber man erahnte unter seinem dünnen weißen Hemd die Kraft in seinen Schultern und Armen. Seine Klamotten waren ölverschmiert, seine Hände und Wangen auch. Er lächelte und nahm seine Kappe zu einem höflichen Gruß ab. Dann streckte er die Hand nach meinem Koffer aus. Schützend hielt ich meine Hände davor. Die Regentropfen fielen leise vom Himmel.

»Lassen Sie mich Ihren Koffer tragen. Haben Sie sich verlaufen? Es fahren keine Passagierschiffe mehr.«

»Ich muss nach Europa. Es ist sehr wichtig«, antwortete ich und trat einen Schritt zurück.

»Europa? Warum wollen Sie dahin? Wissen Sie nicht, dass dort der Krieg wütet?«

»Ich komme von dort. Und jetzt muss ich wieder nach Hause. Es gibt Menschen, die mich dort brauchen.«

»Hm, der einzige Weg dorthin ist, sich einen Job auf einem der Lastfahrschiffe zu verschaffen. Aber dann müssen Sie dieses Zeug ausziehen.« Er deutete mit einem Nicken auf mein rotes Kleid. »Haben Sie eine Hose dabei?«

Ich schüttelte den Kopf. Zwar hatte ich schon einige Frauen in modernen langen Hosen gesehen, aber so ein Kleidungsstück hatte ich nie besessen.

Er lächelte.

»Okay, das kriegen wir hin. Ich kann Ihnen vielleicht helfen. Ich heiße Mike. Mike Parker. Es gibt ein Schiff, das morgen in See sticht. Es ist bis zum Rand voll mit Waffen für die britische Armee. Wir brauchen einen Koch, der Kerl, der mitfahren sollte, ist krank geworden. Kann das Fräulein kochen?«

Ich nickte und stellte die Tasche ab. Meine Finger waren ganz taub von dem Gewicht und meinem krampfhaften Griff.

»Die Arbeit ist hart, und Sie müssen bereit sein anzupacken. Und Sie müssen sich die Haare abschneiden. Sie werden den Job niemals bekommen, wenn Sie so aussehen. Wie eine Lady.«

Ich schüttelte den Kopf und riss die Augen auf. Nein, nicht meine Haare …

»Wollen Sie nach Europa oder nicht?«

»Ich muss.«

»Nie im Leben werden sie eine Frau an Bord eines der Schiffe lassen, das diesen Hafen verlässt. Deshalb müssen wir Ihnen die Haare abschneiden und Sie wie einen jungen Mann aussehen lassen. Wir müssen Ihnen ein paar Klamotten beschaffen. Sie werden Hosen und Hemden tragen müssen.«

Ich zögerte. Aber was hatte ich für eine Wahl, wenn ich das Land verlassen wollte? Ich folgte ihm zu einem kleinen Büro inmitten der Baracken und zog die Klamotten an, die er mir zuwarf: eine braune Hose aus dicker Wolle und ein beigefarbenes Hemd mit verwaschenen Schweißflecken unter den Armen. Alles war zu groß und roch furchtbar. Ich krempelte die Ärmel und Hosenbeine hoch. Ich war nicht wirklich vorbereitet, als er den ersten Schnitt mit der Schere machte. Er hatte sich von hinten an mich herangeschlichen und ein dickes Büschel abgeschnitten. Ich schrie laut auf.

»Willst du mit oder nicht?« Grinsend schnippte er mit der Schere in der Luft.

Ich biss mir fest auf die Lippen, nickte und kniff die Augen zu. Er schnitt weiter. Am Ende lagen meine schönen, glänzenden Haare auf dem abgenutzten Holzboden.

»Das wird schön«, sagte er und grinste. Ich zitterte ängstlich und unsicher.

Er kippte den Inhalt meines Koffers in einen Jutesack und warf ihn mir zu.

»Komm morgen früh um sieben wieder her. Wir fahren damit zum Schiff raus.« Er zeigte auf eines der kleinen Ruderboote, die am Kai auf und ab schaukelten.

»Kann ich heute Nacht hierbleiben? Ich habe nichts, wo ich hinkann.«

»Sicher, mach, was du willst.« Er zuckte mit den Schultern und ließ mich ohne ein Wort des Abschieds zurück.

Eine einsame Nacht in einem Hafenviertel ist voller schrecklicher Geräusche. Eine Maus, die über den Boden trippelt, der Wind, der an Fenstern und Türen rattert, das Rauschen eines Abflussrohrs unten am Kai. Ich lag da mit dem Jutesack als Kopfkissen und bedeckt mit dem roten Mantel, den ich anhatte, als Agnes und ich in Amerika an Land gingen. Damals war er neu gewesen. Jetzt war er alt und kaputt. Wenn ich damals schon gewusst hätte, wie alles kommen würde! Im Sack lagen die zusammengeknüllten Reste meines glamourösen Lebens in Paris. Ich fragte mich, wie die Nächte für Gösta wohl waren, ob er in seinem Bett in Stockholm sicher war. Und Allan, lebte er noch? Die Sorge um ihn ließ mich erschaudern. Aber die Erinnerung an unsere Liebe verdrängte für kurze Zeit die Angst. In der Ferne hörte ich, wie eine Tür immer wieder vom Wind auf- und zugeschlagen wurde. Das rhythmische Krachen wiegte mich schließlich in den Schlaf.

Das rote Adressbuch

P. ~~PARKER, MIKE~~ TOT

Der Nebel lag dicht über dem Hafen, als es endlich dämmerte. Schwache rosafarbene Sonnenstrahlen tasteten sich über die stahlgraue Meeresoberfläche, die das Boot in schäumendes Weiß teilte. Mike ruderte mit kräftigen Zügen. Ich betrachtete Manhattan mit der Spitze des Empire State Building hoch oben im Himmel. Die amerikanische Flagge baumelte müde an dem Flaggenhalter, der an der Reling befestigt war. Plötzlich hielt Mike inne und sah mich an.

»Senk den Kopf, wenn du an Bord gehst. Sieh niemandem in die Augen. Ich werde den anderen sagen, dass du kein Englisch kannst. Wenn sie merken, dass du eine Frau bist, fliegst du vom Schiff.«

Mike ließ die Ruder los, kam auf mich zu und drückte beide Hände auf meine Brust. Das Boot schwankte. Ich keuchte auf und sah ihn erschrocken an.

»Zieh das Hemd aus. Wir müssen die hier verstecken.« Ich machte vorsichtig die Knöpfe auf, aber er fauchte, dass ich mich beeilen solle, schlug meine Hände weg und riss das Hemd auseinander. Ich saß mit entblößtem Oberkörper nur im Büstenhalter vor ihm. Die feuchte Morgenluft strich über meinen Körper und verursachte mir Gänsehaut. Er wühlte in einem Verbandskasten aus Blech und fand eine aufgerollte Mullbinde. Er umwickelte den BH fest, sodass meine Brüste gegen den Brustkorb gedrückt wurden. Damit verschwand die letzte Spur meiner Weiblichkeit. Er drückte eine Kappe auf mein kurz geschorenes Haar und ruderte dann das letzte Stück zum Schiff.

»Denk dran. Blick zum Boden. Die ganze Zeit. Du verstehst kein Wort Englisch. Und sprichst mit niemandem.«

Ich nickte, und als wir die Leiter an der Stahlfassade hochkletterten, versuchte ich, mich breitbeinig wie ein Mann zu bewegen. Den Sack mit den Klamotten hatte ich auf dem Rücken, den Riemen quer über der Brust. Er schabte schmerzhaft gegen meine eingewickelten Brüste. Mike stellte mich der Besatzung vor und sagte, dass sie sich die Zeit sparen könnten, mit mir zu reden, weil ich sowieso kein Wort Englisch verstünde. Dann führte er mich in die Kombüse und ließ mich mit den Kartons voller Lebensmittel zurück, die ausgepackt werden mussten.

In der Finsternis der ersten Nacht lernte ich Mikes eigentliche Absichten kennen. Er war überhaupt nicht darauf aus gewesen, mir zu helfen. Er presste meine Handgelenke mit der einen Hand gegen das Bettgestell und zischte mir ins Ohr: »Ein Wort, und du fliegst ins Meer. Ein Piepser, und du bist so tot wie ein Stein am Meeresgrund.«

Mit der anderen Hand schob er meine Beine auseinander. Er spuckte sich in die Handfläche und befeuchtete meinen Schritt. Rieb hin und her und schob erst einen Finger, dann zwei hinein. Ich spürte, wie seine Nägel die dünne Haut aufritzten. Dann stieß er mit einem Stöhnen in mich hinein. Er war groß und hart, und ich musste mir auf die Lippen beißen, um nicht aufzuschreien. Tränen des Schmerzes, der Angst und der Erniedrigung liefen mir über die Wangen, und mein Kopf krachte im Takt mit seinen harten Stößen gegen das Kopfende des Bettes.

Das wiederholte sich fast jede Nacht. Ich lag leise und reglos da, machte die Beine breit, damit es schneller überstanden war. Ich versuchte, mich an seinen keuchenden Atem an meinem Ohr zu gewöhnen, an seine widerlichen Hände an meinem Körper; versuchte, mich damit abzufinden, dass seine Zunge meine zusammengepressten Lippen ableckte.

Tagsüber arbeitete ich schweigend in der Küche. Kochte Reis und schnitt gepökeltes Fleisch in Scheiben. Wusch ab. Die Besatzungsmitglieder kamen und gingen. Ich wagte nicht, mit ihnen zu sprechen. Mike hatte mich in der Hand, und meine Angst vor der Strafe war zu groß.

Und dann eines Abends, wir waren nur wenige Stunden von der Küste entfernt, und ich war mit dem Abwasch beschäftigt. Da hörte ich plötzlich das Brüllen des Kapitäns von der Brücke. Männer, die durch die Flure rannten. Und dann Schusssalven aus der Ferne, die über das Wasser hallten. Ich hörte die Verzweiflung in der Stimme des Kapitäns, als er schrie.

»Zurück! Zurück! Umdrehen! Das sind Deutsche! Das sind Deutsche! Wenn wir unter Beschuss geraten, fliegen wir in die Luft!«

Die Wände und der Boden bebten, und ich spürte die Vibrationen in meinem ganzen Körper. Ich stand in der kleinen Kombüse, die meine Zuflucht war, aber mir wurde sofort klar, dass ich an Deck musste. Doch die Tür ging nicht auf. Vielleicht hatte Mike mich eingeschlossen, vielleicht lag es an den Erschütterungen. Ich musste raus. Die Schüsse kamen immer näher, es knatterte wie bei einem Feuerwerk. Am Ende der Kombüse befand sich ein kleines rundes Fenster, das zum Speisesaal führte. Ich schlug die Scheibe mit einem Topf ein und schob mich mit den Füßen voran hindurch. Die Reste der Glasscheibe schürften meine Beine und Oberarme auf. Das Schiff fuhr noch immer mit voller Kraft rückwärts, die Motoren dröhnten. Ich schlich die Treppe hoch ans Achterdeck, tastete mich zu der Kiste mit Schwimmwesten vor. Ich zog mir eine über den Kopf und kauerte mich dicht an die kalte Wand.

Es dauerte nicht lange, bis uns das deutsche Schiff eingeholt hatte. Die Männer schalteten die Scheinwerfer ein und begannen mit dem Beschuss. Die Antwort der Deutschen ließ nicht lange auf sich warten. Einige Kugeln trafen den Schiffskörper direkt über meinem Kopf, und ich duckte mich aus Angst vor einem Querschläger. Ich legte mich flach auf den Boden, als einer von der Besatzung mich sah. Er war im Begriff, über die Reling am Heck zu klettern. Er winkte mich zu sich. Ich rannte die wenigen Meter zu ihm, wobei ich die Arme zum Schutz um den Kopf legte. Ich wusste nicht, wo er hinwollte, aber ich folgte ihm und kletterte die Leiter hinunter. Ganz unten stieß ich mit dem Fuß gegen etwas Hartes. Er packte meinen Knöchel und führte meinen Fuß auf den Boden eines kleinen Rettungsbootes. Dann drückte er uns vom Schiff ab, und wir trieben langsam davon. Die Kugeln pfiffen über unsere Köpfe hinweg, und die Strömung trug uns viel zu nah zum feindlichen Schiff hinüber. Wir legten uns hin, duckten uns unter die Sitzbänke und drückten die Hände auf die Ohren. Das Donnern der Schüsse klang anders, weil das Geräusch durch das Wasser unter dem Rumpf gedämpft wurde. Es gluckste. In meinem Kopf ratterte ich sämtliche Gebete herunter, die ich einmal in der Schule gelernt, aber nie benutzt hatte.

Die Minuten fühlten sich wie Stunden an.

Dann explodierte plötzlich das Schiff, das wir soeben verlassen hatten, mit einem schrecklichen Knall. Eine heiße Druckwelle packte uns. Wir fielen beide ins Wasser. Ich hörte meinen rettenden Engel keuchend nach Hilfe schreien und mit den Händen um sich schlagen, doch seine Stimme trieb immer weiter weg, wurde schwächer und schwächer, bis sie schließlich verstummte. Ich wurde in dem kalten Wasser herumgewirbelt, war umgeben von brennenden Wrackteilen. Ich sah das große Schiff kentern und langsam sinken, wie eine Fackel in dem schwarzen Wasser. Die Schwimmweste aus Kork hielt mich an der Oberfläche, und ich schaffte es zurück auf das kleine Rettungsboot. Es lag umgedreht im Wasser, ich kletterte auf den Kiel und setzte mich rittlings darauf. Die Deutschen waren abgedreht, und es war wieder still. Keine Schüsse mehr, keine schreienden Männer.

Als die Morgendämmerung anbrach, war ich allein, umgeben von verkohlten Wrackteilen. Und Leichen. Einige der Männer waren erschossen worden, andere waren ertrunken. Den Mann, der mir das Leben gerettet hatte, habe ich nie wiedergesehen.

Mike trieb vorbei, und ich sah ihm hinterher. Sein Bart war von einer dicken Blutschicht bedeckt. Er hatte eine Kugel in den Kopf bekommen. Seine Stirn war zur Hälfte vom Wasser verborgen.

Alles, was ich spürte, war Erleichterung.

21

Als sie in die Wohnung in der Bastugatan zurückkommen, ist es nach San-Francisco-Zeit schon fast Vormittag. Die Müdigkeit ist fast lähmend. Jenny bereitet ein wenig Brei zu, während Tyra auf dem Boden mit den Töpfen spielt. Sie wirft sie vergnügt glucksend aus dem Schrank. Tyra ist zufrieden, darum stellt Jenny die Schale mit Brei neben sie auf den Boden und zieht den Teppich ein wenig zur Seite, damit er keine Flecken bekommt.

Jenny öffnet und schließt Schubläden und Schränke, wühlt neugierig in Doris' Sachen, während Tyra mit dem Essen herumpanscht. Auf dem Küchentisch liegen mehrere Gegenstände auf dem blauen Tischtuch. Sie hebt einen nach dem anderen hoch. Eine Lupe, bedeckt von Staub und Fettflecken, mit einem zerknitterten geklöppelten Band, dessen Ende ausgefranst ist. Sie sieht, wie die Sachen auf dem Tisch durch das schmutzige Glas vergrößert werden. Aber auch verschwommen. Sie haucht das Glas an und reibt es mit einer Ecke vom Tischtuch sauber. Der glatte hellblaue Stoff ist zerknittert. Sie hebt den Salzstreuer hoch. Ein paar gelbe Reiskörner zeichnen sich durch das Glas ab. Sie schüttelt ihn, bis sie im Weiß verschwunden sind.

In der Pillendose liegen noch Tabletten für drei Tage. Freitag, Samstag, Sonntag. Also muss Doris an einem Donnerstag gestürzt sein. Jenny denkt zurück und versucht, sich zu erinnern, wann der erste Anruf kam. Es war ein Schultag, also vermutlich am Freitag. Sie fragt sich, was für Medikamente das wohl sind. Ob Doris schon früher Herzprobleme hatte. Vielleicht kam der Infarkt, weil sie ihre Medikamente nicht genommen hat? Sie steckt das Döschen zusammen mit der Lupe in ein Fach in ihrer Handtasche. Morgen wird sie den Arzt fragen.

Tyra schmeißt ein paar Teller auf den Boden und fängt an, laut zu heulen. Jenny seufzt.

»Komm, wir gehen ins Bett, Sweetie«, murmelt sie. Sie hebt ihre Tochter hoch, wischt den Boden grob sauber und putzt Tyra das Gesicht mit einem Feuchttuch.

Kurz darauf ertönt das hohe Wimmern, das Tyra immer von sich gibt, bevor sie einschläft. Jenny legt sich ins Bett, dicht neben das Mädchen, und gräbt die Nase in ihren Nacken. Sie schließt die Augen. Das Kissen riecht nach Doris.

Es ist acht Uhr abends. Tyra zerrt an ihren Haaren, piekst sie in die Augen und quengelt. Jenny versucht verschlafen, anhand der leuchtenden Ziffern ihrer Armbanduhr die Uhrzeit in San Francisco zu erkennen. Elf Uhr. Um diese Zeit wacht Tyra immer nach ihrem Vormittagsschlaf auf. Sie ist noch schrecklich müde und versucht, das Mädchen zu besänftigen. Vergebens. Die Kleine ist hellwach.

Die Lampe auf dem Tisch wirbelt eine Staubwolke auf, als sie sie anmacht. Sie wedelt mit der Hand. Es ist kalt in der Wohnung. Sie wickelt eine Decke um sich und Tyra, als sie in die Küche geht, denn gleich wird der Hunger kommen. Sie wühlt in der Tasche auf der Suche nach etwas Essbarem. Ganz unten findet sie ein paar Kekse mit abgebrochenen Ecken und eine Packung Früchtemus. Sie macht den Verschluss ab und gibt Tyra die Packung. Sie nuckelt eine Weile zufrieden an dem Mus, wirft es aber bald weg und verlangt nach den Keksen. Sie legt sie in einen Topf auf dem Boden. Schlägt mehrmals mit dem Deckel darauf, bevor sie ihre kurzen, dicken Finger hineintaucht und einen Keks nach dem anderen hervorholt, um sie dann in die Luft zu werfen.

»Kekse, Kekse«, lacht sie vergnügt.

»Du sollst die Kekse essen, meine Liebe, *eat the crackers*«, lacht Jenny, noch immer ganz schlaftrunken. Draußen ist es finster, keine Lampen leuchten im Haus gegenüber. Nur leere schwarze Fenster, deren Scheiben den gelben Schein der Straßenlaternen spiegeln. Goldschimmernde Funken in der Nacht.

Auf dem Küchentisch liegt der Stapel ausgedruckter Seiten. Sie nimmt ihn, blättert sie durch und liest die ersten Zeilen.

So viele Namen, die einem im Laufe eines Lebens begegnen. Hast du dir darüber schon einmal Gedanken gemacht, Jenny? Die vielen Namen, die kommen und gehen. Die dir das Herz zerreißen und dich zu Tränen rühren. Die zu Geliebten oder zu Feinden werden. Manchmal blättere ich in meinem Adressbuch.

Das Adressbuch. Jenny sucht es unter den Gegenständen auf dem Tisch. Nimmt das abgegriffene Buch mit dem roten Ledereinband hoch und streicht über die vergilbten Seiten. Das muss das Buch sein, das Doris erwähnt. Sie blättert es durch. Fast jeder Name ist durchgestrichen. Dahinter hat sie jeweils TOT geschrieben. TOT, TOT, TOT. Jenny lässt das Buch fallen, als habe sie sich daran verbrannt. Der Gedanke daran, wie einsam Doris gewesen sein muss, ist fast nicht auszuhalten. Wenn sie doch nur bei ihr in der Nähe gewohnt hätte. Sie fragt sich, wie lange Doris hier schon allein gesessen hat. Wie viele Jahre. Ohne Freunde. Ohne Familie. Nur mit ihren Erinnerungen als Gesellschaft. Die schönen. Die schmerzhaften. Die schrecklichen.

Und jetzt ist Doris vielleicht bald einer von ihnen. Einer der toten Namen. TOT.

Das rote Adressbuch

J. JONES, PAUL

In dieser Nacht verfluchte ich mich selbst unzählige Male, weil ich das sichere Amerika verlassen hatte. Und wofür? Für ein Europa, in dem Krieg herrschte. Für den Traum, Allan treffen zu können. Einen naiven Teenagertraum, der niemals in Erfüllung gehen würde. Ich war sicher, dass mein Leben ein Ende haben würde, dort, im kalten Meer. Während ich in der Morgendämmerung auf dem Bootsrumpf lag, fantasierte ich von ihm, sah sein Gesicht vor mir. Ich spürte das kalte Metall meines Medaillons auf der Brust, konnte es aber nicht öffnen. Ich schloss die Augen und versuchte, ihn mir vorzustellen. Mit einem Mal war er mir so nah, dass das bedrohliche Meer in weite Ferne glitt. Er redete mit mir. Er lachte laut wie immer, wenn er etwas Lustiges erzählte. Machte jede Pointe zunichte, weil er sich selbst so über seinen Witz freute, brachte mich aber dennoch zum Lachen, weil die Laute, die er von sich gab, so mitreißend klangen. Er tanzte um mich herum, bald war er hinter mir, bald an meiner Seite und küsste mich, dann war er wieder weg. In seinen Augen blitzte die pure Lebenslust.

Das Wasser war schwarz, und die Schaumkronen der Wellen schimmerten wie Messerklingen in dem diesigen Sonnenlicht. Nur das Pfeifen des Windes war zu hören. Die Oberfläche des Rettungsbootes fühlte sich warm an. Ich bohrte die Finger zwischen die Holzplanken, um einen besseren Halt zu haben, aber meine Kräfte ließen nach, und der dicke Kork der Schwimmweste schnitt mir in den Bauch. Ich rutschte unfreiwillig nach unten, Richtung Wasser, war nicht in der Lage, meinen Körper zu halten, obwohl mir bewusst war, was das bedeutete. Der Tod erwartete mich, umfing mich, als ich schließlich ins Meer fiel. Die Wassermassen drückten gegen meinen Kopf, als ich unter die Oberfläche sank.

Es knisterte und roch nach brennendem Holz. Die Wärme durchströmte mich, meine Wangen wurden heiß, und die Haut zog sich zusammen. Ich lag in eine dicke Wolldecke gehüllt und konnte nicht einmal meine Arme bewegen. Ich blinzelte. Fühlte es sich so an, tot zu sein? Es war dunkel, wohl mitten in der Nacht, ich ließ den Blick durch den Raum schweifen. Ein großer, gemauerter Kamin stand in der Mitte, und der Schornstein ragte hoch zwischen die dunkelbraunen Balken in der Decke. Zur Rechten lag eine kleine Küchennische, zur Linken eine Diele und ein Fenster. Ich weiß nicht, wie lange ich so dalag und alle Einzelheiten registrierte. Die merkwürdigen Werkzeuge an den Haken in der Diele, die Seile, das zusammengeknüllte Papier, das in die Ritzen zwischen den Holzbrettern in die Wände gesteckt worden war. Wo war ich? Seltsamerweise hatte ich keine Angst, ich fühlte mich sicher in der Wärme des Feuers und dämmerte vor mich hin. Hatte ich doch überlebt?

Schließlich erwachte ich, als jemand die Verdunklung von den Fenstern nahm. Grelles Sonnenlicht strömte in den Raum. Ein Hund beschnupperte mein Gesicht, leckte meine Wange. Ich schnaubte, um ihn zu verjagen, schüttelte den Kopf.

»Guten Morgen«, sagte eine Männerstimme. Eine Hand legte sich weich auf meine Schulter. »Bist du jetzt wach?«

Ich blinzelte immer und immer wieder, bis ich sehen

konnte, wer da vor mir stand. Es war ein hagerer älterer Mann mit zerfurchten Wangen, und er musterte mich neugierig.

»Das war haarscharf. Ich habe dich mit dem Kopf unter Wasser gefunden. Ich dachte nicht, dass du noch lebst, aber als ich dich hochgehoben habe, hast du angefangen zu husten. Alle anderen waren tot. Überall schwammen Leichen. Dieser Krieg... Er wird noch die ganze Menschheit ausrotten.«

»Bin ich gar nicht tot?« Mein Hals brannte, als ich anfing zu sprechen. »Wo bin ich?«

»Nein, du bist nicht tot, obwohl du nah dran warst. Du hattest mehr Glück als die anderen von der Besatzung. Wie heißt du?«

»Doris.«

Er zuckte zusammen und sah mich verständnislos an. »Doris? Bist du eine Frau?«

Ich nickte. Dachte an mein kurzes Haar. »Sonst hätte ich nicht mitfahren können.«

»Ich bin darauf reingefallen. Aber ob Mann oder Frau, spielt keine Rolle. Du darfst hierbleiben, bis du kräftig genug bist, um weiterzuziehen.«

»Wo bin ich?«, fragte ich erneut.

»Du bist in England. In Sancreed. Ich habe dich gefunden, als ich mit meinem Fischerboot rausgefahren bin.«

»Ist hier kein Krieg?«

»Der Krieg ist überall.« Er senkte den Blick. »Aber hier im Dorf merken wir nicht so viel davon. Sie schießen auf London. Wir hören die Bomber, und nachts dunkeln wir die Fenster ab. Und wir haben kaum etwas zu essen. Aber sonst geht das Leben weiter wie bisher. Ich war draußen, um meine Netze einzuholen, als ich dich gefunden habe. Die

Fische habe ich wieder ins Meer geworfen. Ich wollte sie nicht, weil da so viele Tote im Wasser trieben.«

Der Mann lockerte die fest gewickelte Decke ein wenig, sodass ich die Arme herausnehmen konnte. Ich streckte mich vorsichtig. Meine Beine schmerzten, aber ich konnte sie bewegen. Dann kam der Hund wieder an. Er war grau und zottelig und stupste mich mit der Schnauze an.

»Das ist Rox, entschuldige seine Aufdringlichkeit. Ich heiße Paul. Hier ist nicht viel Platz, aber du kannst auf einer Matratze schlafen. Einfach, aber warm und schön. Wohin willst du? Du bist nicht aus England, das höre ich.«

Ich schwieg und dachte lange nach. Welche meiner beiden Heimatstädte war das Ziel meiner Reise? Ich wusste es selbst nicht. An Stockholm konnte ich mich kaum erinnern, Paris war eine Utopie, die mich nur enttäuschen würde.

»Ist in Schweden auch Krieg?«

Paul schüttelte den Kopf. »Soweit ich weiß, nicht.«

»Dann möchte ich dorthin. Nach Stockholm. Weißt du, wie ich dorthin kommen kann? Kennst du jemanden, der mir helfen könnte?«

Er lächelte traurig und schüttelte den Kopf. Ich sollte lange bei ihm bleiben. Ich glaube, das hatte er damals schon gewusst.

Das rote Adressbuch

J. JONES, PAUL

In der kleinen Hütte gab es eine Schlafempore. Neben dem Herd lehnte eine steile Leiter unter einer zugenagelten Luke, die zum Dachboden führte. Paul holte einen Hammer und entfernte die Nägel, dann kletterten wir hinauf. Unterm Dach lehnten sich die Wände gegen einen dicken Querbalken. Nur in der Mitte konnte man aufrecht stehen. Der Boden war mit allem möglichen Zeug bedeckt: Stapel von alten Zeitungen und Büchern. Kisten mit Netzen, die nach Tang rochen. Ein großer schwarzer Koffer. Ein kleines, selbst geschnitztes Schaukelpferd, das knirschend vor und zurück wippte, als wir über den Boden gingen. Alles lag unter einer dicken Schicht von Spinnweben.

Paul entschuldigte sich und blies den Staub und die Spinnweben weg. Eine große graue Wolke stieg auf, während er die Kisten aufeinanderstapelte und die Bücher an den Rand schob. Ich öffnete das halbmondförmige kleine Fenster und ließ ein bisschen Tageslicht einfallen. Dann schrubbte ich den Boden und die Wände mit Seifenwasser.

Eine dünne Rosshaarmatratze wurde mein Bett. Ein Wollüberwurf meine Decke. Nachts lag ich stundenlang wach und lauschte den Flugzeugen in der Ferne. Die Angst vor einer Explosion verfolgte mich. Vor meinem inneren Auge sah ich immer wieder aufs Neue, wie das Schiff in die Luft gesprengt wurde. Sah leblose Körper an mir vorbeifliegen. Das Wasser in meinen fiebrigen Träumen verfärbte sich blutrot. Ich sah Mike vor mir, der mich aus toten Augen anstarrte. Er hatte mir so wehgetan.

Paul hatte recht, der Krieg war von den alltäglichen Sorgen der Dorfbewohner weit entfernt. Ich war allerdings nicht der einzige unerwartete Besuch in der Stadt. Viele Nachbarn von Paul hatten kleine blasse Gäste, die sich nachts in den Schlaf weinten, weil sie ihre Eltern vermissten. Es waren Kriegskinder aus London. Ich sah sie mit abgewetzter Kleidung und barfuß beim Säubern der Fischernetze, beim Scheuern der Teppiche im eiskalten Wasser, bis die Hände ganz rot und rissig waren, und beim Tragen von schweren Säcken. Ein Schlafplatz musste mit harter Arbeit bezahlt werden.

Das galt auch für mich. Paul brachte mir bei, wie man Fische ausnimmt. Mit einem scharfen Messer schnitt ich aus den Kisten, die er vor mir abstellte, einen Fisch nach dem anderen kurz unter den Kiemen bäuchlings auf. An dem grauen, wackeligen Holztisch unten am Steg hackte ich ihnen den Kopf ab, nahm die Eingeweide raus und warf sie den Möwen zum Fraß vor. Meine Fingerspitzen wurden ganz trocken und rissig von den scharfen Schuppen. Er grinste nur, wenn ich klagte.

»Die härten schon bald ab, deine Stadtfinger müssen sich erst noch an ein bisschen harte Arbeit gewöhnen.«

Überall war Fischblut. Mir wurde ganz übel davon, es war eine ständige Erinnerung an den Tod. Aber ich biss die Zähne zusammen.

Eines Abends saßen wir im Wohnzimmer und aßen im Schein einer einzigen Kerze Abendbrot. Paul redete kaum beim Essen, er war nett, aber nicht besonders gesprächig. Aber an diesem Tag sah er mich plötzlich unvermittelt an.

»Du bist die Einzige von uns, die bei diesem Essen dicker

wird«, sagte er, hob den Löffel hoch und ließ die wässrige Suppe in den Teller tropfen. Ein Spritzer sprang in die Kerzenflamme, die zischte.

»Was meinst du damit?«

»Du bist dick geworden. Ist dir das gar nicht aufgefallen? Hast du irgendwo heimlich Essen versteckt?«

»Natürlich nicht!« Ich strich mit der Hand über meinen Bauch. Er hatte recht. Ich war dicker geworden. Mein Bauch war so gespannt wie ein Segel im Wind.

»Du bist doch nicht etwa schwanger?«

Ich schüttelte zögernd den Kopf.

»Wir brauchen nicht noch einen Mund, der gefüttert werden muss.«

Später im Bett strich ich über meinen runden Bauch, der auch nicht flacher wurde, als ich auf dem Rücken lag. Wie dumm ich gewesen war. Die Übelkeit beim Fischeausnehmen hatte nichts mit dem Blut zu tun gehabt. Ich erinnerte mich noch gut an Agnes' Beschwerden, als sie schwanger war. Plötzlich konnte ich alle Anzeichen sehen, die ich vorher ignoriert hatte. Als mir klar wurde, dass Mike der Vater des Kindes war, musste ich mich sofort übergeben. Das Böse hatte sich in mir eingenistet. Es hatte sich mit meinem Blut vermischt.

22

Seite um Seite wechselt den Stapel. Tyra schläft neben Jenny auf dem Bett, den Daumen tief in den Mund gesteckt. Ab und zu schmatzt es laut, wenn ihr Saugreflex sein Tempo steigert. Vorsichtig zieht Jenny den Daumen aus Tyras Mund und schiebt ihr einen Schnuller hinein. Den aber ersetzt die Kleine sofort wieder durch ihren Daumen. Jenny seufzt und wendet sich wieder dem Text zu. So viele Wörter, so viele Erinnerungen, die sie nicht kannte. Sie schläft mit eingeschalteter Lampe und einer nur zur Hälfte gelesenen Seite auf der Brust ein.

Das Krankenhaus ist grau und groß. Ein Betonklotz in einem Vorort mit türkisen und rostroten Details. Auf dem Dach schweben große weiße Buchstaben: *Danderyds sjukhus*. Sie schiebt den Kinderwagen mit Tyra durch den großen Eingang, vorbei an einem Glaskasten, in dem weiß gekleidete Patienten zitternd stehen und rauchen. In der Eingangshalle trifft sie auf weitere Patienten, auch die weiß gekleidet, einige mit Infusionsständern. Sie alle sind blass, winterblass. San Francisco scheint auf einmal so weit weg. In Zeit und Raum. Die Häuser, das Meer, der Verkehr. Jack mit seiner schlechten Teenagerlaune, David, Willie. Die Wäsche, das Putzen und das Kochen. Sie ist mit Tyra allein. Muss nur auf einen Kinderwagen aufpassen, nur ein Kind betreuen. Das Gefühl von Freiheit breitet sich in ihr aus, sie holt tief Luft und geht den Gang hinunter.

»Ihr geht es heute etwas besser, Sie werden mit ihr sprechen können. Aber sie braucht viel Ruhe, bleiben Sie also bitte nicht zu lange bei ihr. Und keine Blumen, das tut mir leid.« Die Krankenschwester schüttelt entschuldigend den Kopf und zeigt auf den Strauß in Jennys Hand. »Allergien.«

Mit einem Seufzer händigt Jenny ihr den Strauß aus und geht weiter zu Doris' Zimmer. Als sie ihre Großtante im Bett liegen sieht, bleibt sie abrupt stehen. Doris ist so klein und dünn, sie verschwindet fast unter der Decke. Das weiße Haar umrahmt ihr graues Gesicht wie einen Heiligenschein. Die Lippen sind bläulich. Sie lässt den Wagen stehen, rennt zum Bett und umarmt sie vorsichtig.

»Meine süße liebe Kleine«, flüstert Doris mit röchelnder Stimme und streicht Jenny über den Rücken. »Und wen haben wir da?« Doris zeigt auf den Kinderwagen, in dem Tyra mit großen Augen und offenem Mund sitzt.

»Ja, dieses Mal ist sie wach.«

Jenny hebt Tyra aus dem Wagen und setzt sich mit ihr auf die Bettkante. »Das ist *auntie Doris*, Tyra. *Auntie* vom Laptop, weißt du noch? *Say hello.*«

»Hoppe, hoppe Reiter«, singt Doris. Jenny lässt Tyra auf ihren Beinen hoch und runter hüpfen, und es dauert nicht lange, da breitet sich ein Lächeln auf ihrem Gesicht aus. Sie gluckst laut, als Jenny sie hin und her kippt.

»Sie ähnelt dir«, sagt Doris und streckt die Hand aus, um die dicken Beinchen zu berühren. »Du hattest auch so dicke Beine, als du klein warst.«

Sie zwinkert Jenny zu und lächelt.

»Wie wunderbar, du hast deinen Humor behalten.«

»Ja, noch ist die Tante nicht tot.«

»Ach, sag so etwas nicht. Du darfst nicht sterben, Dossi, du darfst einfach nicht sterben.«

»Aber das muss ich dürfen, mein Schatz. Es ist Zeit, ich habe genug. Siehst du nicht, wie klapprig ich bin?«

»Bitte, sag das nicht …« Jenny kneift die Augen zu. »Ich habe angefangen, den Text zu lesen, den du für mich geschrieben hast. Ich habe geweint, als ich gesehen habe, was du mir alles erzählen wolltest. Was dir alles passiert ist. Ich wusste so vieles aus deinem Leben nicht.«

»Wie weit bist du denn gekommen?«

»Oh, ich war auf einmal so furchtbar müde, ich bin mitten in Paris eingeschlafen. Du musst schreckliche Angst gehabt haben, so ganz allein in diesem Zug. Du warst noch so jung. So alt wie Jack jetzt. Das ist unvorstellbar.«

»Ja, natürlich hatte ich Angst. Ich kann mich heute noch daran erinnern. Es ist sonderbar. Wenn man alt wird, verblasst die Erinnerung an das, was man vor Kurzem erlebt und gemacht hat, aber die Erinnerungen aus der Kindheit werden wieder so lebendig, als würden sie gerade erst geschehen. Ich kann mich sogar an die Gerüche erinnern, als wir mit dem Zug in den Bahnhof eingelaufen sind.«

»Das kannst du? Wonach hat es denn gerochen?«

»Es roch nach Qualm aus Holzöfen, nach frisch gebackenem Brot, und die feinen Herren auf den Bahnsteigen dufteten nach Mandelblüten und Moschus.«

»Moschus, was ist das?«

»Ein Duft, der damals modern war. Er riecht gut, aber ist sehr intensiv.«

»Erinnerst du dich auch an die erste Zeit in Paris? Wie ging es dir?«

»Ich war ja noch so jung. Und wenn man jung ist, findet das Leben im Hier und Jetzt statt. Im schlimmsten Fall ein bisschen im Gestern. Meine Mutter hatte mich schon davor im Stich gelassen, darum vermisste ich sie nicht so.

Was ich manchmal vermisste, war ihr Summen abends, wenn sie dachte, dass wir schon schlafen. Das war schön. Aber bei Madame ging es mir ja gut. Zumindest erinnere ich es so.«

»Was für Lieder hat sie denn gesungen? Waren das dieselben, die du mir vorgesungen hast, als ich klein war?«

»Ja, einige davon habe ich dir auch vorgesungen. Sie mochte Kirchenlieder und hat oft *Der Herr ist mein getreuer Hirt* und *Tag für Tag* gesummt. Aber sie hat nie die Worte gesungen.«

»Das klingt schön. Warte, ich spiele sie für dich ab.« Sie holt ihr Handy aus der Tasche, öffnet eine Seite auf YouTube und hält Doris das Display hin. Ein Kinderchor singt *Der Herr ist mein getreuer Hirt* mit hellen Stimmen, die bis in die höchsten Töne klettern.

»So klang es auch manchmal, wenn meine Mutter gesummt hat, wie ein verängstigtes Kind, sie kam nie so hoch und musste immer wieder von vorne anfangen«, lacht Doris.

»Ich mochte das gerne, wenn du mir etwas vorgesungen hast. Wenn ich auf deinem Schoß saß und du mich hin und her geschaukelt hast. Was war das noch für ein Lied?«

»Des Pfarrers kleine Krähe…« Doris singt die erste Zeile des alten schwedischen Kinderreims, dann summt sie den Rest des Liedes.

»Ja, genau, das war es! Oh, wir müssen das unbedingt mit Tyra singen.«

Doris lächelt und legt ihre Hand auf Tyras Speckbeinchen. Und gemeinsam singen sie das Lied. Jenny verhaspelt sich ein paar Mal bei der Aussprache, aber erinnert sich an die Melodie und begleitet Doris' röchelnde Stimme. Sie hält die Kleine mit beiden Händen fest und schaukelt sie hin und her. Der Stahlrahmen des Bettes schneidet ihr ins Bein, aber es macht zu viel Spaß, um aufzuhören. Tyra gluckst vor Freude. *Und sie rutscht nach hier, und sie rutscht nach da...*

»Es war immer so schön, wenn du uns besucht hast. Dossi, ich hab dich so vermisst!«

Mit Tränen in den Augen sieht Jenny ihre Großtante an. Die liegt mit geschlossenen Augen und geöffnetem Mund im Kissen. Panisch hält Jenny ihre Hand unter die Nase und spürt den warmen Atem. Sie ist nur eingeschlafen.

~ 23 ~

Sie schämt sich dafür, aber kann es nicht lassen. Jede Schublade, jedes Regal, jeden Schrank, jede Ecke. Sie durchsucht alles. Findet Fotos, Schmuck, Andenken, ausländische Münzen, Quittungen, beschriebene Notizzettel. Sie sieht sich alles genau an. Macht kleine Haufen, sortiert die Dinge nach Kontinenten. Es gibt so vieles, wovon sie nichts wusste.

Über einem Stuhl hängt Doris' bestickte Wollstrickjacke. Sie duftet zart nach Lavendel. Jenny zieht sie an und setzt sich aufs Bett. Dort liegt Tyra und schläft, die Arme über den Kopf gestreckt. Sie trägt nur eine Windel, ihr kleiner Bauch hebt und senkt sich mit jedem Atmen, der Mund ist leicht geöffnet, es rasselt in der Brust. Ihre Erkältung will nicht abklingen, und die kalte schwedische Luft ist nicht besonders förderlich.

»Mein kleiner Liebling«, flüstert sie und küsst sie auf die Stirn. Atmet den süßen Duft von glatter Babyhaut ein und deckt sie dann liebevoll zu.

Sie ist müde, sollte auch schlafen, aber Doris' Sachen haben ihre Neugierde geweckt. Sie lässt sich zurück auf den kalten Boden gleiten, geht die alten Belege durch, einige davon sind mit der Hand geschrieben. Eine Quittung, aus dem *La Coupole*, steckt in einem abgenutzten Umschlag, auf dem in der einen Ecke mit Tinte ein Herz gezeichnet wurde. Es gab Champagner und Austern. Luxus. Sie googelt auf ihrem Handy und findet heraus, dass es das Restaurant im Montparnasse nach wie vor gibt. Eines Tages wird sie dorthin fahren und dasselbe erleben wie Doris damals. Mit wem sie dort wohl gewesen ist, und warum ist ein Herz auf den Umschlag gezeichnet?

Als Nächstes öffnet sie eine kleine Holzschatulle. Darin liegen ein paar französische Münzen und ein kariertes Taschentuch aus Seide, in das ein silbernes Medaillon gebettet ist. Vorsichtig öffnet Jenny das Medaillon. Sie kennt es, weiß darum auch, was sie erwartet. Ein Gesicht lacht ihr auf einem Schwarzweißfoto entgegen. Es ist verblasst, und die Gesichtszüge sind nicht mehr so gut zu erkennen. Der Mann auf dem Foto hat sein dunkles kurzes Haar zur Seite gekämmt. Doris hatte ihr nicht geantwortet, als sie gefragt hatte, wer der Mann sei. Jenny holt ganz behutsam das Foto aus dem Medaillon und dreht es um. Aber auch auf der Rückseite steht kein Name.

Auf dem Bett liegt der Stapel mit Doris' Text. Es ist schon fast Mitternacht, aber sie will mehr erfahren. Sie nimmt die nächsten Seiten. Beim Lesen hört sie Doris' Stimme.

24

Nachdem Jenny am nächsten Morgen Doris zur Begrüßung umarmt hat, holt sie das Medaillon aus der Tasche und lässt es vor ihrer Nase hin und her schwingen.

»Wer ist das?«

Doris lächelt geheimnisvoll, klimpert mit den Augen, antwortet aber nicht.

»Jetzt komm schon, sag was. Ich habe dich das schon mal gefragt, jetzt musst du es mir erzählen. Wer ist dieser Mann?«

»Ach, nur jemand von früher.«

»Das ist Allan, stimmt's? Sag, dass es Allan ist, denn ich weiß es sowieso.«

Doris schüttelt den Kopf, aber ihr Lächeln und der Glanz in ihren Augen verraten sie.

»Er sieht gut aus.«

»Natürlich tut er das, was hast du denn gedacht?« Doris streckt die Hand aus und greift nach dem Medaillon.

»Nachts in der Seine schwimmen. Oh, das muss so romantisch gewesen sein.«

»Lass mal sehen.« Doris öffnet das Medaillon mit zitternden Fingern und kneift die Augen zusammen. »Ich bin blind, ich sehe nichts mehr!«

Sie greift nach ihrer Lupe auf dem Nachttisch. Dann lacht sie laut auf. »Stell dir vor, Allan könnte sehen, wie ich ihn siebzig Jahre später durch eine Lupe anschmachte. Das hätte ihm gefallen!«

Jenny lächelt. »Dossi, was ist eigentlich aus ihm geworden?«

Doris schüttelt den Kopf. »Was aus ihm geworden ist? Ich weiß es nicht. Ich habe keine Ahnung.«

»Ist er tot?«

»Ich weiß es nicht. Er verschwand einfach aus meinem Leben. Wir haben uns in Paris kennengelernt und wurden ein Liebespaar. Dann hat er mich sitzen lassen, schrieb mir einen Brief, dass ich zu ihm nach Amerika kommen soll. Dieser Brief kam mit einem Jahr Verspätung bei mir an, und als ich in New York ankam, war er bereits mit einer anderen verheiratet. Er hatte gedacht, ich würde nicht kommen wollen. Wir liebten uns, weinten viel, als uns klar wurde, dass alles ein Missverständnis war. Dann ging er nach Frankreich als Soldat. Seine Mutter war Französin, er war also beides, Franzose und Amerikaner. Von dort schrieb er mir, dass er mich liebt und mit mir zusammen sein will und dass er so dumm gewesen sei. Aber offensichtlich ist er nicht aus dem Krieg zurückgekehrt, sonst hätte ich bestimmt danach von ihm gehört. Ihm ist es wahrscheinlich so ergangen wie der Brücke, unter der wir in der Seine gebadet haben. Die Deutschen haben sie in die Luft gesprengt, es waren nur noch Krümel übrig.«

Jenny schweigt lange.

»Aber ... wo warst du denn nach dem Krieg? Wusste er denn, wo du warst? Vielleicht hat er ja nach dir gesucht?«

»Liebe findet immer ihren Weg, meine kleine Jenny. Zumindest, wenn es so sein soll. Das Schicksal lenkt unseren Weg, daran habe ich immer geglaubt. Er ist wahrscheinlich tot, es muss so sein, aber komischerweise habe ich es nie so empfunden. Er ist immer an meiner Seite gewesen, ich habe immer seine Nähe gespürt.«

»Stell dir doch mal vor, wenn er noch lebt und dich liebt? Bist du gar nicht neugierig, wie er heute aussieht?«

»Bestimmt ganz zerknittert und mit Glatze.«

Doris' schlagfertige Antwort bringt Jenny zum Lachen. Tyra, die im Kinderwagen geschlafen hat, zuckt zusammen, schlägt ihre blauen Augen auf und sieht die beiden Frauen überrascht an.

»*Hi sweetie.*« Jenny legt ihr eine Hand auf die Stirn. »*Go back to sleep.* Schlaf noch ein bisschen weiter.«

Dann schaukelt sie den Kinderwagen sanft hin und her und hofft, dass Tyra wieder einschläft.

»Wenn er noch lebt, müssen wir ihn finden.«

»Ach, was ist das für dummes Zeug? Ich bin ja auch schon fast tot. Niemand lebt mehr. Alle sind tot.«

»Das stimmt doch nicht! Natürlich kann er noch am Leben sein. Ihr seid doch gleich alt, oder? Du lebst doch auch noch.«

»Ja, so gerade eben.«

»Ach komm, lass das. Noch lebst du. Und deinen Humor hast du auch noch. Denk dran, dass du vor ein paar Wochen noch allein zu Hause gelebt hast und fit warst.«

»Vergiss das alles. Vergiss Allan. Das ist so lange her. Alle haben doch eine Liebe, die niemals vergeht, Jenny. Das ist ganz normal.«

»Wie meinst du das? Alle haben eine Liebe, die niemals vergeht?«

»Hast du das nicht? Jemanden, an den du immer wieder mal denkst?«

»Ich?«

»Ja, du.« Doris lächelt Jenny an, deren Wangen sich röten. »Eine unerfüllte Liebe, die nie richtig beendet wurde. Jeder hat so eine. Jemanden, der sich in dein Herz geschlichen hat und für immer dort bleibt.«

»Und der im Laufe der Jahre immer toller wird, als er eigentlich war?«

»Ganz genau. Das gehört auch dazu. Nichts ist perfekter als eine verloren gegangene Liebe.«

Doris' Augen glänzen. Jenny sitzt schweigend neben ihr. Die sanfte Röte auf ihren Wangen kehrt zurück.

»Du hast recht. Marcus.«

Doris lacht, Jenny legt einen Finger auf die Lippen und sieht in den Kinderwagen.

»Marcus also.«

»Erinnerst du dich an ihn?«

»Natürlich. Marcus. Das war dieses Model mit den Selbstbräunerrändern auf der Stirn.«

Überrascht hebt Jenny ihre Augenbrauen. »Selbstbräunerränder? Das hatte er nicht.«

»Oh doch, das hatte er. Aber du warst zu verliebt, um das zu sehen. Er ist doch auch immer in den Wald gegangen, um über den Boden zu robben, damit die Hosen die perfekten Risse und Spuren hatten. Erinnerst du dich daran?«

»Oh Gott, ja!« Jenny biegt sich vor unterdrücktem Lachen. »Aber er sah gut aus. Und war lustig. Er brachte mich zum Lachen und zum Tanzen.«

»Tanzen?«

»Ja, er hat immer gesagt, ich sollte mehr loslassen. Das war toll.«

Die beiden Frauen lachen.

»Manchmal spiele ich *Was wäre, wenn*«, erzählt Doris.

Jenny sieht sie fragend an.

»Na, du weißt schon… Was wäre, wenn du dich für Marcus entschieden hättest. Wie würden deine Kinder aussehen? Wo würdet ihr wohnen? Hättet ihr euch schon scheiden lassen?«

»Huch, was für ein schrecklicher Gedanke. Dann würde ich ja Willie nicht haben und die Kinder auch nicht. Marcus und ich hätten uns garantiert scheiden lassen. Der hätte sich doch niemals um die Kinder gekümmert. Das kann Willie ja schon kaum, und der ist ganz normal. Marcus war zu sehr damit beschäftigt, die perfekte Jeans zu haben. Ich kann ihn mir auch gar nicht mit Babykotze auf dem T-Shirt vorstellen.«

»Weißt du, was er macht, wo er lebt?«

»Nein, keine Ahnung. Ich habe nie wieder etwas von ihm gehört. Vor Kurzem habe ich ihn auf Facebook gesucht, aber dort ist er offensichtlich nicht.«

»Vielleicht ist er auch tot?«

Jenny sieht Doris tief in die Augen. »Du weißt nicht, ob Allan tot ist.«

»Ich habe seit dem Zweiten Weltkrieg nichts mehr von ihm gehört. Weißt du, wie lange das her ist? Die Chancen stehen nicht so gut, wenn du mich fragst.«

Doris schnaubt und greift nach dem Medaillon. Ihre Finger zittern, als sie die Lupe hebt und den lächelnden Mann betrachtet. Eine Träne fällt über die Lidkante und läuft ihr über die Wange.

»Sie haben etwas, diese verlorenen Lieben«, murmelt sie.

Jenny nimmt ihre Hand und drückt sie zärtlich.

Das rote Adressbuch

J. JONES, PAUL

Die Monate vergingen, ich verabscheute das neue Leben, das in mir heranwuchs. Was das Böse in mich gepflanzt hatte, was an meinem Körper zehrte, was niemals ein Teil von mir werden würde und es doch schon war. Und es machte sich jeden Tag bemerkbar. Würde das Kind so aussehen wie er? Würde es das Böse in sich tragen? Würde ich es jemals lieben können? Wenn die Bewegungen in meinem Bauch nachts heftiger wurden, boxte ich mir manchmal in die Seite, damit es aufhörte, mich zu treten. Einmal bekam ich einen Fuß zu fassen und versuchte, ihn festzuhalten. Es tat mir weh, und ich fragte mich, ob es auch dem Kind wehtat.

Paul und ich sprachen nie über das Kind. Oder wie es werden würde, wenn es auf die Welt kam. Paul war ein Sonderling und Einzelgänger und führte ein entsprechendes Leben.

Wir hatten kein Geld für neue Kleidung, also lieh mir Paul seine, als mir meine Sachen zu klein wurden. Am Ende wickelte ich mir eine Wolldecke um Beine und Bauch und befestigte sie über der Brust mit einer alten Fischerleine. Für Lebensmittel hatten wir auch kein Geld. Wir aßen Fisch und Rüben. Brot backten wir aus Wasser und Mehl und mischten es mit gemahlener Rinde von den Bäumen aus dem Garten. Ich war wie in Trance. Von der Hütte an den Strand. Vom Strand an den Esstisch. Vom Esstisch ins Bett unterm Dach.

Je größer mein Bauch wurde, desto schwerer fielen mir die täglichen Arbeiten. Mein Rücken tat mir weh, und der Bauch war im Weg, wenn ich mich nach den Fischdosen bückte. Ich beugte meine Knie so tief es ging und versuchte die glitschigen Fische zu packen, die mir immer aus der Hand glitten. Rox wich mir nicht von der Seite, aber ich hatte keine Kraft, mich auch noch um den armen Hund zu kümmern.

Amerika verschwand in weiter Ferne, Paris war nur noch ein verschwommener Traum, Stockholm auch. Für jeden Tag bei Paul machte ich einen Strich auf dem kleinen Schrank, der neben meiner Matratze stand. Die Monate verstrichen, und die Striche vermehrten sich, Zeile um Zeile. Warum ich das getan habe, weiß ich nicht. Ich habe die Tage nie gezählt, wollte gar nicht wissen, wie lange ich noch hatte. Aber den Gang der Zeit bemerkte ich trotzdem, allerdings auf andere Weise. Die Wärme wurde von einer feuchten Kälte abgelöst. Die Sonne von Dauerregen. Und die grünen blühenden Wiesen von schweren schlammigen Feldern.

Eines Abends saßen wir am Esstisch, als ein furchtbarer Schmerz durch meinen Körper fuhr. Ich schnappte nach Luft, Schmerz und Panik raubten mir den Atem.

Ich sah Paul an, der seelenruhig seine wässrige Fischsuppe aß. »Was machen wir, wenn es kommt?«

Er hob den Kopf. Sein Gesicht war zugewachsen von einem dichten grauen Bart, in dem sich gerne Essensreste verfingen.

»Ist es so weit?«, brummte er.

»Ich weiß es nicht. Ich glaube. Was machen wir denn jetzt?«

»Lass deinen Körper das mal machen, dann wird das schon gut gehen. Ich habe schon vielen Kühen beim Kalben geholfen. Dann werde ich jetzt wohl dir dabei helfen. Geh hoch und leg dich hin.« Er nickte mit dem Kopf zur Dachluke.

Kühe. Ich starrte ihn entgeistert an, wurde aber Sekunden

später von einer zweiten Schmerzwelle nach vorne auf den Tisch geschleudert. Sie strahlte in die Beine und ins Becken. Mir wurde schlecht, die Fischsuppe drückte im Magen.

»Ich komme da nicht mehr hoch, ich kann nicht, es geht nicht«, keuchte ich, vor Schreck wie gelähmt.

Paul nickte, stand auf und holte eine Decke, die er vor dem Herd auf dem Boden ausbreitete.

Der Abend wurde zur Nacht, aus ihr wurde Tag und wieder Nacht. Ich schwitzte, stöhnte, schrie, übergab mich, aber das Kind wollte nicht kommen. Dann hörten die Schmerzen plötzlich auf, und es wurde unendlich still. Paul, der mich die ganze Zeit von seinem Schaukelstuhl aus beobachtet hatte, runzelte besorgt die Stirn. Ich sah ihn nur noch verschwommen, weit weg. Plötzlich aber war er ganz dicht vor meinem Gesicht. Sein Gesicht war verzerrt wie ein Spiegelbild auf einer Thermoskanne: Die Nase war riesengroß und die Wangen ganz schmal.

»Doris! Hallo, hallo!«

Ich konnte nicht antworten, bekam kein Wort heraus.

Da riss er die Tür auf und rannte in die schwarze Nacht hinaus. Kalte Luft strömte herein, und ich kann mich noch an die Erleichterung erinnern, als mein verschwitzter und geschundener Körper abgekühlt wurde.

Dann bricht meine Erinnerung ab.

Als ich wieder aufwachte, lag ich auf meinem Bett oben unterm Dach. Es war still und dunkel. Mein Bauch war entspannt, aber dafür hatte ich eine Wunde, vom Nabel abwärts. Ich strich mit der Hand über den Verband und spürte die Stiche in meiner Haut. Auf dem kleinen Nachttisch stand eine Kerze, und neben meinem Bett saß Paul auf einem Hocker. Paul war allein, er hatte kein Baby im Arm.

»Hallo.« Sein Blick ruhte auf mir. So hatte er mich noch nie angesehen. Es dauerte, bis ich begriff, dass er Angst hatte. »Ich dachte, du würdest sterben.«

»Dann lebe ich noch?«

Er nickte. »Willst du was trinken?«

»Was ist passiert?«

Paul schüttelte den Kopf. Er hatte die Lippen aufeinandergepresst und sah mich besorgt an. Ich legte meine Hände auf den Bauch und schloss die Augen. Ich hatte meinen Körper wieder für mich. Und das Leben, das unter den schlimmstmöglichen Umständen entstanden war, würde ich nie zu Gesicht bekommen müssen. Erleichtert seufzte ich, mein Körper entspannte sich und ließ sich in die Matratze sinken.

»Ich bin losgelaufen, um den Arzt zu holen, aber er konnte nichts mehr tun. Es war zu spät.«

»Er hat mir das Leben gerettet.«

»Ja, das hat er. Was willst du mit dem Kind machen?«

»Ich will es nicht sehen.«

»Willst du wissen, was es war?«

Ich schüttelte den Kopf. »Was da in mir gewachsen ist, war kein Kind. Ich hatte nie ein Kind.«

Als Paul wieder nach unten ging, fing ich an zu zittern. Es begann im Bauch und breitete sich in Arme und Beine aus. Als würde mein Körper den letzten Rest des Bösen austreiben wollen. Paul ließ mich in Ruhe. Er hatte verstanden.

25

Die Krankenschwester bleibt stehen, als sie Jenny den Gang hinunterkommen sieht. »Sie schläft.«

»Schon lange?«

»Den ganzen Vormittag schon. Sie scheint heute sehr müde zu sein.«

»Was bedeutet das?«

Die junge Krankenschwester schüttelte bedauernd den Kopf. »Sie ist sehr schwach. Es ist schwer zu sagen, wie viel Zeit ihr noch bleibt.«

»Können wir uns zu ihr setzen?«

»Tun Sie das, aber bitte gönnen Sie ihr die Ruhe. Gestern hat sie irgendetwas aufgewühlt. Nachdem Sie gegangen sind, hat sie eine ganze Weile geweint.«

»Überrascht Sie das wirklich? Darf sie denn nicht weinen? Sie liegt im Sterben, natürlich weint sie. Das würde ich auch tun.«

Die Krankenschwester lächelt gequält und hastet wortlos weiter. Jenny seufzt. In diesem Land soll man ohne Tränen sterben. Man soll sich durchs Leben kämpfen, so sein wie alle anderen und dann auch sterben, ohne eine Träne zu vergießen. Sie befürchtet aber, dass sie den Grund für Doris' Tränen kennt. Resigniert holt sie ihr Handy aus der Tasche.

»*Hello!*« Eine verschlafene Stimme von der anderen Seite des Atlantiks.

»Hey, ich bin es.«

»Jenny, weißt du eigentlich, wie spät es ist?«

»Ja, weiß ich. Verzeih mir. Ich wollte deine Stimme hören. Im Moment wirst du doch nachts nicht von Tyra geweckt, dann kannst du doch einmal von mir geweckt werden. Ich vermisse dich, verzeih mir, dass ich so überstürzt aufgebrochen bin.«

»Schon gut, Darling. Ich vermisse dich auch. Was gibt es denn? Ist etwas passiert?«

»Sie wird bald sterben.«

»Aber mein Schatz, das wissen wir doch schon lange. Sie ist alt. So ist das Leben.«

»Es ist mitten am Vormittag, und sie liegt im Bett und schläft. Die Krankenschwester hat gesagt, dass sie sehr müde ist und gestern viel geweint hat.«

»Vielleicht hat sie wegen etwas geweint, was sie bereut?«

»Oder vermisst...«

»Ja, oder beides. Hat sie sich gefreut, dass ihr da seid?«

»Ich glaube schon.«

Sie schweigen, Jenny hört Willie gähnen. Nimmt allen Mut zusammen.

»Mein Herz, kannst du mir bitte bei einer Sache helfen? Du sollst für mich nach einem Mann suchen. Er heißt Allan Smith und muss um 1918 rum geboren sein, so wie Doris, und er wohnt möglicherweise irgendwo in New York. Oder in Frankreich. Seine Mutter war Französin und sein Vater Amerikaner. Mehr weiß ich leider nicht.«

Das Schweigen am anderen Ende der Leitung ist sehr lang. Kein Gähnen, nur Stille. Als Willie endlich antwortet, sagt er exakt das, was Jenny erwartet hat.

»Entschuldige, was hast du gesagt? Allan Smith?«

»Ja, so heißt er.«

»Du machst Witze. Ein Allan Smith, Jahrgang 1918, wie

soll ich den denn bitte finden? Weißt du eigentlich, wie viele so heißen? Davon muss es Hunderte geben!«

Jenny verzieht den Mund, sorgt aber dafür, dass Willie es nicht in ihrer Stimme hören kann. »Aber dein Freund Stan arbeitet doch bei der Polizei von New York. Ich dachte, vielleicht kannst du ihn mal anrufen und ihn bitten, das zu überprüfen. Wenn Allan in New York lebt, müsste das doch möglich sein. Sag Stan, dass es wirklich wichtig ist.«

»Du meinst wichtig im Vergleich mit... einem Mord in Manhattan?«

»Hör auf damit. Nein, natürlich nicht. Aber es ist wichtig für uns, für mich.«

»Weißt du wenigstens, ob er noch lebt?«

»Nein, das weiß ich nicht mit Sicherheit...« Sie ignoriert Willies Schnauben, obwohl es so laut ist, dass es bestimmt nicht ignoriert werden will. »Aber ich glaube es. Er ist für Doris wirklich wichtig. Und damit auch für mich. Wirklich wichtig. Honey, bitte mach das. Tu es für mich.«

»Du willst also, dass ich nach einem Mann suche, der an die hundert Jahre alt ist, den wohl gewöhnlichsten Namen Amerikas trägt, nur vielleicht überhaupt noch lebt und möglicherweise in New York wohnt?«

»Ganz genau. Ich glaube, das war alles.« Sie muss lächeln.

»Ich werde einfach nicht schlau aus dir. Kannst du nicht einfach wieder nach Hause kommen? Wir vermissen dich hier, wir brauchen dich.«

»Ich komme so schnell es geht, und es geht noch schneller, wenn du mir jetzt damit hilfst. Dossi braucht mich jetzt mehr als ihr mich. Und wir müssen herauskriegen, was mit Allan Smith geschehen ist.«

»Okay, aber hast du nicht noch ein kleines bisschen mehr? Eine alte Adresse? Einen Beruf?«

»Er war Architekt, glaube ich. Auf jeden Fall vor dem Krieg.«

»Vor dem Krieg? Von welchem Krieg reden wir hier? Doch bitte nicht vom Zweiten Weltkrieg? Sag mir jetzt bitte nicht, dass die beiden seit dem Krieg keinen Kontakt mehr gehabt haben?«

»Nicht viel, nein.«

»Jenny … gar keinen, oder was?«

»Ja, gar keinen Kontakt mehr.«

»Begreifst du, wie schlecht die Karten stehen, dass ich diesen Mann finden werde?«

»Ja, aber …«

»Stan wird sich totlachen! Soll ich ihn allen Ernstes anrufen und ihn darum bitten, nach einem Mann zu suchen, der im Zweiten Weltkrieg verschwunden ist?«

»Nein. Er ist nicht verschwunden. Die beiden hatten nur keinen Kontakt mehr. Er ist wahrscheinlich aus dem Krieg zurückgekommen, hat einen Haufen Kinder bekommen, lebte ein langes und glückliches Leben und sitzt jetzt irgendwo auf seiner Veranda in einem Schaukelstuhl und wartet auf den Tod. So wie Doris. Und dabei denkt er an sie.«

Sie hört Willies Atem im Hörer. Dann seine resignierte Stimme. »Allan Smith, sagst du also.«

»Allan Smith, genau.«

»Ich werde mein Bestes tun. Aber schraub deine Erwartungen nicht zu hoch.«

»Ich liebe dich.«

»Und ich liebe dich. Muss ich wohl!« Sein warmes Lachen löst sofort Heimweh in ihr aus.

»Wie läuft es mit den Jungs?«

»Alles gut, mach dir keine Sorgen. Es gibt hier ja zum Glück überall Fast Food. *God bless America.*«

»Ich komme, so schnell ich kann. Ich liebe dich.«

»Ja, komm bald wieder. Nichts funktioniert, wenn du nicht da bist. Ich liebe dich auch. Grüß Dossi von mir.«

Jenny steckt den Kopf in Doris' Zimmer und sieht, wie sie sich bewegt. »Sie wacht gerade auf, ich muss los.« Leise flüstert sie einen Abschiedsgruß ins Telefon und geht dann wieder an Doris' Seite.

J. ~~JONES, PAUL~~ TOT

Tagelang lag ich im Bett, vielleicht waren es auch Wochen. Die Zeit verstrich, während ich an die Decke starrte und mit den hormonellen Symptomen meines Körpers kämpfte: Spannung in den Brüsten, weil Milch einschoss, die Gebärmutter, die sich langsam wieder zusammenzog. Aber irgendwann wurde mir langweilig. Statt jedoch zu Paul runterzugehen, blieb ich oben und sah mich um, untersuchte jede Schublade, jede Kommode. Der kleine Schrank neben meinem Bett war verschlossen, aber eines Tages brach ich ihn auf. Darin stand eine Schale, bis oben gefüllt mit Spielzeugautos in bunten Farben. Die Innenseite des Schranks war mit dünnen roten Strichen bemalt, die hin und her liefen, rauf und runter, in einem wilden Durcheinander, als wäre es von einem ganz kleinen Kind gezeichnet worden. Die Autos hatten Dellen, und die Farbe war zum Teil abgeblättert. Ich sah mir jedes Einzelne genau an, stellte sie in einer Reihe auf dem Boden auf und stellte mir wilde Rennen vor, die auf dem Dachboden stattgefunden haben. Wo war das Kind jetzt? Ich durchsuchte alle Koffer. In einem lag ein Stapel säuberlich gefalteter Kleidungsstücke, die von einer groben grünen Fischerleine zusammengehalten wurden. Wem gehörten die? Was war aus der Frau geworden, die sie getragen hatte, und was aus dem Kind?

Die Neugier trieb mich am Ende vom Dachboden. Mein Bauch tat weh, als ich die Leiter hinunterkletterte. Die Haut war noch weich und geweitet, und mein Rücken tat so weh wie in den letzten Wochen meiner Schwangerschaft. Paul lächelte mich an, als er mich sah, sagte sogar, dass er mich vermisst hätte. Er bat mich, zu ihm an den Tisch zu kommen, wärmte mir Suppe auf und gab mir ein bisschen trockenes Brot. Als ich aber fragte, wem die Spielzeugautos dort oben gehörten, presste er die Lippen aufeinander und schüttelte den Kopf. Er wollte es nicht sagen. Oder vielleicht konnte er auch nicht. Niemand weiß, welches Paket ein Mensch mit sich herumträgt. Ich bohrte nicht weiter. Stattdessen fing ich an, von der Frau und dem Kind zu fantasieren. Gab ihnen Namen und dachte mir aus, wie sie ausgesehen hatten. In ein altes Schulheft schrieb ich kleine Geschichten über ihre Eigenschaften und Abenteuer. Als ich anfing, nachts mit ihnen zu reden, erkannte ich, dass es Zeit war zu gehen.

Ich schrieb Gösta einen Hilferuf. Seine Antwort war zwei Wochen später im Postamt. Er hatte sich die ganze Zeit Sorgen gemacht und sich gefragt, warum ich mich nicht gemeldet hatte. Jetzt würde ich endlich zu ihm kommen und bei ihm wohnen können. Im Umschlag befanden sich ein Name und eine Adresse. Der Bekannte eines Bekannten hatte ein Bild als Bezahlung behalten, um mich mit einem Frachter nach Stockholm zu bringen. Ich verließ Pauls Hütte ein paar Tage später. Er hatte Tränen in den Augen, und trotz seines dichten Bartes konnte ich sehen, wie er das Kinn hochzog und sich auf die Lippen biss. Ich glaube, erst in diesem Moment habe ich ihn richtig kennengelernt. Zwei Jahre lang hatte er mir kaum in die Augen sehen können. Erst in diesem Augenblick begriff ich, warum. Abschiednehmen war schmerzhaft.

Paul und ich schrieben uns jahrelang Briefe. Er hatte

immer einen Platz in meinem Herzen. Der Einsiedler, gefangen in seinem Tempel der Erinnerungen. Als er für immer einschlief, fuhr ich nach England, um ihn zusammen mit der Urne seines geliebten Hundes Rox zu begraben, der wenige Jahre zuvor gestorben war. Wir waren zu dritt auf der Beerdigung. Der Pfarrer, der nächste Nachbar und ich.

Das rote Adressbuch

N. NILSSON, GÖSTA

Unser Wiedersehen verlief genau so, wie Gösta es sich in seinem letzten Brief ausgemalt hatte. Die Matrosen warfen die Leinen über Bord, die Hafenarbeiter fingen sie und befestigten sie an den Pollern am Kai. Der Landungssteg wurde heruntergelassen und auf dem unebenen Kopfsteinpflaster aufgestellt. Es regnete leicht, und Gösta stand am Ende des Steges und wartete unter einem großen schwarzen Regenschirm. Langsam schritt ich den Steg hinunter. Ich war schon längst kein junges hübsches Mädchen mehr, hatte keine Ähnlichkeit mehr mit der Person, die er all die Jahre in seiner Erinnerung bewahrt hatte. Ich besaß weder ein intaktes Kleidungsstück noch vernünftige Schuhe. Mein Haar war strähnig, und die Jahre hatten meine Haut grobporig und grau gemacht. Aber er streckte mir die Arme entgegen, und ich ließ mich hineinfallen, ohne eine Sekunde zu zögern.

»Doris, meine kleine Doris! Endlich bist du da!«, flüsterte er und wollte mich nicht wieder loslassen.

»Ja, liebster Gösta, es hat eine Weile gedauert«, schluchzte ich.

Er lachte. Dann trat er einen Schritt zurück und schob mich mit den Händen auf meinen Schultern von sich. »Lass mich dich anschauen.«

Ich wischte mir die Tränen weg und sah ihn verunsichert an. Das genügte, um an unsere alte Freundschaft anzuknüpfen, ich war wieder die kleine Dreizehnjährige, und er war der unglückliche Künstler.

»Du hast ja Falten bekommen«, kicherte er und strich mir über die Haut unter den Augen.

»Und du bist ein alter Mann geworden«, lachte ich und legte meine Hand auf seinen runden Bauch. Er lächelte.

»Ich benötige dringend eine geeignetere Haushälterin.«

»Und ich brauche dringend eine Arbeit.«

»Also, was sagst du?«

Krampfhaft hielt ich den Segelsack mit meinen Habseligkeiten umklammert.

»Schlägst du ein? Wann kannst du anfangen?«

Ich lächelte ihn an.

»Wollen wir sagen, jetzt sofort?«

»Jetzt sofort passt mir hervorragend.«

Er streckte mir die Arme entgegen, und wir umarmten uns, diesmal wie bei einem Geschäftsabschluss unter Freunden. Danach gingen wir die Hügel von Södermalm hinauf zur Bastugatan. Als ich das Haus von Madame sah, zog sich mein Magen zusammen. Ich blieb davor stehen und las die Namensschilder.

»In ihrer Wohnung lebt jetzt eine Familie mit vier Kindern. Sie schreien und trampeln und stören Göran, der in der Wohnung unter ihnen wohnt. Er wird davon wahnsinnig, sagt er.«

Ich nickte, sagte nichts, legte meine Hand auf die Türklinke, die ich so viele Male geöffnet hatte. Genau dort hatte meine Hand gelegen, genau dort, am allerersten Tag …

»So, jetzt gehen wir aber nach Hause und sehen zu, dass du was zu essen bekommst.« Gösta legte seine Hand auf meine Schulter. Ich nickte.

Im Flur roch es nach Terpentin und Staub. Die Bilder standen in langen Reihen gegen die Wand gelehnt. Die Dielen waren übersät mit Farbflecken, die Möbel im Wohnzimmer alle mit Laken bedeckt. In der Küche stapelte sich das Geschirr, und es war alles voller Fliegen.

»Du brauchst wirklich dringend eine Haushälterin.«

»Das waren meine Worte.«

»Jetzt hast du eine.«

»Du weißt, was das bedeutet. Ich bin nicht immer bester Stimmung.«

»Ich weiß.«

»Und ich erwarte absolute Diskretion in Sachen...«

»Ich habe nichts mit deinem Privatleben zu tun.«

»Sehr gut.«

»Haben wir Geld zur Verfügung?«

»Nicht viel.«

»Wo kann ich schlafen?«

Er zeigte mir das Dienstbotenzimmer. Ein kleiner Raum mit Bett, einem Schreibtisch und einem begehbaren Kleiderschrank. Dort lagen Frauenzeitschriften, Anzeichen dafür, dass dort eine Frau gewohnt hatte. Ich drehte mich zu ihm um und sah ihn fragend an.

»Die haben alle immer sofort gekündigt, wenn sie es entdeckt haben...«

Das Wort *homosexuell* benutzte er nie. Und wir redeten auch nicht darüber. Wenn er Gäste hatte, die auch über Nacht blieben, stopfte ich mir Watte in die Ohren, um das Stöhnen nicht zu hören. Tagsüber war er einfach nur Gösta, mein Freund. Ich kümmerte mich um meine Sachen, er sich um seine, und abends aßen wir zusammen. Wenn er gute Laune hatte, unterhielten wir uns. Manchmal über Kunst. Manchmal über Politik. Unser Verhältnis war nie das von Arbeitgeber und Dienstmädchen. Für ihn war ich immer nur

Doris, die Freundin, die er so viele Jahre lang vermisst und endlich wiedergefunden hatte.

An einem dieser Abende zeigte ich ihm meine kleinen Geschichten, die ich in meiner Zeit bei Paul geschrieben hatte. Über die Frau und das Kind. Er las die Texte sehr sorgfältig, einige Seiten sogar mehrmals hintereinander.

Er klang überrascht, als er mich schließlich fragte. »Hast du das alles selbst geschrieben?«

»Ja. Warum, gefällt es dir nicht?«

»Doris, du hast Talent. Du hast die Gabe des Wortes, das habe ich dir schon immer gesagt. Das musst du nutzen.«

Gösta kaufte mir Schreibhefte, und ich setzte mich jeden Tag hin und schrieb. Kurze Geschichten. Das gefiel mir am besten, es gelang mir nicht, längere Erzählungen gut zu strukturieren. Meine kleinen Texte wurden ein Zubrot für uns. Ich verkaufte sie an Frauenzeitschriften. Die kauften alles, solange es um Liebe und Leidenschaft ging. Das verkaufte sich gut. Liebe. Romantik. Happy Ends. Wir saßen auf Göstas dunkelblauem Sofa und kicherten über all das Banale, das ich mir ausdachte. Wir, die vom Leben Gezeichneten, belächelten alle, die an ein Happy End glaubten.

~ 26 ~

»Kannst du mir ein bisschen Wasser geben?« Doris streckt die Hand nach dem Wasserglas auf dem Nachttisch aus. Jenny hält es fest, als Doris ihr Handgelenk greift und das Glas an die Lippen führt.

»Willst du vielleicht etwas anderes als Wasser trinken? Cola? Saft? Limonade?«

»Wein?« Doris klimpert mit den Augenlidern.

»Wein? Willst du Wein trinken?«

Doris nickt. Jenny lächelt.

»Alles klar, dann bekommst du Wein. Weißen oder roten?«

»Rosé. Kalt.«

»Okay, wird erledigt. Das wird einen Augenblick dauern, aber so lange kannst du dich noch ausruhen.«

»Und Erdbeeren.«

»Und Erdbeeren. Sonst noch einen Wunsch? Schokolade?«

Doris nickt und will lächeln, aber ihre Mundwinkel gehorchen nicht. Nur die Oberlippe bewegt sich, entblößt die Zähne und macht aus dem Lächeln eine Grimasse. Sie atmet schwer, jeder Atemzug klingt wie ein Röcheln. Sie ist viel müder als gestern. Jenny beugt sich zu ihr und legt ihre Wange an Doris' Wange.

»Ich komme gleich wieder«, flüstert sie und denkt: Stirb nicht, während ich weg bin. Bitte, stirb nicht.

Mit dem Kinderwagen rennt sie durch den Schneematsch

auf die Schilder des Mörby Einkaufszentrums zu. Tyra gluckst und zeigt auf die Reifen des Kinderwagens, von denen das Wasser hochspritzt. Jenny spürt, wie es durch ihre Stiefel dringt. Es bildet sich eine dunkle wellige Linie auf dem Leder, die Sohle ist einfach zu dünn für das Wetter in Schweden. Die werden nie wieder so aussehen wie früher, weil sie vergessen hat, sie zu imprägnieren.

Im Supermarkt muss sie feststellen, dass man in Schweden nach wie vor nicht einfach so Alkohol kaufen kann. Sie flucht und hastet weiter zum *Systembolaget*. Sie hat große Gefühle für Schweden, wo ihre Großmutter und Urgroßmutter herkommen. Aber offensichtlich hat sie viel zu wenig Zeit in diesem Land verbracht, das sie immer in den Himmel lobt. Sie seufzt und setzt sich auf einen Stuhl neben dem Tresen. Fünf Minuten später kommt ein Mann in einem grün karierten Hemd auf sie zu.

»Hallo, womit kann ich Ihnen behilflich sein?«

»Hallo, ich hätte gerne zwei Flaschen Rosé, was Feines«, sagt sie. Er nickt und führt sie zu einem Regal, leiert die verschiedensten Möglichkeiten und Angebote herunter und fragt, was es zu essen dazu geben soll.

»Kein Essen. Schokolade und Erdbeeren.« Sie ist erschöpft.

»Aha, aber Sie wollen nichts Prickelndes haben, oder? Oder vielleicht...«

»Nein, ich will einfach nur einen Rosé«, unterbricht sie ihn. »Geben Sie mir den, den Sie auch selbst kaufen würden.« Am liebsten hätte sie geschrien: Gib mir jetzt endlich diesen verdammten Rosé! Aber sie beherrscht sich und lächelt ihn an, als er ihr endlich zwei Flaschen in die Hand drückt. Kaum hat er ihr den Rücken zugedreht, entdeckt sie einen Wein, dessen Etikett ihr besser gefällt, und sie tauscht die Flaschen diskret aus.

»Haben Sie Gläser?«, fragt sie die Kassiererin, während sie ihren amerikanischen Pass als Legitimation vorlegt.

Die Frau schüttelt den Kopf.

»Aber drüben im Supermarkt haben die bestimmt Weingläser aus Plastik.«

Jenny seufzt und geht wieder zurück zum Supermarkt. Wie umständlich.

Dreimal bleibt der Kinderwagen auf dem Rückweg im Schneematsch stecken, und als sie endlich auf der Station ankommt, ist ihr so heiß, dass sie ganz rot im Gesicht ist. Tyra schläft. Jenny reißt sich die Jacke vom Körper und hängt sie über die Türklinke. Die Flaschen in der Plastiktüte klimpern. Doris ist wach und lächelt, als sie das Geräusch hört. Jetzt schaffen es die Mundwinkel auch, etwas höher zu klettern, und ihr Gesicht sieht auch nicht mehr so grau aus.

»Puh, habe ich geschwitzt.« Jenny greift nach einer Zeitschrift und fächert sich damit Luft zu. »Du siehst richtig frisch und munter aus!«

»M-o-r-p-h-i-n!« Doris betont jeden Buchstaben und lacht. »Ich bekomme es, wenn die Schmerzen zu stark werden.«

Jenny runzelt die Stirn. »Hast du Schmerzen? Wo denn?«

»Überall und nirgends. In der Hüfte, den Beinen, im Bauch. Aber irgendwie anders. Es strahlt wie von innen heraus. Als wäre mein gesamtes Skelett voller spitzer Nadeln.«

»Oh, Dossi, das klingt ja schrecklich! Ich wünschte, ich könnte etwas für dich tun.«

»Das kannst du«, sagt Doris und lächelt vielsagend.

»Willst du jetzt gleich was trinken? Verträgt sich das mit dem Morphin?«

Doris nickt. Jenny holt die beiden Flaschen aus der Tüte, stellt sie auf den Tisch und knüllt die Tüte zusammen.

»Außerdem ist es doch auch egal, ich werde sowieso sterben.«

»Nein. Ich will das nicht hören.« Jenny beißt sich auf die Lippen, um die Tränen zu unterdrücken.

»Mein Herzchen, ich werde dieses Bett nicht mehr verlassen. Das weißt du sehr wohl, oder?«

Jenny nickt kraftlos und setzt sich aufs Bett. Ganz nah bei Doris, die sich näher heranschiebt, um sie zu berühren. Sie verzieht das Gesicht, als sie dabei ein Bein bewegt.

»Tut es trotz Morphin weh?«

»Nur, wenn ich mich bewege. Aber lass uns über etwas anderes sprechen. Ich habe keine Lust auf Elend und Schmerz. Erzähl mir von Willie und David und Jack. Von eurem Haus.«

»Das tue ich gerne. Aber vorher stoßen wir an.« Jenny gießt die hellrote Flüssigkeit in zwei Plastikbecher. Die einzigen im Supermarkt, die irgendwie nach Glas aussahen. Dann drückt sie auf den Knopf, mit dem man das Rückenteil vom Bett senkrechter stellen kann. Langsam rutscht Doris ein bisschen höher, Jenny legt die Hand hinter ihren Kopf und führt ihr den Becher an den Mund. Genüsslich schlürft sie ein paar Schlucke.

»Wie in der Provence an einem Sommerabend«, flüstert sie und schließt die Augen.

»Provence? Bist du mal dort gewesen?«

»Viele Male. Von Paris aus bin ich oft dorthin gefahren, auf Feste in den Weinbergen.«

Jenny gibt ihr eine große knallrote Erdbeere. »Hat das Spaß gemacht?«

Doris seufzt. »Es war herrlich.«

»Ich habe gestern die Seiten über dein Abenteuer in Paris gelesen. Hast du das alles wirklich nur für mich geschrieben?«

»Ich wollte nicht mit all den Geschichten im Kopf sterben. Und sie wären ja mit meinem Tod alle verloren gegangen. Das hätte mir leidgetan.«

»Und wie war es in der Provence damals? Auf den Festen? Wer war sonst noch dabei?«

»Oh, das war aufregend. Viele große Persönlichkeiten. Autoren. Künstler. Modeschaffende. Sie alle trugen so schöne Kleider, das kannst du dir nicht vorstellen. Damals trug man noch andere Stoffe. Die glitzerten und waren von hoher Qualität. Wir waren mitten auf dem Land, sahen aber aus, als würden wir an der Nobelpreis-Verleihung teilnehmen. Hohe Absätze, mehrreihige Perlenketten und große Diamanten. Die Kleider aus raschelnder Seide.«

Jenny lacht. »Und du hast als Mannequin gearbeitet! Siehst du mal, du auch! Darum hat dich das nie so beeindruckt, dass ich so etwas gemacht habe. Aber warum hast du mir das nie erzählt, Dossi? Du hast es mir gegenüber nie erwähnt.«

»Nein, das habe ich wahrscheinlich nicht getan. Aber dafür habe ich es alles aufgeschrieben, jetzt weißt du das alles. Außerdem war es eine verschwindend kurze Zeit in meinem langen Leben. Du weißt doch, wie das ist. Wenn man so etwas erzählt, wenn man älter ist, führt das immer wieder nur zu überraschten Gesichtern. Wer kann sich das schon vorstellen, wenn er eine alte Schrulle vor sich sieht? Und am Ende habe ich als das gearbeitet, womit ich angefangen habe. Als Haushälterin und Dienstmädchen. Nicht mehr und nicht weniger.«

»Erzähl bitte, ich will alles ganz genau wissen. Was hast du auf diesen Festen getragen?«

»Wir haben immer Kleider angehabt, die außergewöhnlich waren, großartige Kreationen. Deshalb war ich ja dort, um in gehobener Gesellschaft diese Entwürfe zu präsentieren.«

»Oh, ist das aufregend! Doris, wenn ich das früher gewusst hätte. Ich habe immer für deine Schönheit geschwärmt, darum überrascht mich das auch nicht besonders. Und das würde anderen genauso gehen. Erinnerst du dich, ich habe mir immer gewünscht, so auszusehen wie du, wenn ich alt bin.«

Doris lächelt und tätschelt ihr die Wange. Dann holt sie tief Luft.

»Das Leben vor dem Krieg war um so vieles leichter. Außerdem ist es immer einfacher, jung und schön zu sein. Man bekommt so viel geschenkt.«

»Oh ja, das stimmt.« Jenny lacht laut auf und zupft sich an der Haut am Hals. »Wie ist das nur passiert? Wann bin ich in die mittleren Jahre gekommen und faltig geworden?«

»Ach, hör auf, so ein dummes Zeug. Sag so etwas nicht. Du bist jung und schön. Du hast noch das halbe Leben vor dir, mindestens.«

Jenny sieht sie eine Weile nachdenklich an.

»Gibt es eigentlich Fotos aus dieser Zeit?«

»Ein paar wenige, ich habe nicht so viele mitgenommen, als wir Paris verließen. Die liegen in zwei Dosen im Schrank.«

»Wirklich?«

»Ja, ich habe sie unter die Pullover geschoben oder so. Es sind verbeulte, alte Blechdosen. Sie sind über den halben Globus gereist, und das sieht man ihnen auch an. In der einen waren ursprünglich Pralinen drin. Die hat mir Allan damals geschenkt, und ich habe es nie übers Herz gebracht, sie wegzuwerfen. Ich habe es von ihm, meine Erinnerungen in Blechdosen aufzubewahren.«

»Die werde ich heute Abend suchen. Großartig! Dann bringe ich sie morgen mit, und du erzählst mir zu jedem Bild etwas. Magst du noch eine Erdbeere?«

In diesem Moment streckt Tyra ihre Arme in die Luft und fängt an zu quengeln. Aus dem Quengeln wird schnell ein ohrenbetäubendes Geschrei. Jenny hebt sie aus dem Kinderwagen, drückt sie an sich, küsst sie und schaukelt sie hin und her, um sie zu beruhigen.

»Sie hat Hunger, ich gehe kurz runter in die Kantine mit ihr. Wir sind gleich wieder da. So lange kannst du dich ein bisschen ausruhen. Dann kannst du mir danach von Paris erzählen.«

Doris nickt, ihre Augen fallen zu, noch bevor Jenny sich umgedreht hat. Mit Tyra auf dem Arm bleibt sie an Doris' Bett stehen und betrachtet sie. Um Doris' mageren Körper ist die hellgelbe Krankenhausdecke gewickelt. Sie sieht aus wie ein kleines Vögelchen. Das graue Haar ist dünn und klebt am Kopf, die weiße Haut leuchtet zwischen den Haarsträhnen. Die Schönheit, die sie ihr Leben lang begleitet hat, ist verschwunden. Jenny unterdrückt den Impuls, sie zu umarmen, und geht mit schnellen Schritten hinunter in die Kantine. Nicht sterben, liebe Dossi, bitte stirb nicht, solange ich weg bin.

Das rote Adressbuch

N. NILSSON, GÖSTA

Er war ein Perfektionist bis in die Fingerspitzen und hatte eine Intensität, wie ich sie noch nie erlebt hatte, weder vorher noch nachher – am Rande zum Manischen. Wenn er an einem Bild arbeitete, kam es vor, dass er wochenlang vor einer Leinwand stand. Dann war er unerreichbar. Aß nicht, sprach nicht. Er konzentrierte seine gesamte Energie auf die vielen Farbfelder und die Kompositionen, die sie bildeten. Es war wie eine Liebesbeziehung, eine Leidenschaft, die seinen Körper und Geist ergriff. Er konnte dann nichts dagegen tun, sagte er immer, er musste dem nachgehen und das Bild Form annehmen lassen.

»Das bin nicht ich, der da malt. Ich bin so überrascht von dem Ergebnis wie alle anderen auch. Die Bilder kommen einfach über mich, als würde jemand anders sie malen«, sagte er jedes Mal, wenn ich fragte.

Ich beobachtete ihn oft. War fasziniert davon, dass er sich seine Kreativität bewahren konnte, obwohl die Kritiker ihn zerrissen. Aber es gab einige wenige Sammler, die behaupteten, ihn und seine Kunst zu verstehen. Sie kauften seine Bilder, damit er nicht verhungerte. Menschen mit viel Geld und einem großen Interesse an Kunst.

Aus den Träumen von Paris wurden Einrichtungsgegenstände in unserer Wohnung in der Bastugatan. Die Wände im Atelier hingen voller Bilder unserer geliebten Stadt. Einige davon hatte er selbst gemalt, andere waren Zeitungsausschnitte oder Postkarten, die ich ihm geschickt hatte. Wir sprachen viel über die Stadt, nach der wir uns beide zurücksehnten. Gösta wollte unbedingt dorthin zurückkehren. Wir träumten davon, eines Tages gemeinsam zu fahren.

Das Kriegsende 1945 feierten wir mit allen anderen auf dem Platz an der Kungsgatan. Es war ungewöhnlich für Gösta, sich in die Menschenmenge zu begeben, aber diesen Anlass wollte er nicht verpassen. Er hielt eine französische Flagge in der Hand, ich eine schwedische. Die Euphorie über den Frieden war so greifbar, dass man sie förmlich berühren konnte. Die Menschen lachten, sangen, schrien und warfen mit Konfetti.

»Doris, weißt du, was das bedeutet? Wir können jetzt fahren, wir können endlich fahren.« Gösta lachte lauter als jemals zuvor und wedelte begeistert mit seiner Trikolore. Endlich war dieser oft so verbitterte und pessimistische Mann wieder voller Hoffnung.

»Inspiration, ich brauche wieder Inspiration. Die finde ich dort, nicht hier.« Sein Blick wurde ganz wild bei dem Gedanken daran, dass er seine Künstlerfreunde auf dem Montmartre wiedersehen würde.

Aber das Geld reichte nicht. Und der Mut, es wie in der Jugend einfach trotzdem zu wagen, war auch nicht da. Paris blieb ein Traum. Und wie jede verlorene Liebe, die wir nur noch in unserer Erinnerung und in unseren Träumen erleben, wurde es zu etwas Großem und Fantastischem. In gewisser Weise bin ich sogar froh, dass es ihm nicht gelang, jemals nach Paris zurückzukehren. Die Enttäuschung wäre wahrscheinlich unerträglich gewesen. Aber er hätte begriffen, dass Inspiration gar nicht so stark von einem Ort abhängig ist, wie er sich das immer eingeredet hatte, sondern dass sie in ihm war. Er musste einen Weg finden, sie in sich zu entdecken, wie anstrengend und schmerzhaft diese Aufgabe auch sein mochte. Immer und immer wieder.

Paris hing über uns wie eine Wolke aus der Vergangenheit, in der alles viel besser war. Es gibt sie auch heute noch. Sie spiegelt sich in den Möbeln, den französischen Büchern, den Bildern. Diese Stadt hat unsere Seelen gefangen.

Wenn Gösta gute Laune hatte, redete ich französisch mit ihm. Er kannte nur ein paar Wörter, und ich wollte ihm mehr beibringen. Er liebte es.

»Eines Tages werden wir zurückkehren, Doris. Du und ich«, wiederholte er immer wieder, obwohl er längst begriffen haben musste, dass das niemals passieren würde.

Ich nickte jedes Mal. Nickte und lächelte.

»Ja, eines Tages fahren wir, Gösta.«

27

Jenny schaufelt ihrer Tochter das Essen aus einem Glas mit buntem Etikett in den Mund, Gulasch mit Kartoffeln. Ökologisch. Der Brei hängt Tyra in den Mundwinkeln, und während sie kaut, wischt Jenny die Reste mit dem Löffel ab. Die Kleine schmatzt laut. Sie zeigt auf den Löffel und greift danach. Jenny schüttelt den Kopf und schiebt ihre Hand weg.

»Wir müssen uns beeilen. Schnell, schnell. Iss schneller«, sagt sie in Babysprache und macht Brummgeräusche, während sie den Löffel vor Tyras Mund hin- und herbewegt. Tyra reißt zuerst den Mund für das Flugzeug auf, kneift dann aber die Lippen aufeinander und fordert erneut den Löffel. Die unmittelbaren Sitznachbarn werfen ihr böse Blicke zu, als aus dem anfänglichen Quengeln ein durchdringendes Gebrüll wird. Jenny gibt auf und überlässt Tyra den Löffel. Diese verstummt schlagartig und schlägt mit dem Löffel auf den Teller, dass die Soße durch die Gegend fliegt. Wieder böse Blicke. Lasst mich doch in Ruhe, wenigstens schreit sie nicht mehr, denkt Jenny und wischt mit der Serviette über den Tisch, um das Schlimmste zu beseitigen.

»Mama ist gleich wieder da.« Sie rennt zum Tresen und kauft ein belegtes Baguette. Keine Sekunde lässt sie Tyra dabei aus den Augen. Zweimal hat sie abgebissen, bevor sie wieder am Tisch angekommen ist. Dort bleibt sie stehen und genießt den Geschmack von schwedischem Schinken. Erinnerungen kommen hoch. An die Brote, die ihr Doris ge-

schmiert hat – die ersten richtigen Brote für ihre Lunchbox.
Davor hatte sie immer nur Kekse oder Kuchen dabeigehabt,
vielleicht auch mal einen Apfel.

Jenny erinnert sich ganz genau an ihre erste bewusste Begegnung mit Doris. Sie saß auf dem roten Sofa, die Decke
eng um den Körper geschlungen, und starrte auf den flim-
mernden Fernseher. Sie war vier Jahre alt. Doris klopfte an
die Tür, unangemeldet, und kam in die Wohnung. Eine Wohnung im Chaos. Sie sah Jennys Mutter auf dem Boden liegen. Sie schlief auf dem Küchenfußboden, Spucke lief ihr
aus dem Mund. Ihr Rock bedeckte die Oberschenkel nur zur
Hälfte, die Strumpfhosen waren unter dem Knie eingerissen.
Jenny hatte gesehen, wie sie gestürzt war. Eingetrocknetes
Blut klebte an einer Schramme, sie hatte sich an etwas geschnitten.

Ein Schauer fährt durch Jennys Körper. Die Angst von
damals ist wieder da. Sie erinnert sich, wie sie zusammen-
zuckte, als diese komische Frau, die Englisch mit einem
Akzent sprach, plötzlich vor ihr stand. Sie hatte Angst, dass
sie vom Jugendamt war und sie ins Heim bringen würde,
denn damit hatte ihre Mutter so oft gedroht. Darum zog sie
sich die Decke bis über die Nase, ihr Atem machte den Stoff
ganz feucht. Doris sah Elise sofort. Sie brachte ihre Mutter in eine stabile Seitenlage und rief den Notarzt. Sie strich
ihr über die Stirn, bis er kam. Als Elise von zwei musku-
lösen Sanitätern in die kalte Nacht hinausgetragen wurde,
setzte sich Doris neben Jenny aufs Sofa. Ihre Haare kleb-
ten ihr verschwitzt am Kopf, und ihr schneller Herzschlag
übertrug sich auf Jennys Körper. Doris weinte, und mit den
Tränen im Gesicht sah sie weniger gefährlich aus. Jennys
Zähne schlugen aufeinander; bibbernd kauerte sie auf dem
Sofa und starrte in die Luft. Sie konnte nicht aufhören zu

zittern. Doris legte ganz vorsichtig eine Hand unter ihr Kinn und strich ihr mit der anderen über den Rücken. Beruhigte sie mit *ist ja gut, ist ja gut*, bis daraus eine Melodie wurde. So saßen sie stundenlang nebeneinander. Doris unternahm keinen Versuch, mit ihr zu reden. Nicht an diesem ersten Abend. Spät in der Nacht war Jenny auf ihrem Schoß eingeschlafen, Doris' warme Hand an ihrer Wange.

Ein lauter Knall reißt Jenny aus ihren Gedanken. Tyra hat das Gläschen auf den Boden geworfen. Gesicht und Oberteil sind mit Essen verschmiert. Jenny zieht ihr das Hemdchen aus und wischt ihr mit der trockenen Innenseite das Gesicht ab. Dann rollt sie es zusammen, stopft es in die Ablage unterm Kinderwagen und holt was Frisches zum Anziehen raus. In der Zwischenzeit ist es Tyra gelungen, ihre verschmierten Hände auf ihren dicken Bauch zu drücken. Zufrieden betrachtet sie das Muster aus Püree und klatscht zur Sicherheit noch mal auf den Bauch, um den klebrigen Brei überall zu verteilen.

»Oh, nicht, Tyra, lass das. Wir müssen uns beeilen. Schnell, schnell.« Mit einem Feuchttuch wischt sie ihr schnell über Bauch, Hals, Gesicht und Hände und hebt sie dann halb nackt in den Kinderwagen. Das saubere Oberteil legt sie daneben. Das Chaos auf dem Tisch lässt sie stehen und bricht auf. Sie muss so schnell wie möglich zurück zu Doris. Sie muss mehr erfahren, muss alles hören, bevor sie stirbt. Sie rennt die Flure hinunter, stürmt in die Tür.

»Woher wusstest du, dass du unbedingt kommen musstest?«

Doris schreckt aus dem Schlaf und öffnet überrascht die Augen. Reibt sie sich. Tyra friert und beschwert sich lautstark. Jenny zieht ihr das Oberteil über den Kopf, wendet aber den Blick nicht von Doris ab.

»Wer hat dich angerufen? Als du Mamas Leben gerettet hast und wir uns das erste Mal begegnet sind. Woher wusstest du das?«

»Das war…« Doris räuspert sich, kann nicht weitersprechen.

Jenny gibt ihr was zu trinken.

»Sie hat mich angerufen«, fährt Doris fort.

»Mama?«

»Ja, ich hatte sie seit Jahren nicht gesehen, seit du auf die Welt gekommen bist. Sie hat mir ab und zu geschrieben, und ich habe sie ein paarmal angerufen. Aber damals war es teuer, nach Amerika zu telefonieren.«

»Und was hat sie gesagt, als sie dich angerufen hat? Was hat dich dazu veranlasst, nach Amerika zu fliegen?«

»Schätzchen…«

»Sag es mir. Bitte, du kannst doch erzählen, was du willst. Sie ist längst tot. Ich will die Wahrheit erfahren.«

»Sie hat gesagt, dass sie dich weggeben will.«

»Weggeben? An wen denn?«

»Den Erstbesten. Sie hatte vor, in eines der reichen Viertel in New Jersey zu fahren und dich auf dem Bürgersteig auszusetzen. Sie sagte, alles wäre besser als ein Leben mit ihr.«

»Damit hatte sie an und für sich auch recht. Mein Leben wurde von ihrer Drogensucht bestimmt und nicht von ihr selbst. Alles andere wäre tatsächlich besser gewesen als das.«

»Ich bin sofort aufgebrochen und noch am selben Abend von Stockholm losgeflogen.«

»Was wäre, wenn…«

»Ja, was wäre, wenn…«

»Was wäre, wenn sie damals gestorben wäre. Ich hätte ein vollkommen anderes Leben gehabt.«

»Ja, genau das wollte sie doch auch für dich. Elise wollte nicht weiterleben, sie hatte keine Kraft mehr.«

»Deinetwegen ist sie am Leben geblieben.«

»Es ist alles eine Frage des Timings.« Doris drückt Jennys Hand, um ihr anzudeuten, dass sie einen Scherz macht.

»Ich werde den ganzen Abend *Was wäre, wenn* spielen.«

»Was wäre, wenn ich dich niemals kennengelernt hätte.«

»Nein, so will ich nicht denken. Nicht einmal als Spiel. Dich muss es einfach geben in meinem Leben, ohne dich komme ich nicht zurecht.« Jenny bricht in Tränen aus. »Du hast mir das Leben gerettet!«

»Du wirst sehr wohl zurechtkommen, Jenny. Du bist stark. Das bist du immer gewesen.«

»Ich war doch nicht stark. Du musstest mein Kinn festhalten, weil meine Zähne so geklappert haben.«

»Du warst vier Jahre alt, mein Schatz. Und auch damals warst du stark. Und mutig. Deine ersten Lebensjahre waren das pure Chaos, und dennoch ist es dir gelungen, das zu überleben und zu der Person zu werden, die du heute bist. Kannst du das nicht annehmen?«

»Was bin ich denn bitte? Eine abgehalfterte Mutter von drei Kindern ohne eigene Karriere.«

»Warum sagst du so etwas? Warum siehst du dich als abgehalftert? Du bist schöner als die meisten anderen. Und klüger. Das weißt du auch. Du hast doch auch als Model gearbeitet und bist aufs College gegangen.«

»Mein Gesicht ist so weiß wie Papier, und ich habe einen langen schmalen Körper. Ist das schön? Nein, das ist nur eine Hülle, die sich den Anforderungen entsprechend wandeln lässt, die es allen recht machen kann. Darum geht es doch in der Mode. Außerdem habe ich keinen Abschluss. Ich habe Willie kennengelernt und bin schwanger geworden.«

»Jetzt hör auf, dich so herunterzumachen. Es ist nie zu spät. Für was auch immer.« Doris sieht Jenny streng an.

»Sagt wer? Dass es nie zu spät ist? Du selbst hast doch gesagt, dass es leichter ist, wenn man jung und schön ist.«

»Du bist schön. Und talentiert. So. Genug jetzt. Konzentrier dich auf etwas anderes. Fördere deine Talente, statt dir einzureden, dass du nichts kannst. Fang wieder an zu schreiben. Beschäftige dich mit deinem Inneren. Am Ende ist es das, was zählt. Du wirst nie mehr sein als dein Inneres.«

Jenny entfährt ein Schnauben. »Schreiben. Davon hast du früher schon immer geredet.«

»Wann wirst du endlich begreifen, dass du Talent hast? Du hast doch auf dem College auch Wettbewerbe gewonnen? Hast du das vergessen?«

»Schon gut, ich habe Wettbewerbe gewonnen, meinetwegen. Aber worüber soll ich denn schreiben? Ich habe doch nichts zu erzählen. Nichts. Mein Leben ist banal. In den Augen anderer vielleicht perfekt, aber eben banal. Keine Leidenschaft. Kein Abenteuer. Willie und ich sind wie Freunde, die das Unternehmen Familie betreiben. Nicht mehr und nicht weniger.«

»Dann denk dir was aus.«

»Ausdenken?«

»Ja, erschaffe dir deine eigene Welt, ein Leben, wie du es haben willst. Und schreib …«, Doris macht eine Pause und schnappt nach Luft, fährt dann flüsternd fort, »… alles auf. Verpass die Chance nicht. Wirf deine Erinnerungen nicht weg. Und wirf um Gottes willen dein Talent nicht weg!«

»Hast du das denn getan?«

»Ja.«

»Und bereust du es?«

»Ja.«

Doris zuckt zusammen, dann sinkt ihr Kinn auf die Brust. Ihr Mund verzieht sich, und sie kneift die Augen zusammen. Jenny schreit um Hilfe, und sofort kommt eine Krankenschwester ins Zimmer gerannt. Sie betätigt den Alarmknopf, und kurz darauf stehen drei weiß gekleidete Frauen im Zimmer und beugen sich über Doris.

Jenny versucht zu sehen, was sie machen. »Was ist passiert? Wie geht es ihr?«

Doris' Gesichtsausdruck hat sich wieder normalisiert, die Lippen sind entspannt. Aber die Gesichtsfarbe ist bläulich.

»Wir müssen sie wieder auf die Intensivstation bringen.« Eine der Schwestern schiebt Jenny beiseite und löst die Bremsen des Bettes.

»Darf ich mitkommen?«

Eine andere Schwester, klein mit dunklen kurzen Haaren, schüttelt den Kopf. »Sie braucht jetzt viel Ruhe. Wir geben Ihnen Bescheid.«

»Aber ich will dabei sein, wenn, falls sie …«

»Wir sorgen dafür, dass Sie rechtzeitig informiert werden. Sie scheint jetzt wieder stabil zu sein, aber ihr Herzschlag ist unregelmäßig. Das ist ganz normal. Also, jetzt, gegen Ende.«

Sie lächelt mitfühlend und schließt sich den beiden anderen an, die das Bett bereits den Flur hinunterschieben. Jenny sieht ihnen hinterher. Das Herz schlägt ihr bis zur Brust. Doris ist in dem Bettgestell aus Holz und Stahl nicht mehr zu sehen. Jenny ballt die Hände und schlingt die Arme um sich.

28

Ganz hinten im Schrank findet Jenny die Blechdosen mit den Fotos. Eine ist mit einer dicken Schicht aus verschiedenen Klebebändern umwickelt. Sie schneidet sie mit einem Küchenmesser auf und legt alle Fotos in einem Halbkreis vor sich auf den Küchentisch. Mischt die Erinnerungen aus Paris mit denen aus New York. Zwischen all den Bildern entdeckt sie eins von sich. Ein kleines, lockiges Mädchen, das sich in seinem Kleid dreht. Jenny lächelt und legt es beiseite, sie will es aufheben und Willie zeigen. Eine der wenigen Aufnahmen aus ihrer Kindheit. Viele der Fotos sind wesentlich älter. Auf einem steht Doris gegen eine Mauer gelehnt, die hintere Hand hält ihren Hut. Ihr Kopf ist im Profil, sie sieht zum Eiffelturm hoch. Sie trägt einen dunklen, plissierten Rock und eine passende dunkle Bluse mit einem weißen Kragen und bezogenen Knöpfen. Ihre Haare umrahmen in weichen Locken das Gesicht. Ein anderes Foto ist eine Porträtaufnahme. Die Augenbrauen sind schmal, scharf gezupft und schwarz nachgezogen. Ihre Haut ist weiß gepudert, auf den Lippen glänzt Lippenstift. Die Wimpern sind lang und der Blick abwesend, als würde sie von einem anderen Ort träumen. Jenny betrachtet das Schwarzweißfoto genauer. Doris' Haut ist vollkommen glatt, kein Hauch einer Falte oder von Sommersprossen. Die Nase ist kerzengerade und niedlich, die Augen sind groß und die Wangen weich wie die eines Teenagers. Doris ist so jung und so unfassbar schön.

Sie wandert mit dem Blick über die Reihe der Fotos. Wie eine Begegnung mit einer anderen Zeit. Jetzt, wo sie alles vor sich sieht, bekommen Doris' geschriebene Worte eine ganz neue Bedeutung. Sie nimmt ein weiteres Bild zur Hand, auf dem Doris hohe Schuhe mit Schleifen trägt und dazu ein tailliertes Kleid mit einem breiten Reverskragen. Die eine Hand ist ausgestreckt. Ihr Kinn ist in die Luft gereckt, der Gesichtsausdruck eher abweisend. Und auf dem Kopf sitzt ein kleiner runder Hut, fast wie eine Mütze. Ganz anders als in den Achtzigerjahren, als Jenny vor der Kamera stand. Damals sollte man einen Schmollmund machen, gerne auch die Lippen leicht geöffnet haben. Der Blick sollte mit der Kamera flirten, und der Brustansatz sollte in den tiefen Ausschnitten zu sehen sein, am liebsten noch mit Öl eingerieben, damit er glänzte. Die Haare der Models sollten im Windzug flattern, dafür setzten die Fotografen klumpige Baulüfter ein. Aber das ging nie gut: Die Haarsträhnen waren vor dem Gesicht, flogen in die Augen und standen zu Berge. Wenn es eine Sache gab, die alle Stylisten in dieser Zeit zur Weißglut brachte, dann waren es die Windmaschinen. Jenny muss bei dem Gedanken daran lächeln. Sie wird ihren Kindern eines Tages auch ihre Fotos zeigen, die in der Modelmappe in der schwarzen Tasche oben auf dem Dachboden stecken. Die hatte sie immer bei sich gehabt, wenn sie sich bei Fotografen und Werbeagenturen auf der Jagd nach dem nächsten Job beworben hatte. Willie kannte die Fotos, ihre Kinder nicht. Sie wussten nichts von ihrem früheren Leben. Aber sie würde es ihnen erzählen. Damit es ihnen nicht so erging wie ihr selbst, Doris hätte ihr das alles schon viel früher erzählen sollen.

Da klingelt ihr Handy, sie schnappt schnell danach, damit Tyra nicht geweckt wird.

»Hallo, Honey!«

»Ich werde das hier nur ein einziges Mal sagen, okay? Komm nach Hause!«

Jenny zuckt zusammen. Den Ausbruch hatte sie nicht erwartet. Sie geht in den Flur und zieht die Tür zum Schlafzimmer zu. Nur einen Spalt lässt sie auf, damit sie Tyra hören kann.

»Was ist denn passiert?«

»Du bist nicht da, das ist passiert. Komm nach Hause!«

»Willie. Wir haben das doch schon besprochen. Ich bleibe hier, solange sie lebt«, faucht sie.

»Weißt du eigentlich, was du mir damit antust? Ich verliere meinen Job, wenn das hier so weitergeht.«

»Weitergeht? Was weitergeht? Kannst du mir bitte erzählen, was passiert ist?«

»Chaos. Hier herrscht das blinde Chaos.«

»Haben sich die Jungs gestritten?«

»Das kann man so sagen. Die streiten die ganze Zeit. Ich kann nicht arbeiten *und* mich um die Kinder kümmern *und* den Haushalt machen. Das geht nicht. Ich verstehe nicht, wie du das schaffst.«

»Beruhige dich! Bitte beruhige dich, so schlimm ist es doch nicht. Wir finden eine Lösung, dir muss jemand dabei helfen.«

»Wie lange hat sie denn noch?«

Jenny spürt, wie sie innerlich zusammenbricht. Jetzt kann *sie* nicht mehr.

»Wie lange? Warte, ich frage den Sensenmann eben, er steht hier und schnauft uns in den Nacken. Woher soll ich das wissen? Aber vielen Dank, dass du dich endlich mal erkundigst, wie es ihr geht. Ihr geht es nämlich nicht gut. Sie hat nicht mehr lange. Da hast du deine Antwort. Und mir geht es auch nicht besonders gut, falls dich das interessiert. Ich liebe sie. Sie ist die einzige Großmutter, die ich je hatte. Eigentlich ist sie wie eine Mutter für mich. Sie hat mir das Leben gerettet. Und ich habe nicht vor, sie einsam und allein sterben zu lassen. Dass du so etwas von mir verlangen kannst?«

Willie schweigt. Seine Stimme hat sich verändert, als er spricht, betreten und entschuldigend.

»Verzeih mir, Darling. Verzeih. Ich bin viel zu weit gegangen. Aber ich bin so verzweifelt. Ich meinte das auch ganz ernst, wie schaffst du das alles nur? Es ist furchtbar.«

»Ich schaffe das alles, weil ich euch liebe. Nicht mehr und nicht weniger.« Jenny kann ihren Mann lächeln hören. Wartet, dass er etwas sagt.

»Wie hieß das Mädchen noch, das vor Kurzem bei uns zum Babysitten war?«

»Die im Parkway Drive wohnt? Sophie?«

»Meinst du, die könnte mir helfen? Mittagessen machen und am Nachmittag hier sein, wenn die Jungs von der Schule kommen?«

»Vielleicht, ruf sie an und frag sie. Ich schicke dir ihre Nummer.«

»Danke. Habe ich dir schon mal gesagt, dass du hier einen richtig guten Job machst?«

»Nein. Das ist das erste Mal.«

»Verzeih. Das ist schrecklich egoistisch.«

»Schrecklich.«

»Aber du magst mich trotzdem?«

Sie schweigt, zögert die Antwort heraus. »Ja. Manchmal. Du hast auch deine guten Seiten.«

»Ich vermisse dich.«

»Ich vermisse dich nicht, wenn du dich so verhältst. Du

musst begreifen, wie wichtig mir das hier ist. Und dass es mich ganz schön viel Kraft kostet.«

»Verzeih mir bitte. Ich meine das aufrichtig.«

»Okay.«

»Verzeih mir, verzeih mir, verzeih mir.«

»Ich denke darüber nach. Wie läuft es mit Allan?«

»Was? Wem?«

»Allan Smith. Du solltest doch Stan bitten, ihn zu suchen. Sag jetzt bitte nicht, dass du das vergessen hast? Wir müssen ihn unbedingt finden!«

»Verdammt! In dem ganzen Chaos hier habe ich das total verschwitzt.«

»Wie konntest du das vergessen? Das ist so wichtig, so superwichtig! Für mich und für Dossi.«

»Oh Mann. Entschuldige, ich bin ein schrecklicher Mensch. Ich rufe Stan jetzt sofort an. Ich liebe dich. Bis bald.«

Das rote Adressbuch

A. ANDERSSON, ELISE

Ein rotes Kleidchen mit einem weiten Rock. Blonde Locken, die sich an den Schläfen kräuseln. Arme, die in die Luft fliegen. Du hast immer getanzt, Jenny. Um mich herum, immer im Kreis. Ich habe versucht, dich zu fangen, und du hast gekichert. Dann habe ich deine Hand erwischt, dich an mich gezogen, und wir haben zusammen gelacht. Ich habe dir auf den Bauch geprustet, auf deinen warmen, weichen Bauch... Du hast mich an den Ohren gezogen, meine Ohrläppchen zwischen Daumen und Zeigefinger gerieben. Das tat weh, aber ich hätte niemals Stopp gesagt. Wollte dich nicht verjagen, nachdem du mir so nah warst.

Die Zeit, die wir zusammen verbracht haben, ist die beste meines Lebens gewesen. Ich habe ja nie eine Mutter sein dürfen, und vielleicht war das auch ganz gut so. Aber ich hatte dich. Ich durfte ein Teil deines Lebens sein. Ich durfte dir meine bedingungslose Liebe schenken. Ich durfte für dich da sein, wenn deine Mutter es nicht konnte. Dafür bin ich so dankbar. Dankbar, dass ich dir helfen konnte. Für mich war das ein großes Geschenk, und ich schäme mich heute noch, dass ich mich manchmal richtig gefreut habe, wenn sie weg war. Wenn ich deine Brotbox machen, dich zur Schule bringen, dir einen Kuss zum Abschied geben durfte. Wenn ich mit dir Hausaufgaben machen, mit dir in den Zoo gehen und Lieder über die Tiere singen durfte. Wenn ich mit dir Eis essen gehen durfte.

Immer wenn wir im Zoo waren, wolltest du danach keine Tiere mehr essen. Dann saßt du auf deinem Stuhl und hast die Lippen aufeinandergepresst, wenn ich dir Schinken, Fisch oder Hühnchen anbot.

»Das Hühnchen lebt und ist froh!«, hast du voller Überzeugung gesagt. »Ich will, dass es lebt. Alle Tiere sollen leben!«

Also aßen wir wochenlang Kartoffeln und Reis, bis du, wie Kinder das so tun, deinen Vorsatz vergessen hattest und wieder alles gegessen hast. Du hattest schon als Kind ein gutes Herz, meine liebe Jenny. Du warst mit allen Freund. Sogar mit deiner Mutter, die dich so oft im Stich gelassen hat. Elisa war nicht für dich da. Sie konnte deine Bedürfnisse nicht sehen. Sie hatte es nicht leicht, aber das hattest du auch nicht. Niemand hatte es leicht, wenn es um sie ging.

Sie schickte immer Geschenke aus der Entzugsklinik. Riesige Geschenke, die wir im Postamt abholen mussten. Spielzelte, Puppenhäuser, gigantische Teddybären, größer als du. Erinnerst du dich daran? Du hast dich immer auf die Pakete gefreut. Mehr als auf die Besuche bei ihr. Wir spielten stundenlang mit den Sachen. Nur du und ich und das Spielen. Dann ging es uns gut.

~ 29 ~

Ganz unten in der Dose liegen ein paar Briefe. Dünne Luftpostumschläge mit Doris' Anschrift und amerikanischen Briefmarken. Jenny erkennt das Datum und die Handschrift wieder. Lässt die Briefe sofort fallen. Sie gleiten auf den Fußboden.

Die Wasserstrahlen wärmen ihre Haut, trotzdem zittert sie am ganzen Körper. Sie kauert in der Ecke, die Knie bis unters Kinn gezogen, den Duschkopf zwischen den Beinen. Sie sieht ihr Spiegelbild darin. Die Augen, müde und mit tiefen Krähenfüßen. Sie bräuchte unbedingt etwas Schlaf, sollte sich neben Tyra aufs Bett legen. Sie zieht Doris' rosa Bademantel an und nimmt die Briefe wieder zur Hand, starrt sie an. Hat ihre Mutter in diesen Briefen geschrieben, dass sie sie loswerden wollte?

Dann fasst sie all ihren Mut zusammen und öffnet den ersten Umschlag.

Hallo Doris, ich brauche Geld. Kannst du mir bitte noch was schicken?

Ein Brief nach dem anderen zieht sie aus den Umschlägen. In keinem steht eine Begrüßung oder gar eine Frage, wie es denn Doris geht.

Die Bücher, die du schicken wolltest, sind angekommen,
Danke. Schulbücher sind prima, aber ich brauche auch
Geld. Wir brauchen Geld für Lebensmittel und neue Klei-
dung für die Kleine. Vielen Dank für dein Verständnis.

Jenny sortiert die Umschläge nach dem Datum des Poststem-
pels. Am Anfang ging es nur um Geld. Dann aber ändert sich
der Tonfall.

Doris. Ich kann sie nicht behalten. Weißt du eigentlich,
wie ich mit ihr schwanger wurde? Habe ich dir das jemals
erzählt? Ich war total high. Das Übliche, Heroin. Ich erin-
nere mich nicht einmal, wie er ausgesehen hat. Er tauchte
plötzlich auf und hat mich die ganze Nacht vergewaltigt.
Ich war am ganzen Körper grün und blau. Welches Kind
will denn so entstehen? Sie war auf Entzug, als sie auf
die Welt kam, und hat nur geschrien, nur geschrien. Bitte
komm zurück und hilf mir.

Jenny liest weiter.

Seit du wieder abgereist bist, schläft sie nicht mehr. Sie
weint sich in den Schlaf. Jeden Abend. Ich kann das nicht
mehr. Ich will das nicht mehr. Morgen gebe ich sie weg, an
den Erstbesten. Ich habe sie doch nie gewollt.

»Hallo. Hallo, jemand da?«
Jenny starrt auf das Display ihres Handys, auf dem ein
Foto von Willie zu sehen ist.
»Jenny? Jenny, bist du da? Ist etwas passiert? Ist Doris
gestorben?«
»Sie hat mich nie geliebt.«

»Wer? Doris? Natürlich hat sie das getan. Natürlich hat sie das getan, Darling!«

»Meine Mutter.«

»Wie meinst du das? Was ist denn passiert? Was hat dir Doris erzählt?«

»Sie hat nichts erzählt. Ich habe alte Briefe gefunden. Briefe, in denen meine Mutter schreibt, dass sie mich hasst. Dass ich heroinsüchtig auf die Welt kam.«

»Aber das wusstest du doch schon.«

»Sie ist vergewaltigt worden. Eine ganze Nacht lang. So bin ich gezeugt worden.«

»Wirklich?«

»Hätte ich das doch nur nicht gelesen.«

»Darling...«, er atmet schwer, »wusstest du, dass sie von deiner Mutter sind?«

»Ich habe ihre Handschrift erkannt. Ich konnte nicht anders.« Sie bricht in Tränen aus und brüllt. »Was für eine beschissene Kindheit!«

»Aber jetzt bist du erwachsen, mein Herz, und dein Leben ist schön. Du hast mich. Du hast die Kinder. Sie lieben ihre Mutter. Und ich liebe dich, mehr als alles andere.«

Sie schluchzt, reibt sich die Tränen aus den Augen. Fährt sich mit der Hand durch die Haare. »Ja, ich habe dich. Und die Kinder.«

»Und du hattest Doris fast dein ganzes Leben lang. Was wäre nur passiert, wenn sie nicht gekommen wäre?«

»Dann hätte mich meine Mutter zur Adoption freigegeben.«

»Doris kam, als deine Mutter einen Entzug machen musste. Wahrscheinlich hat sie das geschrieben, als sie high war. Damals war es viel teurer zu telefonieren. Sie hat diese Briefe geschrieben und eingesteckt, ohne darüber nachzudenken. Doris hätte sie nicht aufheben sollen. Ihr hattet doch auch gute Zeiten.«

»Was zum Teufel weißt du denn schon davon?«

»Hör auf zu fluchen. Ich will dich doch nur trösten. Und ich weiß es, weil du es mir erzählt hast.«

»Und wenn ich mir das alles nur ausgedacht habe, um normal zu wirken?«

»Hast du das denn?«

»Ein bisschen vielleicht. Ich weiß es nicht mehr genau.«

»Wirf diese Briefe weg. Das ist Vergangenheit. Sie spielen keine Rolle mehr. Und versuch zu schlafen.«

»Natürlich spielen die eine Rolle! Mein ganzes Leben habe ich mit dieser Hoffnung gelebt.«

»Mit welcher Hoffnung?«

»Dass sie mich geliebt hat.«

»Das hat sie. Sie war doch nicht sie selbst, als sie das geschrieben hat. Außerdem wirst du geliebt. Ich liebe dich. Ich liebe dich mehr als alles auf der Welt. Die Kinder lieben dich. Du bedeutest vielen Menschen etwas. Vergiss das nicht. Es war nicht deine Schuld.«

»Es war nicht meine Schuld.«

»Nein, das war es nicht. Kinder haben nie Schuld, wenn ihre Eltern unzulänglich sind. Schuld waren die Drogen.«

»Und die Vergewaltigung.«

»Ja. Dafür kannst du nichts. Du solltest auf die Welt kommen. Um meine Frau und die Mutter unserer wunderbaren Kinder zu werden.«

Ihre Tränen laufen unaufhörlich. »Doris wird bald sterben.«

»Ich verstehe, wie schwer das für dich ist. Verzeih mir, dass ich nur an mich selbst gedacht habe, als ich sagte, du sollst nach Hause kommen.«

»Dann willst du gar nicht mehr, dass ich nach Hause komme?«

»Nein. Ich vermisse dich, ich liebe dich, ich brauche dich, aber ich verstehe es jetzt. Ich wünschte, ich wäre da und könnte dir einen Gutenachtkuss geben.«

»Und mich in den Arm nehmen.«

»Ja, und dich in den Arm nehmen. Versuch, ein bisschen zu schlafen, Darling. Es wird wieder besser werden. Ich liebe dich. Ganz doll.«

Jenny legt auf und starrt auf den Stapel Briefe vor sich. Sie will nicht, sollte nicht, aber kann nicht anders. Sie liest die Zeilen wieder und wieder. Die Worte einer Mutter, die nie für sie da war. Die keine Mutter war.

~ *30* ~

Sie wird nicht vom Schmerz überwältigt. Auch nicht von der
Übelkeit. Oder der Trauer. Oder der Sehnsucht nach ihrer
Familie. Es sind die alten, verdrängten Erinnerungen, die sie
überwältigen. Sie halten sie wach in dieser schwarzen, stillen
Nacht in Stockholm. Am Ende fühlt sie sich so bedrängt von
den Gedanken, dass sie aus dem Bett klettert, sich an den
Küchentisch setzt, die nackten Beine hochzieht und sich die
Decke um den Körper schlingt. Vor ihr liegt der Stapel mit
Doris' Aufzeichnungen. Die Geschichte ihres Lebens. Sie be-
ginnt zu lesen, sucht nach guten Erinnerungen. Aber sie kann
sich nicht konzentrieren, die Buchstaben verschwimmen. Sie
versteht die schwedischen Worte plötzlich nicht mehr.

Die Sprache all ihrer schlimmen Erinnerungen ist Englisch. All ihre schlimmen Erinnerungen haben mit Amerika
zu tun. Schwedisch bedeutet Geborgenheit. Doris ist Liebe.
Sie kam, wenn sie gebraucht wurde, und blieb, solange sie
gebraucht wurde. Manchmal monatelang. Auch wenn Elise
aus der Entzugsklinik entlassen wurde. Doris verkörperte
das Normale. Für ein Kind, das ein normales Leben gar nicht
kannte und das Leben seiner Freunde aus der Entfernung
verfolgte, ist »normal« das Schönste, was es gibt. Sandwiches in der Brotbox, an Sportsachen und Hausaufgaben
erinnert zu werden, unterschriebene Zettel für die Lehrerin,
zwei lange, geflochtene Zöpfe, saubere Sachen und warmes
Essen auf Porzellantellern.

Sie kannte auch das Gegenteil. Wenn sie mit ihrer Mutter alleine war. Die Tage, an denen sie mit kaputten Schuhen in die Schule ging. Sie erinnert sich besonders an ein Paar, das große Löcher in der Sohle hatte. Sie schlurfte, damit die Freunde nicht die Löcher und die dreckigen Socken sahen. Dieser besondere Gang schleicht sich auch heute noch manchmal ein.

Die Abende, an denen ihr Doris erzählte, dass ihre Mutter wieder nach Hause kam, waren die schlimmsten. Da packte sie eine schreckliche Unruhe. Doris versprach immer, noch ein bisschen länger zu bleiben, und sie hielt ihr Versprechen. Doris hielt immer, was sie versprach. Ach, Dossi.

Vorsichtig klettert sie zurück zu Tyra ins Bett und kuschelt sich an den weichen, warmen Babykörper. Streichelt ihr über das blonde Haar und wischt Tränen und Schnodder am Kissen ab. Sie bekommt keine Luft durch die Nase, die ist vom Weinen verstopft. Ich brauche Nasentropfen, denkt sie und steht wieder auf, um im Badezimmer nach welchen zu suchen. Sie findet Haarspray, Haarfestiger, Haarkuren. Auf ihre Haare hat Doris immer sehr geachtet, sie wurden jeden Tag mindestens hundertmal durchgebürstet. Als Jenny ihr das erste Mal begegnete, war ihr Haar lang und dicht, mit ein paar vereinzelten grauen Strähnen, die wie Silberfäden in ihrem dunkelblonden Haar lagen. Sie hatte sie nie gefärbt, sondern natürlich grau werden lassen. Jetzt waren sie silbergrau und ziemlich dünn. Und sie hatte einen Kurzhaarschnitt, von dem Jenny sich sicher war, dass sie ihn hasste. Die Nasentropfen sind vergessen, stattdessen packt sie den Haarfestiger, die Lockenwickler und die Haarkuren in ihre Handtasche.

Doris soll sich nicht hässlich fühlen. Sie war immer der schönste Mensch der Welt. Darum steckt sie noch Wimperntusche, bordeauxrotes Rouge und Puder ein. Lippenstift. Das hebt ihre Laune, als Nächstes geht sie Doris' Kleiderschrank durch. Sie soll nicht in diesem weißen Krankenhaushemd sterben, das immer rutscht und die weiße, faltige Haut entblößt. Aber Doris' weit geschnittene Kleider sind auch nicht schön genug. Da drängeln sich zu viele graue und schwarze Sachen auf den Bügeln, zu wenig farbenfrohe. Sie muss ihr etwas Neues kaufen. Etwas Modernes, Buntes. Gelb oder grün oder rosa. Elegant und bequem.

Kleid.

Sie schreibt das Wort auf einen Zettel und legt ihn auf ihre Handtasche.

Es ist vier Uhr morgens, als sie sich wieder ins Bett legt. Das Licht der Straßenlampen fällt durch den Spalt zwischen Gardine und Fenster. Sie schließt die Augen und reist in ihre Kindheit in New York. Neben ihr im Bett liegt nicht mehr Tyra und leistet ihr und ihrer Traurigkeit Gesellschaft. Es ist jetzt Doris. Sie wiegt sie in den Schlaf und schenkt ihr Liebe. Sie streicht ihr übers Haar, wenn sie Angst hat. Sie gibt ihr Geborgenheit und Sicherheit, damit sie einschlafen kann. Leise summt sie ein Lied, das Doris ihr immer vorgesungen hat.

Summertime, and the living is easy. Fish are jumping. And the cotton is high ...

Ungeliebt. Sie seufzt.

Nein. Geliebt. Weil es Doris gab. Doris ist die, die zählt. Jenny summt weiter, wird immer leiser und gleitet schließlich erschöpft in den Schlaf.

Das rote Adressbuch

A. ANDERSSON, ELISE

Jedes Mal, wenn sie aus der Klinik kam, hatte sie rosige Wangen und gekämmtes Haar, eine neue Frisur, eine neue Farbe. Und sie war beladen mit Geschenken: Spielsachen, Anziehsachen und Plüschtiere. Aber du wolltest sie nicht sehen, sondern hast dich hinter mir versteckt, dich an mein Bein geklammert. Sie kam nicht an dich ran, und das gelang ihr später, als du älter wurdest, auch nicht. Der Abstand zwischen euch wurde immer größer. Da hattest du dann eine Zimmertür, die du hinter dir abgeschlossen hast, und Freunde, mit denen du spielen wolltest. Aber sie hat es immer wieder versucht, und ich hoffe, dass du dich an die guten Zeiten erinnerst. Als sie mitten in der Woche ein Dreigängemenü gemacht hat und du deine besten Freunde einladen durftest. Oder als sie eine ganze Nacht lang dein Halloweenkostüm genäht hat, eine orange Krabbe mit ausgestopften Scheren. Du warst so stolz, als du mit deinem kleinen Eimer durchs Viertel gelaufen bist, obwohl du kaum laufen konntest, weil das Kostüm so schwer war und du ein paarmal hingefallen bist. Wenn ich doch davon nur Fotos oder am besten noch einen Film hätte, das würden sich deine Kinder bestimmt gerne ansehen.

Elise war anders als alle anderen Familienmitglieder. Sie war anders als meine Mutter und auch anders als deine Großmutter Agnes. Vielleicht kam das Fragile von deiner Großmutter väterlicherseits. Kristina war furchtbar ängstlich.

Ich habe mich mit Elises Zerbrechlichkeit immer schwergetan, habe sie immer aufgefordert, sich zusammenzureißen. Und bin oft wütend auf sie gewesen. Vor allem, wenn sie wieder ihre dummen Ideen hatte. Sie wollte Prostituierte werden, um Geld zu verdienen, oder dich zur Adoption freigeben. Natürlich hat sie das alles nur gesagt, um mehr Geld von mir zu bekommen oder mich zu überreden, länger zu bleiben. Das ist ihr ja auch fast immer gelungen. Ich bin geblieben. Natürlich habe ich das getan, dir zuliebe. Erinnerst du dich an den Sommer, als sie sich die Haare abrasieren wollte, um sich endlich frei zu fühlen? Das hat sie auch tatsächlich getan, obwohl wir protestiert haben. Eine Zeit lang lief sie zu Hause immer nackt herum, damit du auch eine freie Seele wirst. Oh je, sie hatte viele solcher verrückten Ideen!

Aber wenn sie dann einen Mann kennenlernte, ordnete sie sich sofort und komplett unten an. War er ein Musiker, war sie auf einmal besessen von Musik, war er Anwalt, zog sie plötzlich Kostüme an. Sie glaubte an Gott, sie war Buddhistin, Atheistin oder was auch immer gerade passte.

Erinnerst du dich auch daran, Jenny? Du warst ja dabei. Wir kannten sie nicht wirklich. Du nicht. Und ich auch nicht. Vielleicht kannte sie sich nicht einmal selbst.

31

»Sieh mal, was ich mitgebracht habe.« Jenny lächelt übers ganze Gesicht und holt die Sachen aus der Tasche.

»Bist du bereit für einen Besuch im Schönheitssalon?«

Doris schüttelt müde den Kopf. »Du bist doch verrückt«, flüstert sie.

»Meine Lieblingsgroßtante soll doch nicht mit Haaren sterben, die platt am Kopf kleben.« Jenny beißt sich auf die Lippe und bereut ihren Witz, als sie Doris' weit aufgerissene Augen sieht. »Verzeih, das meinte ich nicht so... nein... Es war dumm von mir. Wirklich total bescheuert.«

»Sind die wirklich so plattgelegen? Ich habe mich seit dem Sturz nicht mehr im Spiegel gesehen.«

Jenny lacht erleichtert, als sie begreift, dass Doris' Entsetzen nichts mit ihrem bevorstehenden Tod zu tun hat.

»Nein, nicht vollkommen platt... aber sie könnten hübscher aussehen. Lass mich mal ein bisschen zaubern.«

Vorsichtig kämmt sie die dünnen grauweißen Haare. Einige verfangen sich in den roten Zähnen des Kammes und fallen aus.

»Tut das weh?«

Doris schüttelt den Kopf. »Es ist schön. Mach weiter.«

Jenny hebt vorsichtig ihren Kopf an, um auch die hinteren Haare zu kämmen. Sie legt ihre Hand in Doris' Nacken und kämmt bis nach unten. Danach rollt sie eine Strähne nach der anderen auf Lockenwickler auf. Mehr als sieben Stück benötigt sie nicht. Die Haare sind so fein und dünn, und die Kopfhaut schimmert durch. Dann sprüht Jenny Haarfestiger auf die Wickler und bedeckt alles mit einem rot-weiß karierten Geschirrhandtuch. In der einen Ecke ist ein verschnörkeltes A in einem helleren Rot gestickt.

»Das Handtuch ist von meiner Mutter. Was für eine Qualität! Ich bekam die Sachen von einer ehemaligen Nachbarin, als ich aus England zurück nach Schweden kam«, erzählt Doris.

»Aus England? Wann bist du denn in England gewesen?«

»Du musst wohl weiterlesen.« Doris gähnt herzhaft und legt ihren Kopf aufs Kissen.

»Deine Geschichten sind so großartig, ich lese jeden Abend darin. Es gibt so vieles von dir, was ich nicht wusste.«

»Ich wollte dir meine Erinnerungen schenken. Damit sie nicht verblassen und mit mir verschwinden.«

»Du erinnerst dich an so viele Einzelheiten.«

»Dafür muss man nur die Augen schließen und nachdenken. Wenn Zeit das Einzige ist, was einem bleibt, können die Gedanken sehr tief gehen.«

»An was ich mich wohl später erinnern werde? Mein Leben ist nicht so spannend wie deins gewesen ist. Nicht mal im Ansatz.«

»Es ist nie spannend, wenn man es gerade lebt. Dann ist es nur schwierig. Die Nuancen kommen erst später dazu.« Doris seufzt. »Ich bin sehr müde«, flüstert sie. »Ich glaube, ich muss mich ein bisschen ausruhen.«

»Brauchst du irgendetwas?«

»Schokolade, ein kleines Stück Schokolade wäre herrlich.«

Jenny wühlt in ihrer Handtasche. Erinnert sich, dass sie heimlich etwas gegessen hat, während Tyra schlief, findet aber nur noch die leere Packung und ein paar klebrige Krümel. Sie dreht sich zu Doris um, aber die ist schon eingeschlafen. Jenny hält instinktiv den Finger unter ihre Nase und atmet erleichtert aus, als sie den warmen Atem auf ihrer Haut spürt.

»Komm, Tyra, wir gehen einkaufen.« Sie hebt das kleine Mädchen aus dem Kinderwagen und lässt sie selbst gehen. Sie kitzelt sie, macht Quatsch und bekommt ein gurgelndes Lachen als Dank. Der Kontrast zwischen dem neuen Leben voller Entdeckerfreude und dem alten Leben im Krankenhausbett ist befreiend. Mit Tyra kann sie trotz Traurigkeit lachen. Sie hebt sie hoch und schwenkt sie von rechts nach links.

»Des Pfarrers kleine Krähe…«, singt sie laut und bringt damit die vorbeieilenden Krankenschwestern zum Lächeln. Tyra kichert und schlingt ihre dicken Arme um Jennys Hals.

»Mommy«, ruft sie und vergräbt ihr Gesicht an Jennys Hals. Jenny fühlt, wie ihr ein Tropfen Spucke oder Rotze am Hals hinunterläuft, sie wischt ihn mit dem Ärmel ab und trifft dabei aus Versehen Tyra mit dem Ellenbogen am Kopf, die sofort anfängt zu weinen.

»Mommy, Mommy«, schreit sie und fuchtelt mit den Armen. Als hätte sie das Wertvollste in der Welt verloren. Sie will zurück an Mamas Hals. Wo es warm und sicher war. Schnell zieht Jenny sie wieder an sich, umarmt sie und streicht ihr über den Rücken.

»*Mommy's here*, mein Mäuschen, Mama ist da«, flüstert sie und küsst ihr den Kopf. Als würde die Kleine ihre Mutter sogar vermissen, obwohl sie da war. Wie es wohl den anderen beiden ging, ob die sie auch so vermissten?

Tyra klammert sich an ihren Hals, und so gehen sie die letzten Meter bis zum Kiosk und der Schokolade.

Als sie zurückkommen, streicht Jenny Doris mit zwei Fingern sanft über die Wange. Sie schläft tief und fest. Tyra schlägt auf Doris' Hand, und Jenny kann gerade noch verhindern, dass sie ein zweites Mal trifft, als Doris die Augen öffnet.

»Bist du es, Elise?«, flüstert sie. Ihre Augen flackern.

»Ich bin es, Jenny, nicht Elise. Wie geht es dir? Fühlst du dich nicht gut? Ist dir schwindelig?« Jenny sieht sich nach einer Krankenschwester um. »Warte kurz, ich hole jemanden.«

Sie setzt Tyra in den Kinderwagen und rennt auf den Flur. Da ist niemand. Aber im Schwesternzimmer sitzen drei und trinken Kaffee.

»Irgendetwas stimmt nicht. Ihre Augen, die zucken so hin und her.«

Sie hört Tyra, die sich lauthals beschwert, und hetzt an den Krankenschwestern vorbei. Doris versucht, die Kleine zu trösten, obwohl sie selbst so schwach ist. Sie will ihr ein Lied vorsingen, aber die Töne sind alle schief, und Tyra schreit noch lauter.

»Mommy!« Ihr Gesicht ist ganz streifig von den Tränen, an der Nase hängt Schnodder. Jenny nimmt sie in den Arm.

Doris flüstert eine Entschuldigung, ihre dünne Stimme klingt ganz verzweifelt: »Verzeih mir, ich habe versucht...«

Am liebsten würde Jenny beide umarmen. Das alte Leben erhalten und dem neuen Leben Kraft geben. Die Schwestern untersuchen Doris, Jenny beobachtet sie dabei: Blutdruck wird gemessen, das Sauerstoffmessgerät wird an den Finger geklemmt, das Stethoskop auf die Brust gedrückt.

»Sie ist schwach. Das war wahrscheinlich nur ein kleiner Schwindel.« Die Schwestern packen ihre Instrumente wieder ein und verlassen den Raum.

Das war wahrscheinlich nur ein kleiner Schwindel. *Wahrscheinlich nur.* Jenny bleibt an diesen zwei Worten hängen.

»Wollen wir jetzt mal die Lockenwickler wieder rausnehmen?«

Doris nickt.

»Damit du richtig schick aussiehst.«

Doris lächelt schwach.

Jenny versucht nicht, ihre Tränen aufzuhalten, die langsam aufsteigen und dann an der Nase entlangrollen. Vorsichtig löst sie einen Wickler nach dem anderen.

»Ich habe gehört, dass Salzwasser gut für die Haare sein soll«, flüstert Doris mit heiserer Stimme.

Jenny muss trotz der Tränen lächeln. »Ich werde dich so vermissen. Ich liebe dich so unsagbar doll.«

»Ich liebe dich auch, mein Goldstück. Und dich«, sie winkt Tyra zu, die sich wieder beruhigt hat und alles, was sie im Kinderwagen findet, auf den Boden schleudert. Jenny hebt sie hoch und setzt sie auf die Bettkante, damit Doris besser mit ihr reden kann. Aber Tyra quengelt und will runter, wirft sich nach hinten und vertraut darauf, dass ihre Mutter sie mit beiden Händen hält und rettet.

»Lass sie doch auf dem Boden sitzen, Jenny. Es ist nicht spannend, einer alten Schachtel beim Sterben zuzusehen.«

Kaum auf dem Boden, greift Tyra nach ihrem Bilderbuch und schleudert es gegen das Bettgestell. Ein Stück vom Buchrücken platzt ab. Jenny hat keine Lust, sie auszuschimpfen. Solange sie dort unten zufrieden und still ist, ist alles in Ordnung. Sie kämmt Doris' Haare und fixiert sie mit Haarspray, sodass sie viel Volumen haben und alle lichteren Stellen bedecken. Zufrieden betrachtet sie das Ergebnis und widmet sich dann Doris' Gesicht. Pudert vorsichtig die faltigen Wangen, trägt mit kreisenden Bewegungen hellrosa Rouge auf die Wangen auf, malt ihre Lippen an. Das Make-up erweckt Doris' Gesicht zum Leben. Dann macht sie ein Foto und hält es ihr hin. Doris nickt zustimmend.

»Auch die Augen«, flüstert sie.

Jenny trägt zaghaft rosa Lidschatten auf. Doris' Lider sind schwer, man sieht nur die Hälfte ihrer Iris. Der Lidschatten bleibt in den kleinen Hautfalten hängen und ist unregelmäßig, aber das stört Jenny nicht weiter.

»Ich habe dir ein Kleid gekauft. Ein schönes, in dem du auch schlafen kannst, wenn du willst.«

Sie holt die Tüte von Gina Tricot aus dem Korb unter dem Kinderwagen und hält das Kleid hoch. Es ist einfarbig, altrosa, aus Jersey. Die Ärmel sind lang, der Hals rund ausgeschnitten, über der Brust ist der Stoff plissiert.

»Schöne Farbe«, sagt Doris leise und berührt den Stoff.

»Ich weiß, dass du früher die Farbe Rosa mochtest. Du hast mir immer rosa Kleidchen gekauft, und Mama hat es gehasst.«

»Hippie.« Doris hustet gequält.

»Ja, sie war ein richtiger Hippie. Ich weiß nicht, woher das alles kam. Aber ihre Einstellung zum Leben hat es ihr nicht nur einmal schwergemacht«, seufzt Jenny. »Und hat sie am Ende ja wohl auch das Leben gekostet.«

»Drogen sind Teufelszeug«, flüstert Doris.

Jenny antwortet nicht. Sie hilft Doris beim Anziehen des Kleides.

»Weißt du irgendetwas über meinen Vater?«

Doris hebt den Blick, schüttelt den Kopf.

»Nichts?«

»Nein.«

»Wirklich gar nichts?«

»Wir haben doch schon darüber gesprochen, mein Herz.«

»Ich weiß, dass du mehr weißt, als du mir sagen willst. Ich habe Mamas Briefe an dich gefunden. Sie hasste mich.«

Doris schüttelt erneut den Kopf.

»Nein, meine Liebe, so darfst du nicht denken. Das hat sie nicht. Sie war drogenabhängig und wollte Geld von mir. Diese Briefe hat sie geschrieben, wenn es ihr schlecht ging, sie hatte kein Geld, um mich anzurufen. Ich weiß nicht, warum ich sie aufgehoben habe. Das war dumm von mir.«

»Sie ist vergewaltigt worden.«

Doris antwortet nicht, hat die Augen geschlossen.

»Du hast mich immer geliebt, das weiß ich, das habe ich gespürt.«

»Elise hat dich auch geliebt.«

»Und wann? Wenn sie sich das Heroin gespritzt hat? Oder wenn sie in ihrer Kotze auf dem Küchenboden lag und ich alles aufwischen musste? Oder als sie mich zur Adoption freigeben wollte?«

»Sie stand unter Drogen.« Doris' Stimme ist ganz schwach.

»Sie hat mir immer wieder versprochen, damit aufzuhören.«

»Sie hat es auch versucht. Aber sie konnte nicht.«

»Hast du mich deshalb geliebt, weil ich keine Mutter hatte?«

Doris öffnet die Augen, sie glänzen und sehen schon wieder ganz abwesend aus. Jenny greift ihre Hände.

»Verzeih, wir müssen auch nicht darüber sprechen. Ich liebe dich. Du bist immer für mich da gewesen.«

»Ich bin immer gekommen, wenn du mich gebraucht hast«, flüstert Doris.

Jenny nickt. Küsst ihr auf die Stirn.

»Und ich habe dich geliebt, weil ich dich geliebt habe.«

»Ruh dich jetzt aus, Dossi. Ich bleibe hier sitzen und halte deine Hand.«

»Wo ist Gösta? Hat er seinen Kaffee schon bekommen?«

»Du bist verwirrt, Dossi. Gösta ist schon lange tot. Er starb vor meiner Geburt. Erinnerst du dich?«

Die Erinnerungen kommen zurück. Sie nickt.

»Alle sind tot.«

»Nein, nicht alle sind tot. Das stimmt nicht.«

»Alle, die mir etwas bedeutet haben. Alle, außer dir.«

Jenny streichelt ihr sanft über den Arm, über den Stoff des neuen Kleides.

»Hab keine Angst«, flüstert sie, aber bekommt keine Antwort.

Doris ist eingeschlafen. Ihr Brustkorb hebt und senkt sich schwer und röchelnd. Eine Krankenschwester kommt ins Zimmer und stellt das Rückenteil des Bettes höher.

»Ich glaube, es ist am besten, wenn Doris sich jetzt ein bisschen ausruht. Und das gilt auch für Sie und Ihre Kleine.«

Jenny wischt sich die Tränen aus dem Gesicht. »Ich will Doris nicht allein lassen. Könnte ich nicht auch hier schlafen?«

Die Schwester schüttelt den Kopf. »Gehen Sie ruhig, wir können erkennen, wann es zu Ende geht. Die Nacht wird sie noch schaffen, und wenn es ihr schlechter geht, rufen wir Sie an.«

»Sie müssen mir versprechen, dass Sie mich wirklich sofort anrufen, bei der kleinsten Veränderung. Der allerkleinsten!«

Die Schwester nickt geduldig. »Ich verspreche es.«

Schweren Herzens verlässt Jenny die Station und geht zum Fahrstuhl. Tyra zappelt ungeduldig im Wagen, sie will raus und alleine gehen. Die langen Stunden bei Doris im Zimmer haben sie quengelig gemacht. Jenny hebt sie raus und lässt sie neben dem Wagen herlaufen. Mit ihrer runden Hand hält sie sich am Gestell des Wagens fest und wackelt breitbeinig los. Jenny holt ihr Handy raus. Zehn versäumte Anrufe, alle von Willie. Und eine SMS.

Du wirst es nicht glauben. Allan Smith lebt.
Ruf mich an!

32

»Er lebt? Im Ernst?«

»Ja, er lebt. Wenn es der Allan Smith ist, den wir suchen.«

»Fahr dahin!«

»Bist du verrückt? Ich fahre doch nicht nach New York. Wer soll sich denn um die Kinder kümmern?«

»Nimm sie mit! Fahr dahin!«

»Jenny, langsam mache ich mir Sorgen, dass du deinen Verstand verloren hast.«

»Du musst dorthin fahren! Doris ist ihr ganzes Leben allein geblieben. Ihr ganzes Leben. Außer die paar Jahre, in denen sie mit diesem schwulen Künstler zusammengewohnt hat. Sie hatte nur eine große Liebe. Und das ist Allan Smith. Sie hat ihn seit dem Zweiten Weltkrieg nicht mehr wiedergesehen. Begreifst du das? Sie muss ihn noch einmal sehen, bevor sie stirbt. Fahr dahin! Nimm deinen Rechner mit, damit wir skypen können. Und ruf mich an, wenn du da bist.«

»Aber wir wissen doch gar nicht, ob es der richtige Allan Smith ist. Stell dir mal vor, es ist der falsche.«

»Wie alt ist er?«

»Jahrgang 1919.«

»Das passt.«

»Er lebt auf Long Island. Ist seit zwanzig Jahren Witwer.«

»Das passt auch. Allan war verheiratet.«

»Laut Stan hat er von 1940 bis 1976 in Frankreich gelebt.

Er hat eine Taschenfabrik übernommen und ist damit reich geworden.«

»Doris hat mir erzählt, dass er im Krieg nach Frankreich gegangen ist.«

»Seine Mutter war Französin, er hat einen Doppelnamen im Pass stehen. Allan Lesseur Smith.«

»Das muss er sein. Seine Mutter war Französin. Fahr!«

»Jenny, du bist komplett verrückt! Die Jungs müssen doch in die Schule, ich kann doch nicht alles stehen und liegen lassen!«

»Scheiß auf die Schule!« Sie kann sich kaum beherrschen. »Es macht nichts, wenn sie ein paar Tage fehlen. Das hier ist jetzt wichtiger als alles andere. Doris lebt nicht mehr lange, und sie muss ihn noch ein letztes Mal sehen, bevor sie stirbt. Es geht hier um Stunden. Fahr! Wenn dir das nicht als Grund reicht, dann tu es einfach für mich. Ich bitte dich!«

»Versprichst du mir, dass du wieder nach Hause kommst, wenn ich das mache?«

»Ja, natürlich. Ich komme sofort, wenn ich hier alles erledigt habe.«

»Ich tue es für dich, nur für dich. Ich fasse es nicht, dass ich das wirklich mache…«

»Fahr jetzt gleich zur Schule und hol die Jungs ab, dann nehmt ihr den erstbesten Flug nach New York. Wenn Mrs Berg protestiert, sag ihr, dass wir einen Krankheitsfall in der Familie haben. Das ist ein triftiger Grund.«

»Triftiger Grund?«

»Na ja, es gibt doch Regeln, wann Kinder von der Schule fernbleiben dürfen. Einige Umstände sind akzeptabel, andere nicht. Aber ist auch egal! Fahr! Und vergiss die Medizin für Davids Asthma nicht.«

»Und was bitte mache ich dann, wenn ich da bin?«

»Sprich mit ihm. Vergewissere dich, ob er der richtige Allan ist, und frag, ob er sich an Doris erinnert. Dann rufst du mich sofort an.«

»Aber was nützt es, wenn sie jetzt erfährt, dass er noch lebt? Dass er all die Jahre am Leben war? Dann stirbt sie unglücklich. Ist es nicht besser, wenn sie in dem Glauben stirbt, dass er auch schon lange tot ist?«

»Das hilft mir jetzt nicht weiter. Fahr! Ich lege gleich auf.«

»Okay, okay, ich fahre, obwohl ich nicht verstehe, warum. Erwarte nur nicht zu viel, es kann auch der falsche Allan sein.«

»Klar, absolut, und du musst jetzt auch gar nicht verstehen, warum. Alles, was ich von dir will, ist, dass du fährst. Es ist das Richtige, vertrau mir. Ich lege jetzt auf. Verzeih, aber ich muss los.«

Sie drückt ihn weg, bevor er etwas sagen kann, stellt das Handy auf lautlos und steckt es in die Tasche. Tyra sitzt auf dem Boden und hat alle Sachen aus dem Korb unter dem Kinderwagen gerissen und in einem Halbkreis um sich herum verteilt. Eine Banane, ein Buch, saubere Windeln, dreckige Wechselwäsche, Reiswaffeln. Jenny sammelt alles wieder ein und nickt den Leuten lächelnd zu, die an ihr vorbeigehen. Dann schnappt sie sich Tyra, die durch den Flur wackelt. Sie wehrt sich und protestiert, als Jenny sie in den Wagen setzt und ihr Jacke und Mütze anzieht.

»Wir müssen jetzt nach Hause. Und was essen. Schschsch.«

Aber Tyra will sich nicht beruhigen, die Tränen schießen ihr zwischen den Brüllattacken aus den Augen. Jenny lässt sie gewähren. Sie beschäftigen andere Dinge. Mit schnellen Schritten schiebt sie den Kinderwagen, in der Hoffnung, dass die Bewegung Tyra beruhigt.

Das rote Adressbuch

S. SMITH, ALLAN

Es heißt, dass man seine erste große Liebe niemals vergisst. Dass sie sich tief in die Erinnerung einnistet. Allan wohnt auch heute noch dort. Vielleicht ist er im Krieg gefallen, aber in mir lebt er. Tief in meinem gebrechlichen Körper. Und wenn ich sterbe, nehme ich die Erinnerung an ihn mit und hoffe, dass ich ihm im Himmel begegne. Hätten wir uns wiedergefunden, wären wir ein Leben lang zusammengeblieben, davon bin ich überzeugt.

Er hat immer gesagt, dass sein Herz französisch, sein Körper amerikanisch und sein Kopf eine Mischung aus beidem sei. Dass er sich viel mehr als Franzose denn als Amerikaner fühlte. Sein Französisch hatte den typischen runden Klang des Amerikanischen. Ich musste immer über seine Aussprache lachen, als er an meiner Seite durch Paris getanzt ist. Dieses Lachen lebt auch in meiner Erinnerung. Es ist der Inbegriff von Glück – einem Glück, das ich danach leider nie wieder erleben durfte. Er verkörperte eine einzigartige Kombination aus Scharfsinn und Verspieltheit. Er war nachdenklich und unbekümmert, lebhaft und ernst.

Er hatte ja Architektur studiert, und wenn ich später in der Zeitung Fotos von neuen Gebäuden gesehen habe, las ich den Text jedes Mal sorgfältig durch, immer auf der Suche nach seinem Namen. Das tue ich auch heute noch. Wie dumm von mir. Jetzt würde ich ihn mithilfe des Internets wahrscheinlich sogar finden. Aber damals war es wahnsinnig schwer. Vielleicht habe ich mich auch zu wenig bemüht. Aber ich habe Briefe geschrieben, viele Briefe, postlagernd, obwohl ich nicht wusste, wo er lebte, noch nicht einmal, auf welchem Kontinent. Ich schickte sie ins Postamt nach Manhattan und nach Paris. Aber sie kamen zurück. Ich bekam nie eine Antwort. Er blieb ein Geist, mit dem ich nachts sprach. Eine Erinnerung, die in meinem Medaillon lebte. Meine einzige wahre Liebe.

Gösta kaufte uns ein Sofa und bezahlte mit zwei Gemälden. Es war ein großes, weiches Sofa aus purpurfarbenem Samt. Dort verbrachten wir die Abende, tranken Rotwein und gestanden uns unsere Träume und Gedanken. Viele waren es und wilde. Sie brachten uns zum Lachen und zum Weinen.

Gösta fragte mich über die Männer in meinem Leben aus. Er war direkt und hemmungslos und stellte auch intime Fragen. Er wusste von Allan, aber er verstand mich nicht, fand mich bekloppt. Er versuchte alles Mögliche, damit ich diese unerreichbare Liebe aufgab. Damit ich wieder Augen für andere hatte. Männer oder Frauen. Für Gösta machte das keinen Unterschied.

»Man liebt doch die Person, nicht das Geschlecht, Doris. Das hat nichts mit dem Geschlecht zu tun. Die Anziehungskraft entsteht, wenn sich zwei verwandte Seelen treffen und eins werden. Die Liebe interessiert sich nicht für das Geschlecht, und das sollten wir Menschen auch nicht«, sagte er.

Die größte Freiheit ist, wenn man seine Ansichten mitteilen kann und dafür Liebe erhält, auch wenn sie vom Normalen abweicht. Es war wunderbar, mit einem so toleranten Menschen wie Gösta zusammenzuleben. Wir hatten alles. Uns fehlte nur die Leidenschaft. Obwohl. Ein einziges Mal hat er den Versuch unternommen, mich zu küssen. Aber da sind wir beide nur in schallendes Gelächter ausgebrochen.

»Nee, das war nicht so das Richtige«, hatte er lachend gesagt und mir die Zunge rausgestreckt. Romantischer als das wurde es nicht.

Ich bin mein Leben lang allein geblieben, Gösta war meine Familie. Und du, Jenny, du bist meine Familie. Ich habe ein gutes und entspanntes Leben geführt, wirklich. Allan blieb zwar unauffindbar, aber ich hatte ein schönes Leben.

Ich denke oft an ihn. Immer häufiger, je älter ich werde. Es ist mir unbegreiflich, wie ein Mensch sich so tief in einem Herzen einnisten kann, wie Allan es bei mir getan hat. Wohin es ihn wohl verschlagen hat? Ist er wirklich im Krieg gefallen, oder wurde er alt? Und wenn er alt geworden ist, wie sah er aus? Ist er grau oder weiß geworden? Dick oder dünn? Hat er die Gebäude konstruieren dürfen, von denen er geträumt hat? Hat er auch an mich gedacht? Hat er dieselbe Leidenschaft mit anderen Frauen erlebt wie mit mir? Hat er sie so geliebt wie mich?

Durch meinen Kopf fließen diese Fragen unaufhörlich. Und so wird es sein, bis ich sterbe. Vielleicht sehen wir uns im Himmel wieder. Vielleicht kann ich mich dann endlich wieder in seine Arme sinken lassen. Die Vorstellung, dass ich ihn wiedersehen werde, macht es mir leicht, an Gott zu glauben. Wenn es ihn wirklich gibt, will ich ihm sagen:

Hallo Gott. Jetzt bin ich an der Reihe. Ich bin an der Reihe zu lieben und geliebt zu werden.

33

Es liegen noch so viele Blätter auf dem Stapel. So viele Worte. Und vielleicht hat sie im Rechner noch mehr. Der liegt auf dem Nachttisch im Krankenhaus. Jenny blättert durch die Seiten und sucht alle Kapitel, die jeweils von einer Person handeln. Sie liest von Elaine und Agnes, von Mike und Gösta. Ganze Leben zusammengefasst in wenigen Zeilen.

So viele Erinnerungen. So viele Verstorbene. Welche Geheimnisse nahmen sie mit ins Grab? Sie holt sich das Adressbuch und beginnt, auch darin zu blättern. Sie ist neugierig, ob es Namen gibt, die Doris in ihren Geschichten nicht erwähnt. Wer war Kerstin Larsson? Sie notiert den Namen in Großbuchstaben auf einem Block. Morgen wird sie Doris fragen. Wie Kerstin starb. Welche Bedeutung sie für Doris gehabt hat.

Sie streicht mit dem Finger über die Einträge. Ihr Name steht auch darin. Einer der wenigen, der noch nicht mit zittriger Linie durchgestrichen wurde. Aber die Adresse stimmt nicht. Das ist ihre alte, von ihrem Studentenzimmer, in dem sie für eine kurze Zeit gewohnt hat, als sie auf der Suche nach einem Ausbildungsplatz war. Vor Willie. Vor den Kindern. War sie damals glücklicher gewesen als heute? Fröhlicher? Sie fröstelt, wickelt sich Doris' Strickjacke enger um den Körper. Vielleicht. Sie streicht die alte Adresse durch und schreibt die neue daneben. Dort lebt sie mit ihrer Familie, dort wo das Glück zu Hause sein soll. Wo es vielleicht ja auch gefunden wird.

Doris hat ihr damals den Kurs für kreatives Schreiben finanziert. Ein halbes Jahr, das aus freier Fantasie und Vorlesen bestand. Das Schreiben hat sie genossen, das Vorlesen war entsetzlich. Sie konnte ganz schlecht Kritik vertragen. Und plötzlich stand Willie vor ihr. Stark, schlau, verlässlich. Er vertrieb ihre düsteren Gedanken. Sie hatten viel Spaß: surften, fuhren Fahrrad, spielten Tennis. Sie ließ das Schreiben sein, beendete den Kurs frühzeitig und begann als Kellnerin in einem Restaurant zu arbeiten. Was wäre wohl geschehen, wenn sie ihm nicht begegnet wäre? Wenn sie den Kurs beendet hätte? Weitergeschrieben hätte? Doris hat nie aufgehört, davon zu reden. Fragt immer, wie es läuft, als wäre es selbstverständlich, dass sie weitergemacht hätte. Die Wahrheit aber ist, dass sie seitdem nur wenige Zeilen zu Papier gebracht hat. Die Wahrheit ist aber auch, dass es in ihr schlummert. Wie ein vager Traum, den sie nie in Angriff genommen hat. Sie weiß, dass sie es kann. Dass sie Talent hat. Tief in ihrem Inneren weiß sie es. Aber sie führt nun einmal das Leben, das sie führt. Wer sollte sich denn um die Kinder kümmern? Wer den Haushalt besorgen, das Essen machen? Außerdem ist es auch kein leichtes Unterfangen. Nur ein Prozent aller an Verlage geschickten Manuskripte werden jemals veröffentlicht. Ein mickriges Prozent nur. Die Wahrscheinlichkeit ist viel zu gering. Warum sollte es ausgerechnet ihr gelingen? Was, wenn ihr Talent nicht ausreicht? Wenn sie scheitert?

Jenny schiebt die grüblerischen Gedanken beiseite und ruft Willie an.

»Hallo, Honey. Wie geht es euch? Seid ihr schon losgefahren?«

»Nein, wir sind noch nicht losgefahren.«

Sie seufzt. »Willie, bitte…«

»Wir fahren ja. Ich habe ein Ticket für morgen. David kann bei Dylan bleiben, und Jack kommt allein zurecht, bis ich zurück bin.«

»Danke.« Ihre Stimme klingt erleichtert, Tränen steigen auf. »Oh, danke, Willie!«

»Ich hoffe, dass es das wert ist.« Seine Stimme klingt angespannt, schroff.

»Wie meinst du das?«

»Ich verstehe, dass du das tun willst. Aber nicht, warum du sie dem aussetzen musst.«

»Aber… Wie kannst du das nicht verstehen? Sie stirbt. Und er ist die Liebe ihres Lebens. Was kannst du daran nicht verstehen? Das ist doch ganz offensichtlich, oder warst du nie wirklich verliebt?«

»Mein Gott, Jenny, nicht so dramatisch, bitte. Ich verstehe es ja. Natürlich weiß ich, was wahre Liebe ist! Und ich hoffe, dass du weißt, dass ich dich liebe!«

»Okay.«

»Gut. Sei nicht traurig. Ich werde deinen Allan finden, ich fahre morgen früh.«

»Okay.«

»Ich liebe dich. Ich muss jetzt los.«

»Okay. Mach's gut. Bis bald.«

Sie wischt sich eine Träne aus dem Augenwinkel. Atmet tief ein. Atmet tief aus.

Sie versucht sich zu erinnern. Vor fünfzehn Jahren haben sie sich kennengelernt. Als Frischverliebte haben sie ganze Tage im Bett verbracht. Haben zehnmal hintereinander miteinander geschlafen, bis sie ganz wund waren. Das war Liebe, oder? Aber diese Zeiten sind lange vorbei. Sie überlegt. Ein einziges Mal seit Tyras Geburt. Ihr Körper ist eine Katastrophe nach drei Schwangerschaften, wahrscheinlich ist es besser so? Es wäre doch für keinen von beiden schön.

Sie runzelt die Stirn.

Wirklich nur ein einziges Mal seit Tyras Geburt?

Das konnte doch nicht wahr sein.

Sie klettert ins Bett und kuschelt sich an Tyra, ganz nah. So schläft sie auch mit Willie im Bett ein. Mit der Nase in seinem Nacken. Tyra riecht gleichzeitig süß und säuerlich. Das Haar im Nacken ist feucht und lockig. Wie Willies Haare.

Sie ruft ihn an.

»Ja«, sagt er kurz angebunden.

»Ich liebe dich auch.«

»Ich weiß. Was wir haben, ist wahre Liebe. Ich habe nie etwas anderes behauptet und auch nie etwas anderes gefühlt.«

»Und wir sind noch verliebt ineinander?«

»Natürlich.«

»Gut.«

»Schlaf jetzt. Ruh dich aus.«

»Okay, mache ich.«

»Ich melde mich sofort, wenn ich weiß, ob es der richtige Allan ist.«

»Danke!«

»Ich tue das für dich. Ich würde alles für dich tun. Vergiss das nicht.«

»Das ist Liebe.«

»Sag ich doch.«

34

Als sie die Tür zu Doris' Zimmer öffnet, schlägt ihr der Geruch von Urin entgegen. Doris liegt auf der Seite. Zwei Krankenschwestern sind dabei, die Laken zu wechseln.

»Die haben den Katheterbeutel fallen lassen«, sagt Doris und rümpft die Nase.

»Und das ist auch ins Bett gelaufen?« Jenny sieht die Krankenschwestern streng an.

»Ja, das war… ein Versehen. Wir wechseln die Laken.«

»Sollte sie nicht auch geduscht werden?«

Doris' Haare sind schon wieder plattgelegen. Das schöne Kleid ist auch in Mitleidenschaft gezogen worden und liegt nass auf dem Boden. Doris' Körper ist nur mit einem viel zu kleinen Handtuch bedeckt, bis sie den Krankenhauskittel wieder angezogen bekommt.

»Laut Plan soll sie erst morgen duschen.«

»Aber sie ist voller Urin!«

»Wir haben sie gewaschen. Wir brauchen mehr Personal, wenn wir sie duschen.«

»Das ist mir so etwas von egal! Wenn Sie einen Patienten mit Urin vollschütten, dann müssen Sie wohl oder übel Ihren Plan ändern!«

Verlegenes Schweigen. Die Schwestern fahren mit ihrer Arbeit fort. Bis eine von ihnen sich räuspert.

»Entschuldigen Sie. Sie haben ganz recht, natürlich muss sie abgeduscht werden. Könnten Sie uns vielleicht helfen?«

Jenny nickt und schiebt den Wagen mit der schlafenden Tyra an die Wand. Sie hilft ihnen, Doris in einen Duschstuhl zu heben, und schiebt sie ins Badezimmer. Ihr Kopf hängt ihr auf der Brust, sie kann sich kaum aufrecht halten. Jenny seift sie vorsichtig ein.

»Wir frisieren auch deine Haare noch mal.«

»Die alte Dame wird nicht hässlich sterben«, flüstert Doris.

»Nein, so soll sie nicht sterben. Das verspreche ich. Außerdem warst du nie hässlich. Du bist der schönste Mensch, den ich kenne.«

»Jetzt lügst du aber. Denn das bist du nämlich.« Doris ist ganz außer Atem.

Kaum liegt sie wieder im Bett, schläft sie sofort ein. Jenny legt eine Hand auf ihre Stirn.

»Wie geht es ihr?«

»Sie hat einen schwachen Puls. Ihr Herz kämpft, aber es wird wahrscheinlich nicht mehr lange durchhalten. Wir sprechen hier vermutlich von Tagen.«

Jenny beugt sich herunter und legt ihre Wange an die von Doris. So haben sie immer auf dem Sofa in New York gesessen. Plötzlich ist Jenny wieder ein kleines Mädchen. Ein heimatloses, verunsichertes. Und Doris ist ihre Rettungsboje, die sie über Wasser hält.

»Liebste Dossi, du darfst nicht gehen und mich alleine lassen«, flüstert sie und küsst ihr auf die Stirn.

Doris schläft, mit rasselnden Atemzügen. Tyra wacht auf und fängt an zu quengeln. Jenny hebt sie hoch, aber die Kleine windet sich, will auf den Boden. Jenny lässt sie, setzt sich zurück auf die Bettkante, legt sich neben Doris. Sie will ihr nah sein, ganz nah. Tiefe Atemzüge.

»Sie müssen auf Ihre Tochter aufpassen.« Eine Krankenschwester kommt mit Tyra auf dem Arm ins Zimmer. »Im Krankenhaus gibt es gefährliche Ecken.«

Sie nickt, lächelt entschuldigend. Sie gibt Tyra eine Tüte mit Süßigkeiten, die sie Stück für Stück laut schmatzend in den Mund steckt. Jenny setzt sie wieder in den Wagen und schnallt sie fest.

»Bleib bitte sitzen, mein Schnuckelchen. Bleib sitzen, ich muss...«

»Quengelt sie?« Doris' Stimme klingt eher wie ein Zischen, kaum hörbar.

»Oh, du bist wieder wach? Wie geht es dir? Du bist nach dem Duschen gleich eingeschlafen.«

»Ich bin auch so müde.«

»Wir müssen auch nicht reden, wenn du keine Kraft hast.«

»Aber ich will dir das erzählen, was ich nicht mehr aufschreiben konnte. Und deine Fragen beantworten.«

»Oh, ich habe so viele, ich weiß gar nicht, wo ich anfangen soll. Du hast nicht viel über die Jahre mit Gösta geschrieben.«

»Zwanzig Jahre.«

»Ja, ist das nicht irre. Ihr habt so lange zusammengewohnt? Hat er sich um dich gekümmert? War er nett zu dir? Hast du ihn geliebt?«

»Ja, aber wie einen Vater.«

»Du warst bestimmt furchtbar traurig, als er starb.«

»Ja, es fühlte sich an, als hätte ich einen Arm verloren.« Doris seufzt und schließt die Augen.

»Wie ist er denn gestorben?«

»Er war einfach alt. Er ist schon lange tot, er starb in den Sechzigern.«

»Als ich geboren wurde?«

»Kurz vorher. Wenn ein geliebter Mensch stirbt, wird ein neuer geboren.«

»Und du hast alles von ihm geerbt?«

»Ja. Die Wohnung, die Möbel, seine Gemälde. Die großen habe ich verkauft, die waren richtig wertvoll.«

»Heutzutage werden die für Millionen verkauft.«

»Wenn Gösta das erlebt hätte.«

»Das hätte ihn sicher total froh gemacht. Und stolz.« Jenny lächelt, obwohl ihr die Tränen in den Augen stehen.

»Ich weiß nicht. Geld hatte für ihn keine so große Bedeutung. Aber er hätte wenigstens nach Paris fahren können, wenn sie vorher schon wertvoll gewesen wären. Wir hätten zusammen fahren können.«

»Hättest du das gerne gemacht?«

»Ja.«

»Er weiß bestimmt, dass er berühmt geworden ist. Vielleicht ist er einer der Engel, die du bald treffen wirst.« Sie nimmt einen der kleinen Porzellanengel vom Nachttisch und hält ihn ihr hin.

»Er hatte so große Angst vor dem Tod. Damals hieß es, dass Homosexuelle nicht in den Himmel kommen. Und er hat es geglaubt.«

»War er denn gläubig?«

»Nicht in der Öffentlichkeit. Aber insgeheim war er es. So wie wir alle.«

»Wenn es einen Himmel gibt, steht Gösta an der Pforte und wartet auf dich.«

»Dann wird gefeiert.« Doris lacht und schnappt nach Luft.

»Du bist so wunderbar. Es ist so schön, dich lachen zu hören. Dein Lachen trägt mich. Es ist immer da, in mir, ich kann es abrufen, wenn ich es brauche.«

»Marshmallow-Krieg!«

»Genau, erinnerst du dich?« Jenny lacht laut bei dem Gedanken daran. »In der Küche mit dem viel zu großen Tisch. Mama, du und ich. Wir haben so viel gelacht. Und gegessen. Ich hatte die ganze Nacht Bauchweh.«

»Ein bisschen verrückt sein zwischendurch tut ganz gut.«

Jenny nickt und streicht ihr mit der Hand über den Kopf. Ihr Haar ist weich wie das eines Babys.

»Und jetzt machen wir dir die Haare wieder fein.«

Doris schläft ein, während Jenny das dünne Haar auf die Lockenwickler dreht. Ihr Atem ist schwer. Tyra hat alle Süßigkeiten aufgegessen und quengelt, aber Jenny kümmert sich nicht darum. Gedankenverloren kämmt und rollt sie in aller Ruhe weiter. Erst als eine Krankenschwester sie auf das weinende Kind aufmerksam macht, hebt sie Tyra aus dem Wagen.

35

Es klingelt.

Jenny tastet im Dunkeln nach dem Handy, ohne auf das Display zu sehen. Tyra wimmert im Schlaf.

»Hello.« Sie flüstert verschlafen, gleichzeitig überkommt sie eine furchtbare Angst, dass der Anruf vom Krankenhaus ist.

»Jenny, geh auf Skype!«

»Was?«

»Ich sitze hier mit Allan zusammen. Es ist der richtige. Er ist alt und krank wie Doris. Aber er erinnert sich an sie. Er fing an zu weinen, als ich ihm erzählt habe, dass sie noch lebt.«

Jenny setzt sich ruckartig auf, ihr Herz schlägt ihr bis zum Hals, ihre Ohren rauschen. Allan!

»Du hast ihn gefunden!«

»Ja! Bist du bei Doris? Wenn nicht, fahr jetzt hin!«

»Es ist mitten in der Nacht, aber ich kann hinfahren.«

»Nimm ein Taxi, beeil dich!«

»Okay, ich ruf an, wenn wir da sind.«

Sie springt aus dem Bett, rast ins Badezimmer. Klatscht sich kaltes Wasser ins Gesicht, zieht sich die Klamotten vom Vortag an und ruft ein Taxi. Der Laptop kommt in die Tasche, Tyra wickelt sie in eine Decke. Die Kleine wimmert, aber wacht nicht auf. Auch nicht, als der Kinderwagen die Treppe hinunterhüpft. Das Taxi wartet vor der Tür. Sie setzt Tyra in den Wagen, während der Fahrer den Kinderwagen zusammenklappt und in den Kofferraum legt. Schweigend fahren sie durch das nächtliche Stockholm. Im Radio spielen sie Liebeslieder. *Purple Rain*. Sie kann den Text auswendig, lächelt. Früher haben Willie und sie in der Küche getanzt, und er hat es ihr ins Ohr gesummt. Sie waren eng umschlungen, und sie konnte seine Erregung spüren. Das war vor den Kindern, vor dem Alltag. Wenn sie wieder zu Hause ist, wird sie das Lied spielen. Und mit ihm tanzen.

»Ist die Kleine krank?«, bricht der Fahrer schließlich das Schweigen.

»Nein. Wir besuchen jemanden auf der Station. Können Sie mich bitte am Haupteingang rauslassen?«

Er nickt. Als sie mit Tyra aussteigt, hat er schon den Wagen auseinandergeklappt. Er lächelt ihr zu.

»Hoffe, es geht alles gut.«

Geistesabwesend dankt sie ihm und läuft los.

Als Jenny ins Zimmer schleicht, liegt Doris wach im Bett, ihr Blick ist klar, und sie sieht nicht mehr so blass aus wie am Tag. Zum Glück hat sie keine Krankenschwester gesehen.

»Du bist ja wach!« Jenny flüstert, um die anderen im Zimmer nicht zu wecken.

»Ja.« Doris lächelt.

»Ich habe eine Überraschung für dich. Wir müssen dir das schöne Kleid anziehen und dich raus auf den Flur rollen.« Sie löst die Bremsen und schiebt das Bett Richtung Tür. In diesem Moment kommt eine Schwester ins Zimmer und sieht sie entgeistert an.

»Und was haben Sie bitte vor?«

Jenny hält den Finger vor die Lippen und schiebt das Bett auf den Flur. Die Frau folgt ihr, außer sich. »Was machen Sie da? Sie können doch nicht einfach … Wissen Sie eigentlich, wie spät es ist?«

»Lassen Sie uns bitte für einen Moment hier draußen sein. Es ist sehr wichtig. Und nein, das kann nicht warten. Ich weiß, dass alle anderen schlafen. Wir werden sie auch nicht wecken.«

Sie schiebt das Bett in eine Ecke vom Aufenthaltsraum und grinst der Krankenschwester aufgeregt zu. Die schüttelt nur den Kopf und dreht sich wortlos um. Jenny holt das Kleid aus ihrer Tasche. Es ist noch etwas klamm, sie hat es mit der Hand ausgewaschen.

»Was machst du da, Jenny? Gehen wir auf eine Party, oder was?«

Jenny lacht. »Das ist eine Überraschung, das habe ich doch schon gesagt. Aber ja, so könnte man es sagen.«

Vorsichtig richtet sie Doris' Haare mit einem Kamm und legt ihr etwas Rouge auf.

»Die Lippen auch.« Doris schmatzt mit den Lippen.

Jenny mischt Rosa und Beige, bis die Farbe entsteht, die Doris mag, und tupft ihr den Lippenstift auf die trockenen, schmalen Lippen. Dann setzt sie sich mit dem Laptop zu ihr aufs Bett. Aber sie hält die Spannung nicht mehr aus.

»Dossi, er lebt!«

»Was? Wer lebt? Von wem sprichst du?«

»Wir haben, Willie hat… Wir haben Allan gefunden.«

Doris zuckt zusammen und starrt sie an.

»Allan!« Sie klingt erschrocken.

»Er will dich wiedersehen und mit dir sprechen, über Skype. Willie ist bei ihm, und ich rufe ihn jetzt an.« Sie klappt den silbernen Laptop auf.

»Nein! Er darf mich so nicht sehen!« Nervös fährt sie sich an den Kopf, ihre Wangen werden auch ohne Rouge ganz rosig. Allan…

»Er ist auch alt geworden und liegt im Sterben. Das ist

eure letzte Chance, euch noch mal zu sehen. Du musst jetzt mutig sein und sie nutzen.«

»Aber was, wenn er…«

»Wenn er was?«

»Wenn er gar nicht mehr der ist, an den ich mich erinnere. Wenn ich enttäuscht bin? Oder er?«

»Es gibt nur eine Möglichkeit, das herauszufinden. Du musst es wagen. Ich rufe jetzt an.«

Doris zieht sich die Decke bis zum Hals hoch. Jenny zieht sie wieder runter.

»Du siehst toll aus. Vertrau mir.«

Sie öffnet Skype und ruft Willie an. Er geht sofort ran.

»Jenny, Doris, hallo.« Willie winkt und lacht. Die dunklen Augenringe verraten den Schlafmangel der letzten Tage. »Seid ihr bereit?«

Jenny nickt. Willie dreht den Laptop, und ein Mann in einem dunklen Samtsessel wird sichtbar. Doris starrt auf den Bildschirm. Seine Hände liegen gefaltet auf seinem Schoß, die Füße ruhen auf einem Hocker. Darüber liegt eine rote Decke. Das Gesicht ist faltig und die Wangen eingefallen. Das Jackett schlackert an dem mageren Körper. So wie damals in Paris. Das Hemd ist bis zum Hals zugeknöpft. Er lächelt und winkt mit einer knochigen Hand. Blinzelt und lehnt sich vor. Willie taucht auf dem Bildschirm auf.

»Schalte mal die Kamera ein, Jenny«, sagt er und stellt den Laptop in Allans Schoß.

Jenny sieht zu Doris. Die starrt Allan mit leicht geöffnetem Mund an, aber als Jenny sie fragt, ob das in Ordnung sei, nickt sie eifrig.

Allan zuckt zusammen, als er die schmale Frau im Krankenhausbett sieht.

»Oh, Doris«, keucht er, seine Stimme ist voller Bedauern.

Er streckt seine zitternde Hand aus, als würde er sie berühren wollen.

Lange sehen sie einander an, ohne etwas zu sagen. Jenny wird ungeduldig und schnippt mit den Fingern, zeigt auf den Bildschirm. Allan bricht schließlich das Schweigen.

»Ich habe dich nie vergessen, Doris.« Tränen laufen ihm über die Wangen.

Doris greift nach dem Medaillon, das Jenny ihr umgelegt hat. Sie versucht es zu öffnen, aber ihre zitternden Finger schaffen es nicht. Jenny hilft ihr, und Doris zeigt Allan das Foto. Er lacht laut auf.

»Paris«, murmelt er.

»Diese Monate waren die besten meines Lebens.« Sie flüstert die Worte, auch ihre Augen sind mit Tränen gefüllt. »Ich habe dich nie vergessen.«

»Du bist noch immer so unglaublich schön.«

»Es waren die besten Monate meines Lebens. Du…« Ihre Stimme bricht. Ihre Augen verdrehen sich. Jenny fühlt den Puls an Doris' Handgelenk. Er ist schwach. Doris ist ganz blass geworden.

»Ich habe dich überall gesucht«, keucht sie.

»Das habe ich auch. Ich habe dir geschrieben, aber ich wusste nicht, wo du bist.«

»Was ist passiert? Wo bist du all die Jahre gewesen?«

»Ich bin nach dem Krieg in Frankreich geblieben. Viele Jahre.«

Doris reibt sich die Tränen aus den Augen. »Und deine Frau?«

»Sie starb im Kindsbett. Das Kind auch. Ich habe noch mal geheiratet, aber erst viele Jahre später. Ich habe überall nach dir gesucht, bin nach New York gefahren, habe dir Briefe geschrieben. Niemand wusste, wo du warst. Zum

Schluss wusste ich nicht mehr, wo ich suchen sollte. Was ist dir widerfahren, wo hast du all die Jahre verbracht?«

»Ich habe New York verlassen, weil ich zu dir wollte, zurück nach Europa. Ich wollte nach Paris, aber es herrschte noch Krieg. Am Ende bin ich wieder in Schweden gelandet, in Stockholm.«

»Ich habe nie aufgehört, an dich zu denken. Habe immer an unsere Ausflüge gedacht, die Spaziergänge ... unsere Fahrt in die Provence.«

Doris lächelt, versunken in der Erinnerung. Jennys Augen füllen sich mit Tränen, als sie die unbändige Freude in Doris' Gesicht sieht. Als wäre sie wieder zum Leben erweckt worden. Doris wirft Allan eine wackelige Kusshand zu.

»Die Nacht unter freiem Himmel, erinnerst du dich noch daran?«, fährt sie fort. »Das war eine so wunderbare Nacht!«

»Natürlich erinnere ich mich daran. Ich erinnere mich an jede Kleinigkeit, die ich mit dir erlebt habe, jeden einzelnen Schritt, den wir gemacht haben. Es war die schönste Zeit meines Lebens.«

»Du hast mir das Herz gebrochen.« Doris' Stimme klingt jetzt schwach, voller Trauer. »Damals in New York. Warum hast du das bloß getan, wenn du mich geliebt hast?«

»Ich hatte keine andere Wahl, mein Liebes. Du warst doch der Grund, warum ich nach Europa gefahren bin.«

»Was sagst du da? Du hast mir erzählt, du musst in den Krieg ziehen. Du hast mich verlassen!«

»Ich bin geflohen. Ich konnte meiner Frau nicht mehr in die Augen sehen, als ich wusste, dass du in der Stadt warst. Ich habe nie aufgehört, an dich zu denken. Ich bin vor euch beiden geflohen.«

Schweigend sehen sie sich an. Im Hintergrund hört Jenny

Willie, der sich räuspert. Sie schickt ihm eine SMS mit einem roten Herzen.

»Ich kann es nicht glauben, dass du noch lebst.« Doris lächelt und berührt den Bildschirm mit den Fingern. Er legt seine Hand darauf.

»Mein Herz. Du, mein Herz«, murmelt er.

»Du bist so weit weg. Warum bist du nur so weit weg«, sie schluchzt, »ich wünschte, ich könnte noch ein letztes Mal in deinen Armen liegen. Und dich küssen.«

»Ich kann nicht glauben, dass du mein Foto all die Jahre bei dir getragen hast. Wenn ich doch nur gewusst hätte... Wir hätten zusammen... Oh, Doris... All die Kinder, die wir bekommen wollten. Das Leben, das wir miteinander verbringen wollten.« Sein Kopf sinkt in seine Hände, er hebt ihn wieder, versucht, trotz der Tränen zu lächeln. »Wir sehen uns im Himmel, mein Herz. Dort werde ich für dich da sein. Ich liebe dich, Doris. Ich habe dich vom ersten Tag an geliebt. In meinem Herzen hat es immer nur uns beide gegeben, nur uns beide.«

Allans Worte hallen durch den leeren Aufenthaltsraum. Doris hat ihren Kopf auf das Kissen gelegt und kämpft gegen ihre Müdigkeit. Sie will die Augen nicht schließen, versucht zu sprechen, aber es kommen nur gequälte Laute aus ihrem Mund.

Jenny wischt sich die Tränen aus den Augen und schiebt ihren Kopf vor die Kamera.

»Hallo Allan. Es tut mir leid, aber sie ist so schwach, ich befürchte, sie kann jetzt nicht mehr.«

»Doch, ich kann«, flüstert Doris.

»Schlaf, mein Liebes, ich bleibe bei dir und sehe dir beim Schlafen zu. Du bist noch genauso schön wie früher. Die Allerschönste.«

»Und du hast dich auch nicht verändert. Immer große Worte schwingen!« Doris lächelt.

»Für dich sind keine Worte groß genug. Nichts kann schöner sein als du. Nichts war je schöner.«

»Ich habe dich immer geliebt, Allan. Immer. Jede Stunde meines Lebens, jeden Tag, all die Jahre. Es gab immer nur uns.«

»Ich habe dich auch immer geliebt und werde es immer tun.«

Doris schläft ein, mit einem Lächeln auf dem Gesicht. Allan betrachtet sie schweigend. Die Tränen laufen ihm über die Wangen, jetzt wischt er sie nicht mehr weg.

»Morgen können Sie sich bestimmt noch mal unterhalten.« Jenny hat sich wieder vor die Kamera geschoben.

»Nein, nein, bitte, schalten Sie nicht aus. Ich bitte Sie. Ich möchte sie noch eine Weile ansehen.«

Jenny lächelt, obwohl sie ihre Tränen und ihr Schluchzen kaum zurückhalten kann. »Ich schalte nicht aus, das können Sie dann tun, wann immer Sie wollen. Ich verstehe es. Ich verstehe es sehr gut.«

~ 36 ~

Sie betrachtet die beiden. Die schlafende Doris neben sich und Allan auf dem Bildschirm in seinem Sessel. Am Ende schließt auch er die Augen und schläft ein. Ihr Handy klingelt. Sie lächelt, als sie Willies Gesicht auf dem Display sieht.

»Ich verstehe es jetzt auch«, sagt er mit warmer Stimme. »Jetzt habe ich es wirklich verstanden.«

»Ja... Liebe. Das wollte ich Doris mitgeben. Ich wollte sie nicht mit einer unglücklichen Liebe im Herzen sterben lassen.«

»Ich weiß, und ich habe es jetzt verstanden. Und weißt du was, ich liebe dich. Du bist wunderbar, weil du so etwas siehst und fühlst. Ich bin so dankbar, dass ich dich habe, dass ich mein Leben mit dir verbringen kann. Verzeih mir, dass ich so ein Idiot bin.«

»Gut, dass du das sagst.«

»Was denn? Dass ich ein Idiot bin oder dass ich dich liebe?«

»Beides.« Sie lacht.

»Ich wünschte, du könntest jetzt hier sein. Dann könnte ich dich umarmen. Lange. Ich weiß, wie schwer das alles für dich sein muss. Verzeih mir bitte. Ich meinte es nicht böse.«

»Ich weiß. Ich wünschte auch, dass du hier sein und dich von ihr verabschieden könntest.«

Doris stöhnt, und Jenny flüstert Willie »Ich muss los, ich liebe dich, vielen Dank« zu und legt auf.

Allan sieht aus, als würde er schlafen. Sie klappt den Lap-

337

top zu, um ihn nicht zu wecken. Dann setzt sie sich zu Doris aufs Bett und legt eine Hand auf ihre Stirn. Sie ist kühl, aber verschwitzt. Doris öffnet die Augen, aber kann ihren Blick nicht halten. Jenny rennt los und holt eine Krankenschwester.

»Allan!«, ruft Doris. »Allan!«

Die Krankenschwester öffnet das Kleid und horcht das Herz ab.

»Das klingt nicht gut, ich rufe lieber einen Arzt.«

»Wir haben einen alten Freund über Skype angerufen. Das hätte ich jetzt mitten in der Nacht vielleicht nicht machen sollen.«

Jenny weint hemmungslos und zittert am ganzen Körper.

»Sie wird sterben, ganz gleich, was Sie wann machen, meine Liebe. Sie ist sehr alt.«

Die Schwester nimmt Jenny in den Arm, streicht ihr über den Rücken.

»Doris! Doris, bitte wach auf.«

Doris versucht es, aber kann nur ein Augenlid öffnen. Ihre Lippen sind blau angelaufen.

»Ich wünsche... dir... von allem genug...«, flüstert sie und schließt das Auge wieder.

»Genug Sonne, die Licht in deine Tage bringt, genug Regen, damit du die Sonne schätzen kannst, genug Glück, das deine Seele stärkt, genug Schmerz, damit du auch die kleinen Freuden des Lebens genießen kannst, und genug Begegnungen, damit du die Abschiede besser verkraftest.« Mit zitternder Stimme und Tränen in den Augen ergänzt Jenny die Worte, die Doris ihr schon so oft gesagt hat.

Der rasselnde Atem geht plötzlich über in ein tiefes Röcheln. Die beiden Frauen zucken zusammen. Doris schlägt beide Augen auf und sieht Jenny mit klarem Blick an.

Dann geht sie.

~ 37 ~

Während ihr die Tränen über die Wangen laufen, nimmt sie einen Stift und zieht einen dünnen, zittrigen Strich über den Namen auf der Innenseite des Buchdeckels. Doris Alm. Daneben notiert sie das Wort. TOT. Sie schreibt es zweimal, dreimal, viermal. Am Ende ist der ganze Deckel damit bedeckt.

Vor ihr auf dem Tisch liegen Doris' Habseligkeiten aus dem Krankenhaus. Ein wenig Schmuck. Das Medaillon. Das rosafarbene Kleid. Die Sachen, mit denen sie eingeliefert wurde, eine dunkelblaue Tunika mit weichen Ärmeln und eine aufgeschnittene Hose aus grauer Wolle. Die Handtasche mit der Geldbörse und das Handy, noch immer eingeschaltet. Ihr Computer. Was soll sie mit den ganzen Sachen tun? Sie kann sie nicht wegwerfen. Die Wohnung darf nicht aufgelöst werden. Zumindest nicht sofort. Sie sieht sich um und fährt mit der Hand über die raue Oberfläche des Holztisches. Derselbe Tisch, den Doris schon immer hatte. Nichts hat sich in der Wohnung geändert.

Plötzlich erinnert sie sich an das, was Doris über die Briefe geschrieben hatte. Es musste noch eine Dose geben außer den beiden, die sie schon gefunden hat. Sie läuft ins Schlafzimmer und kniet sich vors Bett. Da, ganz hinten in der Ecke, steht eine rostige Blechdose. Sie zieht sie raus und bläst die dicke Staubschicht weg. Öffnet sie und schnappt nach Luft. So viele Briefe. Heute Abend wird sie sie alle lesen.

Tyra sitzt in der Küche auf dem Boden, schlägt auf Töpfe und Deckel und freut sich über den Lärm. Jenny lässt sie gewähren, sie wendet ihr den Rücken zu, damit die Kleine ihre Mutter nicht weinen sieht. Das arme Mädchen hat in den letzten Tagen nicht besonders viel Aufmerksamkeit bekommen. Zum Glück wird sich Tyra daran nicht erinnern. Zum Glück ist sie noch zu klein, um alles zu verstehen.

Jenny ist so müde. Die Nacht, der Morgen und der Tag sind an ihr vorbeigezogen, ohne dass sie Schlaf gefunden hat. Ihre Haut spannt, die Augen sind geschwollen. Sie reibt sich das Gesicht, legt die Unterarme auf den Tisch und ihren Kopf darauf. Das kleine Kind in ihr hat seine sichere Burg verloren. Sie will gerade keine Mutter sein. Sie will nicht erwachsen sein. Will sich zusammenrollen und weinen dürfen, bis es keine Tränen mehr gibt. Bis Doris sie in den Arm nimmt. Die Tränen sind nicht aufzuhalten, aus dem Schniefen wird ein Schluchzen, das nicht aufhören will.

»Mommy traurig!« Tyra tippt ihrer Mutter ans Bein und zieht am Pullover. Jenny nimmt sie auf den Arm und drückt sie an sich. Tyra legt ihre dicken Arme um Jennys Hals.

»Mhmm, Mama vermisst Dossi so sehr, mein Schatz«, flüstert sie und küsst Tyra auf die Wange.

»Krankenhaus«, sagt Tyra entschlossen und lässt sich zu Boden gleiten. Sie läuft zum Kinderwagen, aber Jenny schüttelt den Kopf.

»Nein, nicht jetzt, Tyra, spiel ein bisschen hiermit.« Sie gibt ihr das Handy. »Dort gehen wir nicht mehr hin«, murmelt sie mehr zu sich selbst.

Sie klappt Doris' Laptop auf und fährt ihn hoch. Auf dem Desktop sind zwei Ordner. Der eine heißt *Jenny*, der andere *Notizen*. Sie öffnet den Ordner *Jenny* und geht die Dateien durch. Die meisten hat sie schon gelesen. Aber in dem Ordner befindet sich noch ein weiterer, den sie noch nicht kennt. Er heißt *Tod*. Sie bekommt eine Gänsehaut und zögert einen Moment, aber dann öffnet sie ihn. Darin befinden sich zwei Dateien, eine ist Doris' Testament. Es ist kurz. Dort steht, dass Jenny alles bekommt und dass ein ausgedrucktes und vom Notar beglaubigtes Exemplar unter dem Schreibtisch klebt. Doris will auf ihrem Sarg rote Rosen haben, und bei der Beerdigung soll Jazz gespielt werden, keine Kirchenlieder. Und dann steht da noch eine kurze Nachricht.

Hab keine Angst vor dem Leben, Jenny. Erleb so viel es geht. Greif zu. Lache. Das Leben ist nicht dazu da, dass es dich unterhält, du musst das Leben unterhalten. Nutze die Chancen, wenn sie sich bieten, und mach etwas Gutes daraus.
Ich liebe dich über alles. Das habe ich immer getan, vergiss das nie. Meine allerliebste Jenny.

Und weiter unten:

PS: Schreibe! Du hast das Talent dazu. Und Talente muss man nutzen.

Jenny muss lachen, obwohl ihr die Tränen übers Gesicht laufen. Genau genommen war das Schreiben Doris' großes Talent, das weiß sie, seit sie ihre Erinnerungen gelesen hat. Das Schreiben war Doris' Traum gewesen. Aber auch Jennys. Das begreift sie jetzt.

Dann öffnet sie das andere Dokument und liest. Wort für Wort. Ein letztes Echo von Doris.

Das rote Adressbuch

N. ~~NILSSON, GÖSTA~~ TOT

Jetzt sind fast alle tot. Alle, von denen ich dir erzählt habe. Alle, die mir etwas bedeutet haben. Gösta ist in seinem Bett eingeschlafen. Ich saß auf einem Stuhl neben ihm und habe seine Hand gehalten. Sie war warm und wurde dann immer kälter. Ich ließ ihn erst los, als ich sicher war, dass alles Leben ihn verlassen hatte und nur seine Hülle zurückgeblieben war. Er ist an Altersschwäche gestorben. Er war die zweite große Liebe meines Lebens. Eine platonische Liebe. Ein Freund, an den ich mich anlehnen konnte. Der Mann, der in mir immer das Kind gesehen hat, damals als ich für Dominique gearbeitet habe, und auch später, als ich schon graue Haare hatte.

Ich werde dir jetzt Göstas großes Geheimnis anvertrauen. Ich habe ihm versprochen, es niemandem zu erzählen, solange er noch lebt. Und das Versprechen habe ich gehalten. Aber ich habe nicht vor, das Geheimnis mit ins Grab zu nehmen. Ich gebe es dir, und du sollst gut damit umgehen.

In meiner Wohnung gibt es ein Geheimzimmer. Es ist zwei mal zwei Meter groß und befindet sich hinter dem Kleiderschrank im Mädchenzimmer. Um es betreten zu können, musst du vorher die hintere Bodenleiste zur Seite schieben.

Dort hat Gösta die Gemälde aufbewahrt, auf denen er sein Paris gemalt hat. Das war seine Schatzkammer. Und dort befinden sie sich auch heute noch. Schöne Gemälde von seiner geliebten Stadt Paris.

Die Gemälde gehören jetzt dir. Wenn du sie der Welt zeigen willst, gib sie als Leihgabe an ein Museum in Paris. Das hätte ihn stolz gemacht.

Das rote Adressbuch

A. ANDERSSON, ELISE TOT

Und nun zum allerletzten Kapitel. Deine Mutter. Ihr Schicksal hat deines beeinflusst, solange du lebst. Ich kann nichts schreiben, um dein Bild von deiner Mutter zu verändern. Sie hat es immer wieder versucht und ist immer wieder gescheitert. Ich kann euer Band nicht heilen und auch nicht die Spritzen ungeschehen machen, die sie sich in den Arm gedrückt hat.

Aber ich kann mein Herz erleichtern und dir das erzählen, was ich dir nie zu sagen gewagt habe. Was mich all die Jahre gequält hat. Ich hoffe, dass ich schon tot bin, wenn du das hier liest. Und wenn ich noch leben sollte, bitte ich dich, dass du akzeptierst, dass diese Version auf Papier die einzige bleiben wird. Ich werde deine Fragen nicht beantworten können, wenn du mehr wissen willst.

Es ist alles meine Schuld. Ich habe Elise im Stich gelassen, als sie mich am meisten gebraucht hätte. Und das nicht nur einmal. Sondern mehrmals. Es fing damit an, dass ich das weinende Baby bei einer kränklichen und schwachen Großmutter zurückließ. Weil ich nach Frankreich wollte. Zu Allan. Ich habe nur an mich und meinen Wunsch nach Glück gedacht. Du hast mich immer als einen Menschen erlebt, der gerne hilft und sich kümmert. Das war damals nicht so. Das Einzige, woran ich denken konnte, war mein Leben, meine Zukunft. Das war mir wichtiger als Elise. Jedes Mal, wenn dein Großvater Carl mich anflehte, doch zurückzukommen, warf ich den Brief in den Papierkorb. Zum Geburtstag schickte ich ein Geschenk, aber das war auch das Einzige. Ein süßer Teddybär oder ein Kleidchen. Als würden Geschenke meine Abwesenheit wettmachen.

Die Drogen waren nicht das wahre Problem. Es war ihr Start ins Leben. Der hat sie so unsicher gemacht. Und diese Unsicherheit machte sie empfänglich für die Drogen. Sie halfen ihr dabei, ihren Ängsten zu entkommen. Sie wäre sonst eine gute Mutter gewesen.

Ich habe oft versucht, mit ihr darüber zu sprechen. Habe versucht, sie davon zu überzeugen, die Vergangenheit hinter sich zu lassen. Und zu lernen, das Gute und Schöne im Leben zu sehen. Sie schüttelte nur den Kopf. Einmal sagte sie, dass sie nur high wirklich glücklich war. Dass sie dann durch die Luft schwebte und alle Probleme verschwinden würden.

Als Carl mich anrief und mir erzählte, dass du geboren wurdest, bin ich zum ersten Mal seit meiner Flucht damals nach New York gefahren. Gösta war vor Kurzem gestorben, und ich war einsam. Es war Liebe auf den ersten Blick. Ich hielt deinen kleinen Fuß in meiner Hand und habe dich stundenlang angesehen. Ich besuchte dich, als du ein Jahr alt warst, dann als du vier warst, fünf, sechs und dann jedes Jahr, bis du ins College gekommen bist.

Ich habe ein Kind verloren. Eines, das ich nicht haben wollte. Aber der Verlust hat eine Leere hinterlassen. Und die hast du gefüllt. Du warst mein Ein und Alles, es war so leicht, dich zu lieben. Du hast mir die Chance gegeben, alles wiedergutzumachen, und ich habe mir geschworen, dass ich alles für dich tun würde. Dass du jede erdenkliche Unterstützung bekommen sollst, damit du dein Leben bewältigen kannst. Denn das ist nicht so leicht, Jenny. Das Leben ist hart.

Versprich mir, dass du deiner Mutter verzeihst. Ich bin mir sicher, dass Elise dich geliebt hat. Verzeih ihr. Ich hätte für sie da sein sollen, so wie ich für dich da gewesen bin. Aber ich konnte nicht. Es war meine Schuld. Verzeih mir.

Sie sitzen auf dem Küchenfußboden zu Hause bei Jenny und sortieren die Briefe nach dem Datum der Poststempel. Die ungeöffneten schlitzen sie auf. Neben Jenny sitzt Mary, Allans Enkeltochter. Sie rief an, als Allan starb. Zwei Tage nach Doris. Und auch Mary hatte bei ihrem Großvater alte Briefe gefunden.

Die Umschläge haben zwei Dinge gemeinsam. Sie haben »Empfänger unbekannt« über dem Namen stehen, und sie wurden an den Absender zurückgeschickt.

7. November 1944
Postlagernd Allan Smith, Paris

Liebster Allan,
in mir nagt die Sorge, wie es dir geht. Kein Tag vergeht, an dem ich nicht an dich denke. Ich suche dein Gesicht in den Nachrichten, jeden Soldaten sehe ich mir genau an. Ich hoffe, dass du Paris unverletzt verlassen konntest und zurück in New York bist. Ich lebe jetzt wieder in Schweden, in Stockholm.
Deine Doris

20. Mai 1945
Postlagernd Doris Alm, New York

Doris, ich lebe. Der Krieg ist endlich vorbei, und ich denke jeden Tag an dich. Wo bist du? Wie geht es dir und deiner Schwester? Schreib mir. Ich bleibe in Paris. Wenn du meine Zeilen liest, komm zu mir.
Dein Allan

30. August 1945
Postlagernd Doris Alm, New York

Liebste Doris,
mein größter Wunsch ist, dass du eines Tages deine Briefe im Postamt am Grand Central abholst und meine Zeilen liest. Ich spüre, dass du lebst, du bist in meinen Gedanken. Ich will mit dir zusammen sein. Ich lebe in Paris. Komm zu mir.
Dein Allan.

15. Juni 1946
Postlagernd Allan Smith, New York

Manchmal frage ich mich, ob du nur in meinen Träumen existierst. Ich denke jeden Tag an dich. Liebster, gib mir ein Lebenszeichen. Allan, nur eine Zeile. Ich lebe nach wie vor in Stockholm. Ich liebe dich.
Deine Doris

1946, 1947, 1950, 1953, 1955, 1960, 1970... Sie haben sich ihr ganzes Leben lang geschrieben. Kurze Notizen über den Atlantik, die sich immer verpassten. Wenn doch nur... Was wäre gewesen, wenn...

Jenny und Mary lächeln sich an.

»Das ist unglaublich. Sie haben sich ihr ganzes Leben lang geliebt.«

Unter jedem Grabstein ruht die Liebe. So viel Liebe.
Ein Augenaufschlag, der das ganze Leben
auf den Kopf stellt.
Ineinander verschlungene Hände auf einer Parkbank.
Der Blick der Eltern auf ihr Neugeborenes.
Eine Freundschaft, die so stark ist, dass sie
keine Leidenschaft braucht.
Zwei Körper, die immer wieder zu einem verschmelzen.
Liebe.
Es ist nur ein Wort. Aber es birgt so viel mehr.
Am Ende ist die Liebe das Einzige, was zählt.

Hast du genug geliebt?

Nach »Das rote Adressbuch« der zweite
große Roman von Sofia Lundberg

Erhältlich ab März 2020

*Kann man mit einem Herzen voller Geheimnisse
wirklich lieben?*

LESEPROBE

HEUTE

NEW YORK, 2017

Dämmerung. Die Sonne geht hinter den Hochhäusern unter, die man durch die hohen Loftfenster sehen kann. Ein paar hartnäckige Sonnenstrahlen stehlen sich zwischen den Fassaden hindurch, wie goldene Speerspitzen zerteilen sie die herannahende Dunkelheit. Ein weiterer Abend. Seit Wochen hat Elin nicht mehr zuhause Abendbrot gegessen. Und auch heute wird sie es nicht tun. Sie sieht aus dem Fenster, sieht ihre üppig bewachsene Dachterrasse nur ein paar Straßenzüge entfernt, den roten Sonnenschirm und den Grill, der bereits angezündet wurde. Eine schmale Rauchsäule steigt in den Himmel auf.

Sie sieht die undeutlichen Umrisse einer Person, das wird Sam sein, oder Alice. Oder ein Freund, der zu Besuch gekommen ist. Sie kann nur eine Gestalt erkennen, die sich zwischen den Sträuchern bewegt.

Sie warten zuhause bestimmt auf sie. Vergeblich.

Hinter ihr im Studio ist auch Bewegung, die Leute laufen kreuz und quer. An einem Stahlgestell hängt eine Leinwand aus graublauem Fond, die weich zwischen Wand und Boden abschließt. Davor steht mittig eine mit Goldbrokat bezogene Chaiselongue. Auf der liegt eine schöne Frau mit mehreren Perlenketten um den Hals. Sie trägt einen fließenden weißen Rock aus Tüll, der sich auf den Boden ergießt. Ihr Oberkörper ist mit glänzendem Öl eingerieben, die Perlenketten bedecken ihre nackte Brust. Die Lippen sind dunkelrot. Ihre

Gesichtszüge und ihre Haut sind bis zur Perfektion von mehreren Schichten Make-up geglättet.

Zwei Assistenten sind mit dem Licht beschäftigt, sie verschieben die großen Strahler mal nach oben, mal nach unten, drücken den Auslöser der Kamera, überprüfen den Belichtungsmesser und fangen wieder von vorne an. Hinter den Assistenten steht ein Team aus Stylisten und Make-up-Artisten. Konzentriert mustern sie jedes kleine Detail der Aufnahme, die im Begriff ist zu entstehen. Sie tragen schwarze Kleidung. Alle tragen schwarze Kleidung. Alle außer Elin. Sie trägt ein rotes Kleid. Rot wie Blut, rot wie das Leben. Rot wie die Abendsonne draußen vor den Fenstern.

Elin wird aus ihren Gedanken gerissen, als die schöne Frau ihren Unmut laut zum Ausdruck bringt.

»Warum dauert das denn so lange? Ich kann die Pose bald nicht mehr halten. Hallo! Können wir jetzt bitte anfangen?«

Die Frau auf der Chaiselongue seufzt und rückt ihren Körper in eine bequemere Stellung, die Ketten verrutschen und entblößen eine ihrer Brustwarzen, die ganz blau und steif ist. Zwei der Stylisten sind sofort zur Stelle und legen alle Perlen geduldig und sorgfältig wieder an ihren Platz, damit sie ihre bedeckende Rolle einnehmen können. Teile der Ketten befestigen sie mit durchsichtigem, doppelseitigem Klebeband auf der Haut. Die Frau verdreht die Augen, ungefähr das einzige Körperteil, das sie frei bewegen kann.

Ein Mann im Anzug kommt auf Elin zu, er ist der Agent der Frau. Er beugt sich zu ihr herunter und flüstert ihr mit einem freundlichen Lächeln etwas ins Ohr.

»Am besten wäre es, wenn es bald weitergeht. Sie bekommt langsam schlechte Laune, und dann werden die Aufnahmen nichts.«

Elin schüttelt den Kopf und wendet sich wieder der Fassade vor den Loftfenstern zu. »Wir können ruhig aufhören, wenn sie will. Da sind bestimmt schon ein paar Aufnahmen dabei, die wir nehmen können. Es ist ja dieses Mal nur eine Bildstrecke, keine Titelseite.«

Der Agent hebt die Hände und starrt sie entgeistert an. »Kommt nicht infrage. Wir machen auch diese Serie noch.«

Elin reißt sich von dem Anblick ihrer Dachterrasse los und kehrt zurück ans Stativ und hinter die Kamera. Ihr Handy brummt in der Jackentasche, sie weiß genau, von wem die Nachricht ist, aber antwortet nicht. Sie weiß, dass die SMS nur ihr schlechtes Gewissen verstärken wird. Sie weiß, dass die zuhause enttäuscht sind.

Kaum hat Elin ihren Platz hinter der Kamera eingenommen, gehen in den Augen des Models tausend kleine Sterne auf, sie streckt ihren Rücken und schürzt die Lippen. Ihr Haar fällt nach hinten, als sie den Kopf neigt, es flattert sanft im Windzug des Ventilators. Sie ist ein Star, und das ist Elin auch. Nur sie beide existieren in diesem Universum, sie verschlingen einander förmlich. Elin fotografiert, gibt Anweisungen, die Frau lacht, flirtet mit ihr. Das Team im Hintergrund applaudiert. Der Rausch der Kreativität pulsiert durch Elins Adern.

Stunden später erst zwingt sich Elin, das Studio und die vielen Fotos auf dem Rechner, die eigentlich noch bearbeitet werden müssten, zu verlassen. Ihr Handy ist voller verpasster Anrufe und genervter SMS. Von Sam und von Alice. *Wann kommst du? Wo bist du, Mama?* Sie scrollt sich durch die Nachrichten, liest nicht jedes Wort, hat keine Kraft dazu. Sie lässt die Taxis an sich vorbeifahren. Die Straßen von New York sind voller Menschen. Der Asphalt ist noch ganz warm, es ist ein heißer Tag gewesen. Sie schlendert nach Hause, kommt an schönen jungen Menschen vorbei, die laut lachen, angetrunken sind. Und an anderen, verdreckten, ausgestoßenen, die am Straßenrand sitzen. Sie ist schon lange nicht mehr zu Fuß nach Hause gegangen, obwohl es so nah ist. Überhaupt ist es lange her, dass sie sich außerhalb der vier Wände ihrer Wohnung, ihres Arbeitsplatzes oder ihres Fitnessstudios bewegt hat. Die Steinplatten unter ihren Absätzen sind uneben. Sie registriert jedes Detail auf ihrem Weg. Ihre Straße, die Orchard Street, ist leer, keine Menschen und keine Autos. Sie ist heruntergekommen und baufällig, so wie die Straßen in der Lower East Side eben aussehen. Sie liebt den Kontrast, zwischen außen und innen, zwischen Patina und Luxus. Sie öffnet die Haustür, geht unbemerkt an dem schlafenden Portier vorbei und drückt auf den Fahrstuhlknopf. Aber als die Türen aufgehen, zögert sie und dreht sich um. Sie will wieder raus, in die pulsierende Nacht dort draußen. Die oben schlafen bestimmt schon längst.

Sie leert ihr Postfach und nimmt den Stapel Briefe mit in das kleine Restaurant ein paar Häuser weiter. Ihr Stammlokal, in das sie oft geht, wenn sie lange arbeitet. Sie bestellt ein Glas Bordeaux, 1982er.

Der Kellner schüttelt den Kopf. »Den 1982er haben wir nicht offen, wir haben nur ein paar Flaschen davon. Das ist ganz feiner Scheiß, 1982 war ein gutes Jahr.«

Elin schließt kurz die Augen. »Das liegt im Auge des Betrachters. Aber ich zahle gerne die ganze Flasche. Ich will den Wein haben, das bin ich mir wert. Es muss der 1982er sein.«

»Alright, Sie sind es sich wert.« Der Kellner verdreht die Augen. »Allerdings schließen wir bald.«

Elin nickt. »Keine Sorge, ich trinke schnell.«

Sie nimmt den ersten Brief in die Hand, fingert daran herum, legt ihn ungeöffnet wieder beiseite, greift nach einem

Umschlag, der ihre Aufmerksamkeit erregt hat. Der Poststempel ist schwedisch, aus Visby auf Gotland. Die Briefmarke ist auch schwedisch. Ihr Name ist sorgfältig mit blauer Tinte und in Großbuchstaben geschrieben worden. Sie öffnet den Brief und faltet das Papier auf. Es ist eine Art Sternenkarte, auf der ihr Name steht, groß und verschnörkelt. Sie hält die Luft an und liest die schwedischen Worte, die darüberstehen.

Heute wurde ein Stern auf den Namen Elin getauft.

Sie liest den Satz in der nicht mehr vertrauten Sprache immer und immer wieder. Eine lange Reihe aus Koordinaten verrät, wo sich der Stern am Himmelszelt befindet.

Jemand hat einen Stern für sie gekauft. Einen ganz und gar eigenen Stern, der ihren Namen trägt. Das muss von ... Ist das überhaupt möglich ... Hat *er* ihr den Stern geschenkt? Sie bremst sich, will seinen Namen nicht aussprechen, nicht einmal in Gedanken. Aber sein Gesicht hat sie sofort vor Augen, und auch sein Lächeln.

Das Herz pocht laut in ihrer Brust. Sie schiebt die Sternenkarte von sich weg. Starrt darauf. Dann steht sie auf, läuft auf die Straße und sieht hoch in den Himmel, aber dort erstreckt sich nur eine dunkelblaue, konturlose Masse über den Dächern. In New York wird es nie richtig dunkel, zumindest nicht so dunkel, dass man das wilde Durcheinander der Sterne sehen kann. Die höchsten Gebäude in Manhattan berühren fast den Himmel, aber unten auf der Straße ist er unendlich weit weg.

Sie geht zurück ins Restaurant. Der Kellner steht an ihrem Tisch und wartet, die Flasche in der Hand. Er gießt ihr einen Schluck ein, sie kippt ihn hinunter, ohne ihn zu schmecken.

– Leseprobe –

Ungeduldig gibt sie dem Kellner zu verstehen, dass er das Glas auffüllen soll, dann nimmt sie noch zwei große Schlucke. Sie greift nach der Sternenkarte und dreht das glänzende Papier um. Ganz unten in der Ecke hat jemand etwas mit einem goldenen Stift geschrieben:

Ich habe dein Foto in der Zeitung gesehen. Du hast dich nicht verändert. Long time, no see. Lass von dir hören! F

Darunter steht eine Adresse. Elin spürt, wie sich ihr Magen zusammenzieht, als sie das liest. Sie kann den Blick nicht abwenden, ihre Augen füllen sich mit Tränen. Sie streicht mit dem Zeigefinger über die Konturen des Buchstabens F und flüstert seinen Namen, Fredrik.

Ihr Mund ist ganz trocken. Sie nimmt das Glas und leert es in einem Zug. Dann ruft sie laut nach dem Kellner.

»Hallo. Kann ich bitte ein großes Glas Milch bekommen. Ich bin auf einmal schrecklich durstig.«

DAMALS

HEIVIDE, GOTLAND, 1979

»Für jeden zweihundert Milliliter. Und hört jetzt auf zu streiten.«

Kleine Hände griffen nach dem rotweißen Tetra Pak, den Elin auf den Tisch gestellt hatte. Zwei Paar Kinderhände mit schwarzen Fingernägeln. Elin versuchte, ihnen die Packung wieder zu entreißen, aber ihre Brüder stießen sie mit spitzen Ellenbogen in die Seite. Und redeten beide gleichzeitig aufeinander ein.

»Ich will mir zuerst nehmen.«

»Du nimmst dir immer zu viel.«

»Gib das her!«

Eine strenge Stimme übertönte das Geschrei. »Hört auf zu streiten, ich halte das nicht mehr aus. Der Älteste darf immer zuerst. Ihr kennt die Regeln. Für jeden zweihundert Milliliter. Und ihr gehorcht Elin!« Marianne stand mit dem Rücken zu ihnen an der Spüle.

»Ihr habt gehört, was Mama gesagt hat!« Elin schubste Erik und Edvin weg. Die beiden fielen von der Küchenbank, ohne aber die Milchpackung loszulassen, an der sie sich festgeklammert hatten. Es wurde mucksmäuschenstill, als sie in ihrem Fall noch einen braunen Teller aus Porzellan mit sich rissen. Als würde die Luft plötzlich ganz zäh und sämig werden und die Zeit stillstehen. Das Klirren und Platschen, das folgte, als alles auf dem Boden landete, wurde von lautem Gebrüll begleitet.

– Leseprobe –

Dann plötzlich wieder Stille. Und weit aufgerissene Augen.

Auf der Plastiktischdecke breitete sich eine weiße Milchpfütze aus, es tropfte vom Tisch auf den Boden, und weiße Rinnsale liefen an den kräftigen Tischbeinen hinunter. Dann wieder Gebrüll. Die Wut zerschnitt die Luft.

»Ihr verdammten Gören. Zu nichts seid ihr nutze. Raus! Raus aus meiner Küche!«

Elin und ihre Brüder gehorchten ohne Widerworte, sie stürmten aus dem Haus und rannten über den Hof, verfolgt von den Flüchen, die jede Ecke der Küche erfüllten. Sie kauerten sich hinter einem Haufen Gerümpel an die Wand des Kuhstalls, dicht aneinandergedrängt.

»Elin, bekommen wir jetzt kein Essen mehr?« Der jüngere der Brüder flüsterte mit kaum hörbarer Stimme.

»Sie beruhigt sich schon wieder, Edvin, das weißt du doch. Mach dir keine Sorgen. Es war meine Schuld, dass der Teller kaputt gegangen ist.«

Sie strich ihm zärtlich über den Kopf, nahm ihn in den Arm und wiegte ihn hin und her.

Nach einer Weile stand sie auf und ging mit zögernden Schritten zurück zum Haus. Sie sah die gebückte Gestalt ihrer Mutter, sah, wie sie die klebrigen Scherben vom Boden sammelte, zwischen Zeigefinger und Daumen. In ihrer Hand wuchs ein kleiner Turm aus Scherben.

Die Tür zur Küche war angelehnt, die Scharniere quietschten im Wind. Von der Dachrinne tropfte der Regen. Plopp, plopp. Elin lauschte dem Geräusch. Im Haus war es ganz still. Marianne blieb mit hängendem Kopf in der Hocke sitzen, auch nachdem alle Scherben aufgesammelt waren. Blanka kam angerannt und schnüffelte auf dem Boden, leckte die verschüttete Milch auf. Marianne kümmerte das nicht.

– Leseprobe –

Elin wollte gerade zu ihrer Mutter in die Küche gehen, als sich die krumme Gestalt aufrichtete. Die Bewegung ließ Elin zusammenzucken. Sie drehte sich um und stürmte über den Hof zu ihren Brüdern in den Stall. Kauerte sich hinter den Stapel aus Gerümpel. Marianne stand in der Küchentür und warf die Scherben wie Projektile über den Hof.

»Bleibt, wo ihr seid, ich will euch nicht mehr sehen! Habt ihr gehört? Ich will euch nicht mehr sehen!«

Dann hatte sie keine Geschosse mehr. Marianne sah sich suchend nach den Kindern um. Elin machte sich so klein wie möglich, legte ihre Arme um die beiden Jungen, die ihre Köpfe in ihrem Schoß verbargen. Keiner von ihnen wagte es zu atmen, sie lauschten angestrengt nach dem geringsten Geräusch.

»Kein Essen mehr für euch, bis Ende des Monats. Habt ihr gehört? Kein Essen mehr! Verdammte Gören! Verdammte Rotzgören!«

Ihre Arme fuhren durch die Luft, obwohl sie keine Scherben mehr hatte. Niedergeschlagen beobachtete Elin sie durch die Spalte im Gerümpel. Alte Möbel, Holzbretter, Blumenkästen und Zeug, das schon längst hätte entsorgt werden müssen. Marianne griff sich an die Brust, als hätte sie Schmerzen, drehte sich um und ging zurück in die Küche. Durch das Fenster sah Elin, wie sie in ihrer Handtasche wühlte und Schubladen aufriss, bis sie gefunden hatte, wonach sie suchte. Eine Zigarette. Sie zündete sie an, nahm ein paar tiefe Züge und blies Ringe in die Luft. Runde, perfekte Ringe, die sich verformten, oval wurden und sich schließlich auflösten. Die Ringe beruhigten sie, das wusste Elin. Wenn sie die Zigarette bis auf den Filter heruntergeraucht hatte, würde er in der Spüle landen, und dann war alles überstanden.

Die Geschwister blieben in ihrem Versteck sitzen. Dicht

aneinandergedrängt. Edvin mit gesenktem Kopf. Er zeichnete mit einem Stock Striche und Ringe in den Boden. Elin ließ das Haus nicht aus den Augen. Als Marianne endlich, nach langem, schweigendem Warten, das ungeputzte Küchenfenster weit öffnete, kletterte Elin aus dem Versteck und sah zu ihr hinüber. Sie lächelte verlegen und hob die Hand zum Gruß. Marianne erwiderte das Lächeln verhalten, die Lippen fest aufeinandergepresst.

Alles war wieder wie vorher. Es war überstanden und vorbei.

Auf dem Fensterbrett standen zwei Primeln im Topf mit kleinen, verschrumpelten Blüten. Marianne knipste die trockensten ab und warf sie hinaus ins Beet.

»Ihr könnt wieder reinkommen. Tut mir leid. Ich bin einfach so wütend geworden«, rief sie. Dann drehte sie ihnen wieder den Rücken zu und setzte sich an den Küchentisch.

Elin ging in die Hocke, nahm eine Handvoll Steine in die Hand, warf sie in die Luft und drehte die Handfläche nach oben. Ein Stein blieb zunächst darauf liegen, rutschte dann aber auch hinunter und fiel wie die anderen zu Boden.

»Du bekommst keine Kinder«, rief Edvin übermütig.

Elin sah ihn wütend an. »Halt den Mund.«

»Doch, eins bekommt sie, ein Stein ist doch liegen geblieben, ganz kurz«, versuchte Erik sie zu trösten.

»Also bitte, glaubt ihr wirklich, dass ein Haufen aus Kieselsteinen die Zukunft vorhersagen kann?« Elin seufzte und ging zurück zum Haus. Auf halber Strecke blieb sie stehen und winkte ihre Brüder zu sich. »Kommt mit, wir essen jetzt, ich bin hungrig.«

Marianne saß am Küchenfenster, tief in Gedanken versunken. In der Hand hielt sie eine weitere Zigarette, deren Asche darauf wartete, abgeklopft zu werden. Der Aschenbecher auf dem Tisch war voll. Stummel um Stummel war im Sand an seinem Boden ausgedrückt worden. Marianne war blass, ihre Augen starrten ins Leere. Sie reagierte nicht einmal, als ihre Kinder sich auf die Bank setzten.

* * *

Elin zählte die Tropfen, die von der Regenrinne fielen. Sie drängten sich an den Kiefernadeln vorbei, die das Loch verstopften. Es gluckerte, wenn sie in dem blauen Fass landeten. Früher war darin Vernichtungsmittel aufbewahrt worden. Vernichtung. Elin gefiel dieses Wort und wofür es stand. Sie wünschte sich, dass noch ein bisschen von dem Vernichtungsmittel übrig war, das sie bei Bedarf einsetzen konnte. Mit zischender Stimme sprach sie einen Zauberspruch: »Vernichte! Jetzt! Komm schon, vernichte alles. Alles, was böse ist.«

Dort, hinter der Hausecke, war ihr geheimer Platz. Auf der Rückseite, wo sich nie jemand aufhielt, wo die Wacholderbüsche bis an die Hauswand wuchsen und ihr die Kiefernadeln in die Fußsohlen stachen, wenn sie barfuß war. Ihr halbes Leben lang war das schon ihr Versteck, seit sie fünf Jahre alt war. Wenn sie ihre Ruhe brauchte. Oder jemand sauer auf sie war. Wenn Papa lallte. Wenn Mama weinte.

Sie hatte Äste und Zweige aus dem Wald geholt und sich einen Stuhl daraus gebaut, der stand immer dort an die Wand gelehnt und wartete auf sie. Dort saß sie und dachte nach, sie konnte ihre Gedanken besser hören, wenn sie alleine war. Das Dach und die Plastikregenrinne schützten ihren Kopf vor dem Regen, aber nur wenn sie sich dicht an die Wand drückte. Sie lehnte den Kopf nach hinten und spürte die Regentropfen, die ihre zerschlissene Jeans tränkten. Es wur-

– Leseprobe –

den immer mehr dunkle Punkte, und gleichzeitig wurde es ganz kalt auf ihren Oberschenkeln, als wäre da eine Decke aus Eis. Aber sie zog die Beine nicht aus dem Regen, ließ sie immer nasser und nasser und immer kälter und kälter werden. Die Tropfen fielen in immer kürzeren Abständen. Sie konzentrierte sich auf das Geräusch, zählte und kam nicht durcheinander bei den Zahlen. In der Schule war das viel schwerer. Es gab immer auch andere Geräusche, die störten. Elins Gehirn registrierte alles, hörte alles gleichzeitig. Die Zahlen flossen in ihrem Kopf zusammen, sie verlor den Faden, konnte sich nicht mehr konzentrieren. Ein hoffnungsloser Fall, hatte die Lehrerin Marianne im Elterngespräch gesagt. Hoffnungslos in Mathematik. Hoffnungslos in Schönschrift. Hoffnungslos in fast allem. Außerdem war sie die Tochter eines Kriminellen. Darüber redeten sie, alle Kinder in der Schule und die Lehrerin auch, wenn sie annahm, dass Elin es nicht hörte. Sie flüsterten sich das Wort hinter ihrem Rücken zu. Elin wusste nicht einmal, was es bedeutete.

Der Einzige, der sie verteidigte, war Fredrik. Er war der stärkste und klügste Junge an der Schule. Er legte schützend seinen Arm um sie, zog sie weg und schnaubte die an, die was Doofes gesagt hatten. Sie hatte ihn gefragt, was das Wort Krimineller eigentlich bedeutete, aber er hatte sie angelacht und gesagt, sie solle lieber an etwas anderes denken.

Sie vermutete, dass es mit der Polizei zu tun hatte, die ihn eines Tages abholte. Und damit, dass er auch nicht mehr zuhause wohnte. Sie vermisste ihn, jeden Tag. Er hatte in ihr nie einen hoffnungslosen Fall gesehen, denn für ihn machte es gar keinen Sinn, gut in der Schule zu sein. Sie hatte ihm immer in seiner Werkstatt geholfen und es gut gemacht. Zumindest hatte er das immer gesagt.

Aber die Zeiten waren wohl vorbei. Für immer.

– Leseprobe –

Die kalte weiße Flüssigkeit schmeckt fast pelzig zusammen mit dem Wein, der kurz zuvor ihre Zunge berührt hat. Sie fährt ihren Gaumen entlang. Eine zähe Haut hat sich in ihrer Mundhöhle gebildet. Die Milch ist so fett, so anders. Nicht so frisch, wie das Vertraute, auf das sie Lust gehabt hatte. Sie schiebt das halbvolle Glas beiseite und legt die Finger um den Fuß des Weinglases. Zieht es näher heran, lässt es aber auf dem Tisch stehen. Vor ihr liegt der Brief, sie hat die Sternenkarte zurück in den Umschlag gesteckt. Sie streicht über die Buchstaben, mit der ihre Adresse geschrieben wurde.

Einatmen. Ausatmen.

Er steckt in diesem Schriftzug, seine Finger haben die Buchstaben ihres Namens geformt. Er hat sie nicht vergessen. Ihr Atem geht immer schneller. Ihr Herz unter dem roten Kleid pocht wild. Gleichzeitig friert sie, sie spürt die Gänsehaut auf den Armen.

»Wir schließen bald.«

Der Kellner ist schon wieder da. Er erzwingt ihre Aufmerksamkeit, zeigt auf die noch halbvolle Weinflasche.

»Ich bitte Sie. Wir sind in New York. Und Sie kennen mich. Lassen Sie mich noch ein bisschen hier sitzen, ich will noch nicht nach Hause«, murmelt sie, ohne ihn anzusehen.

Sie trinkt das Glas mit zwei großen Schlucken aus und füllt es wieder auf. Die Hand, in der sie die Flasche hält, zittert, und es fallen ein paar rote Tropfen auf die weiße Tisch-

– Leseprobe –

decke aus Papier. Die Flüssigkeit breitet sich sofort aus, wird aufgesogen. Sie betrachtet das Muster, das dadurch entsteht.

»War wieder ein harter Tag heute, was?« Der Kellner schnaubt leise, während er den Nachbartisch abräumt.

Sie nickt und dreht den Umschlag um. Dort steht nichts, aber sie sieht den Namen vor sich, den sie seit so vielen Jahren nicht ausgesprochen, fast nicht einmal gedacht hat. Fredrik Grinde. Fredrik. Sie wiederholt ihn immer wieder.

»Okay, bleiben Sie einfach sitzen, ich schließe schon mal und fange an zu putzen. Ich werde Sie nicht rausschmeißen. Aber nur, weil Sie es sind.«

Der Kellner verschwindet hinterm Tresen. Er legt andere Musik auf. Ein einsames Saxophon begleitet das Klappern aus der Küche. Die Lampen an der Decke gehen an, es wird fast gleißend hell im Restaurant. Elin schlägt sich die Hände vors Gesicht. Eine Träne fällt auf den Tisch, sie trifft einen der roten Flecken, der noch größer wird.

Ihr Handy vibriert. Eine weitere Nachricht. Wieder von Sam, sie besteht nur aus zwei Worten.

Gute Nacht.

Als sie heirateten, haben sie sich versprochen, sich immer eine Gute Nacht zu wünschen und nie im Unfrieden ins Bett zu gehen. Sie hat dieses Versprechen schon oft gebrochen. Er noch nie. Es ist immer er, der im Stich gelassen wird, nie sie. Immer war es ihr Job, der ihr die Zeit geraubt hat.

Auch heute Abend bricht sie das Versprechen. Sie drückt seine Worte weg und öffnet stattdessen die Suchmaschine, ihre Gedanken sind bei etwas anderem, bei jemand anderem. Sie tippt Fredriks Vornamen ein, ist darauf vorbereitet, sein sommersprossiges Gesicht und sein Lachen zu sehen, so wie sie sich daran erinnert. Aber das Display füllt sich nur mit Namensvettern in Anzügen.

– Leseprobe –

Sie lacht über ihre Einfältigkeit, wagt es aber nicht, ihn mit seinem vollen Namen zu suchen. Stattdessen tippt sie etwas anderes ein, findet Fotos von dem Ort, den sie vor langer Zeit verlassen hat. An dem sie einen Freund gehabt hat, der für die Ewigkeit bestimmt war. Fredrik, wo bist du all die Jahre gewesen? Sie drückt sich die Sternenkarte an die Brust.

Kurz darauf steht der Kellner wieder an ihrem Tisch. Hebt die Flasche hoch und inspiziert sie. Dann gibt er sie ihr.

»Das ist eigentlich nicht erlaubt«, sagt er, »aber nehmen Sie die jetzt einfach mit nach Hause. Das ist zu teures Zeug, um es wegzuschütten. Aber Sie müssen jetzt leider gehen.«

Elin schüttelt den Kopf, steht auf und geht zur Tür.

»Hey, hallo, Sie müssen aber trotzdem noch bezahlen!« Er packt sie am Arm und hält sie zurück.

»Verzeihen Sie...« Sie sucht nach ihrer Kreditkarte.

»Geht es Ihnen gut? Ist was passiert?«

»Ja, ich glaube schon. Ist gerade alles so... turbulent. Wahrscheinlich sollte ich jetzt schlafen gehen.«

Der Kellner nickt und lacht. »Das sollten wir alle. Selbst hier in New York. Ab nach Hause mit Ihnen, morgen ist ein neuer Tag. *The sun will come out, tomorrow, so you gotta hang on 'til tomorrow.*« Den letzten Satz singt er lauthals.

Elin lächelt verkrampft. Sie bleibt draußen vor der Tür stehen, umgeben von den vielen Gedanken, die ihr durch den Kopf schwirren. Sie holt ihr Handy aus der Tasche, tippt erneut etwas in das Suchfeld ein, ihre Finger zittern, schnell drückt sie auf Enter.

Verjährungsfrist Totschlag Schweden.